孔庆东　著

四十不坏

华文出版社

剪影：刘伟

图书在版编目(CIP)数据

四十不坏／孔庆东著. —— 北京:华文出版社,
2005.9

ISBN 7 – 5075 – 1866 – 3

Ⅰ.四… Ⅱ.孔… Ⅲ.现代文学－文学研究－中国
Ⅳ.1207.6

中国版本图书馆 CIP 数据核字(2005)第 086286 号

华 文 出 版 社 出 版

(邮编 100055 北京市宣武区广安门外大街 305 号 8 区 5 号楼)

网络实名名称:华文出版社

电子信箱:hwcbs@263.net

电话:010 – 63370164 63370169

新 华 书 店 经 销

北京高岭印刷有限公司印刷

16 开本 16.875 印张 260 千字

2005 年 9 月第 1 版 2005 年 9 月第 1 次印刷

*

印数:0001—10000 册

定价:22.00 元

目　录

自序:四十不坏　1

一、解读大师　1

　　鲁迅的智慧　1

　　鲁迅的痛苦　7

　　鲁迅的呐喊　11

　　老舍的幽默　15

　　钱钟书的幽默　31

　　打通雅俗的张恨水　49

　　《啼笑因缘》的爱情模式　65

　　艺术化的人生　73

二、文学如何现代　78

　　中国现代文学的发生　78

　　文学革命与白话文学　88

　　中国现代散文的建立和发展　98

　　激流中的左翼文学　109

　　左翼小说的文学史价值　125

三、语文改革乱弹　130

　　怎样学语文　130

　　摸不着门　132

　　有疑无疑　134

　　标答的产生　137

2003 年全国高考语文试卷分析研究　140

语文教学的改革与传统　177

四、遍地风流　183

万类霜天竞自由　183

隔世兄弟　184

红肿的桃李　186

自将磨洗认前朝　188

分不开的羊　189

波上寒烟翠　191

打不散的三国　194

生死两茫茫　195

我爱这土地　197

韩国女人的幽梦　199

魔在何处　201

庆东版"围炉夜话"　205

"非典"期间读书笔记　211

五、答非所问　226

"北大醉侠"访谈录　226

"非典"访谈录　230

挖掘小人物的光彩　233

谈话剧《霸王别姬》　235

经典五部　236

致北社同学　236

新闻是出版的火车头　238

亚洲足球在崛起　239

做客新浪　239

给政府打 82 分　250

附录　252

孔庆东韩国逸事　252

话说孔庆东的"醉"　254

谈笑风生孔庆东　258

与名人同窗的苦难日子　260

③

目

录

自序：四十不坏

很早就想写一篇文章，题目为《四十不惑》，内容是吹嘘自己到了四十岁时很牛，文武全才，昆乱不挡，耳聪目明，头重脚轻，跟天天服用了"脑白痴"似的。

后来听说，两千多年前，这个题目就被一个叫孔仲尼的民办教师给写过了。

于是我想，不跟那位没文凭的本家一般见识，咱改个题目吧，干脆反其道而行之，叫《四十而惑》，内容是检讨自己到了四十岁时很衰，是非不明，善恶不分，双兔傍地，莫辨雄雌，好像《笑傲江湖》中"桃谷六仙"的亲爹似的。

后来一翻书，发现这个题目已经被北京大学陈平原教授给写过了。他比我提前十年进入四十岁，申请专利在先，又是我的老师兼领导，公然剽窃他，实在不好意思，只好干嫉妒，谁让咱生得晚呢？再苦不能怨政府，再累不能怨社会，咱再想辙就是了。

于是穷则思变，就憋出了这个题目，叫《四十不坏》。

为啥叫"四十不坏"呢？据中国社科院法学所博士后柳金蝉女士研究，涵义有三。我替她解说如下。

第一层意思是，四十岁以前俺很坏，从今往后，俺改邪归正，再也不坏啦。四十岁以前，我孝敬父母不周，对待妻子粗俗，给老师起外号，跟学生没大小，半夜里禁止邻居唱歌，大街上强迫警察道歉，对领导求全责备，对政府视若奴仆，接待纠缠的狗仔队态度凶恶，面对外国的汉学家非说汉语，勤劳无以致富，坐怀偏要不乱，遭受百般迫害排挤嘲弄诬陷仍不知低眉顺眼假充响当当一颗铜纽扣，实在恶贯满盈、十恶不赦、凶神恶煞、穷凶极恶——四大恶人都占全了。所以人过四十天过午，趁着黄土埋了半截的大好契机，今后一定要翻然悔悟，痛改前非，行年四十而知三十九年之发昏，争取将功补过,不再犯坏,做一个和谐社会的七荤八素五好公民。

第二层意思是,四十岁这个岁数"很不坏"嘛,人到四十很有意思,很不赖嘛,很让人沾沾自喜如坐春风嘛。据我太太黄道婆教授考证:男人四十是一枝花,女人四十是豆腐渣。如果男人四十岁上跟太太离婚,必须赔偿太太"青春损失费"——每年四十吨豆腐渣的价钱。可见,四十岁绝对是男人的钻石年龄,青春期刚过,更年期尚远,食有鱼(虾皮也算),出有车(自行车也算),智勇双全,人财两丰,年富力强,前列尚康,舂米便舂米,撑船便撑船,不论被挖到什么单位都是领导的随身膏药——哪儿疼往哪儿贴。鲁迅四十岁,发表了《阿 Q 正传》;毛泽东四十岁,担任着中华苏维埃共和国主席——整个世界都是四十岁的男人在扛着呢,多么光荣的花季啊! 四十岁,不坏啊!

第三层意思是,四十岁以后,就炼成了金刚不坏之身,想坏都坏不了啦! 鲁迅有句话:"魂灵被风沙击打得粗暴",那说的是小年青儿,自虐和他虐的程度太浅。四十岁的中国男人,一个堂堂正正的有社会主义觉悟的有文化的劳动者,咱啥罪没遭过啊? 啥险没冒过啊? 啥事儿没摊上过啊? 啥理儿没辩扯过啊? 正像经历了日本鬼子惨无人道大扫荡之后的中国爷们儿,个儿顶个儿都成了"烈火金刚"。电影《地道战》里说得好:"敌人的招数用完了,轮到我们动手啦。"四十岁,恰好是一个转折点。金庸笔下的那个独孤求败,四十岁以后用的是什么剑来着? 俺当年读博士时,十分向往庄子说的"呆若木鸡"的浑然境界,师兄高远东启发我说:"呆若木鸡还不够,要呆若木!"我理解他说的就是一种"不坏法身"的境界,可是因为自己生理发育太晚,青春期太长——三十八岁还长青春痘,美其名曰"战痘的青春"——所以一直未能身体力行。如今终于四十岁啦,百炼钢化为绕指柔,如同跳出老君炉的孙悟空,再也不怕烧坏碰坏摔坏砸坏啦!

"五四"时期,激进学者钱玄同挥斥方遒地主张:人到四十岁就该枪毙!因为四十岁以后就思想僵化、情趣腐朽,只会螳臂当车、逆历史潮流而动,在"五四"先驱"青春至上"的先进理念中属于无可救药的反动派。可是若干年后,钱玄同自己到了四十岁时,他就不提这茬了。幸好鲁迅替他记得,写诗调侃他曰:"作法不自毙,悠然过四十。"大概那时钱玄同体会到"四十不坏"的滋味了。

人在不同的年龄段,会有不同的生命体验。有些道理,年龄不够,读多少美国书,开多少研讨会,也参详不透。20 世纪末的一天,我问作家阿城,快到五十岁了,心里沮丧否? 阿城攥着烟斗说:"我着急呀,我就盼着快点到这五十岁啊,很多话你不到五十岁没法说啊!"我敬佩阿城老兄的风采,心中也暗暗想着自己到五十岁时该说什么话。不过那还早,还有三千多天呢。现在刚四十,艳阳当空,麦浪翻滚,人欢马叫,番石榴飘香,我禁不住要像电视里的农民大叔那样抒情一句:"党的富民政策暖人心哪!"

其实了解我的朋友都知道,四十岁这一年,我经历了太多太多。有毒蛇在手勇士断臂的决绝,有三人成虎四面楚歌的凄凉,有落井下石绝地反击的悲壮。当然也有充实紧张的工作和春风般的友谊、牧歌般的笑傲。我感谢相信我支持我的老师、朋友和领导、同事,感谢那些在我困兽盘旋之时伸出的手臂。特别是 2005 年元旦,我被评为北京大学"十佳教师"第一名,在燕园学子的欢呼声浪中敲响新年大钟时,我心中涌起一个声音:谢谢你们,我亲爱的北大同学,我亲爱的八方读者。

四十岁了,我更加理解了苏东坡的处世姿态:菊花开处乃重阳,凉天佳月即中秋。日前在网上看到一份调查,有观众希望我来策划央视春节晚会。那我推出的第一个节目就是,五万名青春靓丽的小尼姑,站在天安门广场东侧,五万名狰狞威猛的大花脸,站在天安门广场西侧,齐声高唱:"春有春花秋有月,夏有凉风冬有雪。若无闲事挂心头,便是人间好时节。"十万人刚柔相济,歌声曼妙遒劲,直唱得云生五彩,凤鸣九霄,好一派泱泱大国的盛世祥光。

唉,四十岁了,还有这等幼稚的狂想。人若有一百岁的境界,八十岁的胸怀,六十岁的智慧,四十岁的意志,二十岁的激情,再加上两三岁的童心,不坏,真的不坏。

③

一、解 读 大 师

本辑文字皆为近年在高校和电视台所做讲演。

鲁迅的智慧

鲁迅,这是差不多每个中国人都知道的一个如雷贯耳的名字。提到鲁迅,许多人就会油然想到"三个伟大"——伟大的文学家,伟大的思想家,伟大的革命家。许多人会想到"鲁迅的骨头是最硬的"这句话。

是的,伟大领袖毛主席的这句精彩评断早已深入人心。大多数国人心目中的鲁迅,是个整天横着眉毛跟黑暗势力斗争、斗争、再斗争的钢铁战士,不知疲倦,不懂休闲,不谈风月,不近人情,就知道写呀写,喊呀喊,用三仙姑评价丈夫的话说:就知道在地里"死受"。这样的鲁迅形象颇为类似那移山的愚公,挖山不止,征途漫漫,几时才得个轻松爽利?所以当今的时髦男女们,对鲁迅大人尊敬是尊敬,但多少有些摇头不喜甚或眉头紧皱,也就是可以理解的事了。如果让广大纳税人评选一下《愚公移山》里的人物,那愚公一定是最值得学习和尊敬的劳动模范,可以当人大代表;但要是让那些染发露脐的女孩挑选男朋友,恐怕智叟的得票要远远高于愚公了,因为智叟懂效益,有情趣,还关心体贴人,活得多么潇洒啊,当不上人大代表,也可以混个政协委员么。

在今天这个消费主义的时代,鲁迅虽然还是很伟大,但似乎离我们很远。加上很多中学的语文课讲得比较僵化:不结合当今的实际和拘泥于语言字词,以致有些学生认为鲁迅的文章里到处是病句。

所以,许多人觉得鲁迅太高大,对他敬而不亲,甚至有少数人在不曾认

①

解读大师

真读过鲁迅原著的情况下，胡乱诋毁鲁迅，反对鲁迅。

正是对鲁迅的这种误解，给我们这些讲鲁迅课的教书匠造成了相当大的麻烦。每次讲现代文学史和鲁迅研究课程的时候，我都要用很多时间和力气来讲鲁迅不是李逵，不是张飞，也不是董存瑞。他确实骨头硬，能战斗。但他之所以能够长期战斗毫不动摇，恰恰在于他最懂得怎么休闲、怎么放松。鲁迅有一句著名的话："譬如勇士，也战斗，也休息，也饮食，自然也性交。"（《"题未定"草·六》）鲁迅很馋，喜欢吃点这，喝点那。他爱吸烟，爱看电影，爱坐汽车兜风。他很看重钱，天天在日记里记账，听说发薪水了就赶快跑去领，书局剥削了他的稿费就跟人家打官司。他也喜欢欣赏年轻的美女，喜欢逗弄顽皮的孩子，爱情、家庭、事业、金钱……什么都没耽误。他有一首诗曰："无情未必真豪杰，怜子如何不丈夫。"我跟朋友开玩笑，把它改成："无钱未必真豪杰，好色如何不丈夫。"觉得更能体现英雄本色。我从来不单独地、片面地讲鲁迅是伟大的文学家、思想家、革命家，而是尽量多讲他世俗的一面、凡庸的一面，讲他搜集古董，讲他变换笔名，讲他溺爱儿子，讲他劝青年多积几文钱，讲他告诉萧红穿红上衣要配黑裙子……学生们由此知道鲁迅跟我们是一样的凡人，不过比我们聪明些、深刻些、刚强些、生猛些……加起来也就等于伟大些。于是，北大图书馆里一向积满灰尘的《鲁迅全集》被借阅一空了。

这里，我向大家介绍两本鲁迅研究著作——一本是北京大学钱理群先生的《鲁迅作品十五讲》，一本是辽宁师范大学的王吉鹏和王竹丽写的《鲁迅的智慧》。这两本书写得很好，专业人士和普通的文学爱好者都可以读读。海内外那么多研究鲁迅的学者，写了几千部鲁迅研究著作，大多数不是给民众看的，实际上等于在鲁迅和人民之间挖沟砌墙。愚公门前的大山就是他们给堆的。但是仍然有一些很不错的著作，沟通了鲁迅和大众。用后书引言的话说：

> 他懂得避祸保全却不龟缩苟活，他善于经营生计却不促狭卑琐，他迎来送往却不敷衍虚伪，他嬉笑怒骂却不玩世油滑。他善于发现你闻所未闻的真相，也善于推翻你司空见惯的常理。他的智慧最朴实，最平俗，也最雅致；最实用，最真切，也最深沉。

只有潜心研究鲁迅多年，才能得出如此切中肯綮的评价。其实鲁迅到底什么样，以我们大多数人的学识和智力，是很难说清的。正像颜渊评价孔子："瞻之在前，忽焉在后。"或者套用我前面的话，你看他像个愚公，可转眼又发现他其实是个智叟。那么我们再回头去读读《愚公移山》，是不是会觉得智叟其实很愚，而愚公其实并不傻呢！

为什么这么说？因为愚公实际上并没有子子孙孙无穷无尽地干下去，

他干了两三年，就感动了上帝，派了两个云里金刚，把山背走了。此后愚公的生活就是真正的休闲了。

而鲁迅其实也感动了上帝——中国共产党率领中国人民一发力就推翻了三座大山。所以，我们不能否认鲁迅是愚公，但这个愚公同时也是智叟，或者说跟智叟是一体的。以前我们只注意了他勇猛刚毅的一面，没有注意他聪明智慧的一面。我们想想，没有智慧，只有刚猛，能够在那么黑暗的年代坚持那么持久的频繁的激烈战斗吗？正像上甘岭的战士，光会堵枪眼，不会动脑子，能取得胜利吗？

如果有读者朋友怀疑我的话是率性胡言，那么下面我们就一起来探讨一下鲁迅在战斗和生活两个方面的智慧，看看鲁迅是如何对待爱人、亲人、敌人，如何对待饭碗、金钱、身体，如何识破骗局，如何给别人设局，如何活得既堂堂正正又洒洒脱脱的。

第一，鲁迅的战斗智慧。

鲁迅的战斗智慧可以用"壕堑战"一词来概括。这是第一次世界大战以后在军事上得到广泛重视的一种现代战术，面对密集的现代火力，躲在掩蔽物后面，沉着冷静地坚持打"防守反击"。鲁迅最反对《三国演义》中许褚式的赤膊上阵，认为那是有勇无谋。这与毛泽东的军事思想是不谋而合的，同时也是被压迫者必然选择的反抗战略。鲁迅的主张是尽量不做无谓牺牲，他勇于戳穿那些诱骗和激将别人去无谓牺牲的人。

鲁迅年轻时，在日本留学，一次革命党委派他回国刺杀满清权贵，鲁迅没有答应。他对派遣他的人说："我可以立即动身的，现在只想了解一下，如果自己死了，剩下老母，那时候该如何替我照料呢？"组织上见他顾虑重重，就说："不用去了，你算了吧。"鲁迅是不是怕死？不是。他是认为暗杀不能达到真正的革命效果，他认为长期的思想斗争才是对他最合适的。连政治斗争他都怀疑，何况暗杀呢！

三十年代的时候，实行左倾路线的中共领袖李立三约见鲁迅，请鲁迅出面发表革命宣言，以配合城市暴动的革命计划。鲁迅表示，如果这样，自己就不能在蒋介石统治下继续写作了。李立三说可以送他去苏联，但鲁迅最终没有答应。当时的革命领导何其幼稚，想把鲁迅这么举足轻重的思想战士就这样"一次性消费"掉了。鲁迅是"打一枪就跑"对中国的贡献大，还是坚持他的"壕堑战"、"游击战"对中国的贡献大呢？鲁迅跟李立三握手告别后，回家对冯雪峰说："他的手真软啊！"没有战斗的智慧，光有战斗的鲁莽，那是不会坚韧的，当然会"软"。

为了战斗，鲁迅多次换笔名，他一生用了140多个笔名——这已经成了鲁迅研究的一个专题。单是1932～1936年，他就用了80多个笔名。为

解读大师

什么,不让反动派辨认出来。比如"越客","隋洛文","洛文","何家干","宴之敖者"等,都各有幽默的涵义。

鲁迅还善于利用法律战斗——由于女师大风潮,教育总长罢了鲁迅的官职,他就跟教育总长章士钊打官司,居然胜诉了,官复原职。他还跟北新书局打官司,在经济上不肯受书商的剥削,也获得了胜利。可见,鲁迅是个智勇双全的杰出战士。

第二,鲁迅的生活智慧。

战士不是时时刻刻都在战斗的。现代战争越来越重视后勤工作,甚至有的军事专家认为,现代战争打的就是后勤。对于一个思想战士来说,生活质量的好坏会直接影响到战斗的情绪和战斗的结果。

鲁迅是个非常有生活情调、生活智慧的人。

他的人生观是:一要生存,二要温饱,三要发展。后来又解释道:"我之所谓生存,并不是苟活;所谓温饱,并不是奢侈;所谓发展,也不是放纵。"

鲁迅很重视钱,绝不假装清高。有个书商骗了我和余杰、摩罗等人的钱,我们跟他交涉,他却对我们说:你们知识分子怎么这么庸俗、这么爱钱啊?你们是灵魂工作者啊!我不听他的欺哄,就学习鲁迅,一定要跟他算账。

鲁迅的日记里仔仔细细地记着他的几乎每一笔收入支出。他的收入主要来自三个方面:薪水、讲课费、稿费。后两者是不定的,所以他很看重固定的薪水。他在教育部每月可以拿300大洋。那时北京市民的最低生活标准是两三块大洋。一块大洋购买基本生活品的购买力大约是今天一块人民币的七八十倍到一百倍。举个例子:根据老舍的回忆,当时老舍当个"劝学员"——教育分局局长,每月100元,小学校长40元,小学老师25元,学校的勤务员6元。毛泽东在北京大学图书馆当临时工性质的管理员8元,而馆长李大钊300元。老舍说当时1毛5就可以吃顿很好的饭:一份炒肉丝,三个火烧,一碗馄饨带两个鸡蛋,这些只要1毛二三,如果1毛5,就可以再来一壶老白干喝喝了。这一顿饭现在在北京,15元恐怕还未必能拿下吧!

在这样的情况下,鲁迅很看重他的300大洋。所以前边说的,他跟章士钊打官司,也有经济原因,一定要保住自己的铁饭碗——章士钊免了鲁迅的职,许多人等着谋他的缺呢。后来,他离开了官场,也离开了大学,由广东到上海。领导教育部的蔡元培先生每月给他干薪300大洋,他也接受了。有人不理解鲁迅的做法,说鲁迅为什么拿着国民党政府的钱,还要骂国民党。在鲁迅看来,钱是该拿的,但骂也是该骂的。跑到外国去,在帝国主义的大旗下面骂中国,那是没出息的表现。我就在国内以笔作枪,贬恶扬善,这才是真正的爱国主义,真正的勇士,真正的豪杰。

鲁迅有个学生叫李秉中,在军队当官,想辞职不干了,写信征求鲁迅意见。鲁迅反对,认为饭碗可以跟理想分开。鲁迅回信说:"人不能不吃饭,因此即不能不做事……我看中国谋生,将日难一日也。所以只得混混。"鲁迅居然说出"混混"这样的话,很不英雄吧? 很不容易理解吧? 其实重视饭碗,重视物质生活对于精神生活的决定作用,正是马克思主义的唯物态度。鲁迅不是从马克思主义那里得到的这个真理,而是从长期的生活实践中得到的。

薪水之外,鲁迅到处兼课,最多时曾经在8所大中学校上课。当然,那时的讲课费也比较多,否则也不值得到处跑了。

稿费他也很计较,因为那是他的劳动,吃草挤奶的劳动。

鲁迅到上海后,那时的一块钱的购买力相当于今天的四五十块钱,而鲁迅平均每年的收入是一万多块,自家住着一幢三层的现代化豪宅。

鲁迅在《娜拉走后怎样》里说:"钱这个字很难听,或者要被高尚的君子们所非笑,但我总觉得人们的议论是不但昨天和今天,即使饭前和饭后,也往往有些差别。凡承认饭需钱买,而以说钱为卑鄙者,倘能按一按他的胃,那里面怕总还有鱼肉没有消化完,须得饿他一天之后,再来听他发议论。"所以,我也不避讳"钱"字。到饭店吃饭,我一般不说什么"买单"那种文理不通的话,我就直接说:算钱。而且还要检查一下账单——当然,如果跟女朋友吃饭,就算了。

可见,鲁迅的生活智慧是建立在实实在在的日常生活上的。生活搞不好,仍然追求理想,当然也值得尊敬,我们应该帮助这样的"有志"青年。但是不要把二者绝然分开,一味追求理想,不顾生活实际,那就可能成为"幼稚"青年了。

鲁迅的生活智慧经常表现为细心。萧红回忆说,一次从福建菜馆叫的鱼丸子,海婴说不好吃,别人却都说好吃。鲁迅就夹了海婴的丸子一尝,果真不好吃。鲁迅便说:"他说不新鲜,一定有他的道理,不加以查看就抹杀是不对的。"

他在生活中的智慧,使他在思想上、在文章里都明察秋毫。

但另一方面,他又很大度。例如有个北大的旁听生叫冯省三,是个山东青年,一天跑到鲁迅家里,往床上一坐,跷起脚说:"喂,你门口有修鞋的,把我这双破鞋,拿去修修。"鲁迅毫不迟疑地给他拿去修好,冯省三连句谢谢也没有说就走了。鲁迅怎么评价这件事呢? 他提到此事时说:"山东人真是直爽啊!"冯省三是北大学潮中的英雄,被学校当局开除,教务长胡适落井下石地嘲笑他,让他"好汉做到底嘛。"他为大家做了牺牲,《鲁迅全

解读大师

集》里多次提到过他。但是冯大哥这件事做得未免太失礼啦！我也是山东人的后代，我替俺们山东粗人向浙江同胞表示道歉。从这件事可以看出，鲁迅是细心的，但不是斤斤计较的。

所以，他知道如何应付不同的场面。比如他说如何听高人讲话："与名流学者谈，对于他之所讲，当装做偶有不懂之处。太不懂被看轻，太懂了被厌恶。偶有不懂之处，彼此最为合宜。"（《小杂感》）

这是世故，但这世故背后是对虚伪的社会风气的冷嘲。他也有直率的时候，比如日本请他主持中日通航典礼，他拒绝逢场作戏。他说："不能把太太小姐敲碎一个啤酒瓶子的事要我做。"记者纠缠说："如果您不答应，我就非常为难了。"鲁迅答道："如果我答应您，我就非常为难了。"智慧不一定都是圆融婉转的，有时候也表现为斩钉截铁的果断。

所以，鲁迅是看透了生活，可以从心所欲，但又不肯随便敷衍的人。或者说他的敷衍背后有着理智的清醒。他在《立论》中讲，有一家生了个男孩，满月时抱出来给客人看——想得一点好兆头。一个说："这孩子将来要发财的。"他于是得到一番感谢。一个说："这孩子将来要做官的。"他于是收回几句恭维。一个说："这孩子将来是要死的。"他于是得到一顿痛打。其实说要死的是真话，说富贵的是撒谎。但说谎的得好报，说真话的遭痛打。你愿意既不撒谎，也不遭打。那么，得怎么说呢？那就只得说："啊呀！这孩子呵！您瞧！多么……啊唷！哈哈！"

鲁迅在《世故三昧》中写道：

> 人世间真是难处的地方，说一个人"不通世故"，固然不是好话，但说他"深于世故"也不是好话。"世故"似乎也像"革命之不可不革，而亦不可太革"一样，不可不通，而亦不可太通的。
>
> 然而据我的经验，得到"深于世故"的恶谥者，却还是因为"不通世故"的缘故。

那么，鲁迅的世故到底是一种什么状态的世故呢？他的好友许寿裳说："有人以为鲁迅长于世故，却又有人以为他不通世故，其实都不尽然，只是与时宜不合罢了。"他对好人是天真、是宽容，对不好的人则是严厉或者敷衍。但有时候也会智慧失灵，不知所措。例如有一场"义子风波"。鲁迅在厦门和广州教过的一个学生，突然带着情人跑到上海，要做他的"义子"，在他家里连吃带住几个月，还提出求学和找工作等种种要求，找了工作又嫌劳累，最后是拿了120块钱和十来件家什，不欢而去，弄得鲁迅哭笑不得。

正因为鲁迅是个丰富的人，多侧面的人，用大智慧统一了自己精神世界的各个侧面，所以，鲁迅才能够战斗得那么持久，那么坚韧。在佛家的思想体系中，"智慧"是很重要的，佛和菩萨都是大智慧者。儒家讲"五德"，仁义礼智信并重。现代知识分子，更加重视智慧的问题。鲁迅正因为拥有大智慧，所以才堪称为大思想家、大文学家。

我们在今天的生活中，可能不需要像鲁迅那样频繁地战斗。但是，他那些生活的智慧是值得学习，甚至是学之不尽的。

鲁迅的智慧倘若能被我们后人领悟一半，那就像"闪闪的红星"一样，足够我们"长夜里驱黑暗，寒冬里迎春来"了。

但愿鲁迅的智慧能够给我们今天的人提供丰富的启示，以帮助我们应对今天这个更加复杂的世界。

鲁迅的痛苦

（一）伟人的痛苦

鲁迅有战斗的一面，我们都知道了。

鲁迅也有智慧的一面，我们上面讲过了。这些都是通过他的作品、他的为人处世不难看到的。但是一个人最不容易看到的，是他内心的痛苦。尤其是伟人的内心世界不易观察。可是越难观察，人们越要去探索，因为非常有意义。这不是明星隐私带给大众的娱乐，而是通过剖析杰出人物的内心，考察我们人类共通的一些精神奥秘，指导我们在人生的路上更好地前行。

鲁迅这样一个伟人，他是有巨大而深刻的痛苦的。珍珠是怎样形成的？是蚌壳里面有了痛苦，痛苦的结果是珍珠。杜甫和欧阳修都有诗歌穷而后工的思想，痛苦往往是思想和艺术的源泉。鲁迅的痛苦是跟我们二十世纪的中国命运紧密相连的。下面我们就考察一下鲁迅在个人生活和思想上的一些主要的痛苦。

（二）鲁迅个人生活的痛苦

1. 家道中落。鲁迅 1881 年 9 月 25 日出生。祖父周福清在北京当官。父亲周伯宜是体弱的知识分子。祖父因为科举行贿入狱。判的是斩监候，所以每年秋天要花钱营救。鲁迅由此知道了人情冷暖，世态炎凉。父亲的秀才也被革除了。鲁迅说："有谁从小康人家而坠入困顿的么？我以为在这途路中，可以看见人生的真面目。"少年鲁迅频繁出入于当铺与药铺之间，遭受白眼和侮蔑。后来父亲病死了，家里仅有的二三十亩水田也卖光了。有人怂恿他偷家里的钱，并且真有流言说他偷了。一个少年就这样承受了巨大的精神压力。我是研究文学的，发现很多作家、艺术家都有少年的痛苦经历。家道中落不一定就能够让人奋起，也许会让人萎靡、堕落。

但是对于成就杰出的人物来说,少儿时代的不幸也许是一所最好的学校。

2. 包办婚姻。鲁迅在日本留学期间,接到母亲病重的电报,可是赶回家后就被簇拥着成亲了。家里怕他娶了日本女人,所以安排了这个俗套。夫人朱安不是他理想中的对象,没有文化,又是缠足。可是鲁迅接受了,为了母亲,也为了对方着想。这件事我们今天可以反思,到底该不该接受。此事成了鲁迅一生的阴影。当夜他哭湿了枕头,次日他就在书房里自己睡,第四天就回了日本。他与朱安,终生有夫妻之名无夫妻之实。这也是一代知识分子的悲剧,连胡适等名流也都难免类似的痛苦,这是整个时代的牺牲。所以鲁迅激烈地反对包办婚姻,反对没有爱情的婚姻。自由恋爱不一定就是幸福的,但毕竟是自己选择的。现在有的博士、博士后的婚姻都要让长辈介绍、靠父母包办,那是倒退了不止一百年,可悲啊。后来鲁迅找到了精神上的知音——许广平这个理想的新女性,拥有了现代意义上的爱情,但是这次包办婚姻还是给几个人都带来了终身的苦痛。

3. 兄弟失和。1923 年 8 月 24 日的鲁迅日记写道:"是夜始改在自室吃饭,自具一肴,此可记也。"他们兄弟三人,树人,作人,建人。树人和作人是新文化运动的战友、先锋,共同战斗,不分彼此。可能是太好了,上天妒忌吧,后来就终生不再来往。其真情至今是个谜,虽然很多学者研究过,但是缺乏可靠的材料,难下结论。表面是家庭纠纷。周作人的日本夫人羽太信子主持着高消费的整个家庭生活,鲁迅是这个大家庭的奉献者。他说自己的钱是以黄包车拉进来,人家用汽车送出去。周作人当面呈给鲁迅一封绝交信,称他为"鲁迅先生",说"以后请不要再到后边院子里来"。鲁迅很快搬出了八道湾住宅。家务事我们不好评价,但此事对双方打击都很大,等于是骨肉分离。对中国文坛来说,也是巨大的损失。后来兄弟二人思想越来越远,一个继续战斗,一个从退隐到终于为日本侵略者做事,抗战胜利后被国民政府处以汉奸罪。假如兄弟不失和,周作人的失节,也许可以避免。

4. 病痛。鲁迅从小身体不大好,他的父亲就是个病弱书生。鲁迅很不注意养生,吃饭随便,不定时,爱吃零食,起居无规律。胃病、牙病、气管炎、神经痛,长期折磨着他,看病和吃药,成了他生活里不可或缺的部分。他生命的最后几年里,每年看病都达几十次。临终的十年前就大病过一场,鲁迅自称是"死的随便党",只求活着的时候多工作,怎么死,什么时候死都无所谓。晚年病重时,朋友劝他出国疗养,他都不听。日本医生须藤又将他的顽疾误诊为胃病,耽误了治疗。换了一位洋大夫诊断后说,如此病人,在欧洲,五年前就死掉了。宋庆龄也写信劝他住院,但他不愿离开工作,只希望快点消磨自己的生命。怀着这种"拼命做"的思想,鲁迅终于在战斗中死去了,可以说是"战死"。病痛给予精神上的打击往往也是很沉重的。

（三）鲁迅思想方面的痛苦

1. 群众的麻木。从《药》这篇小说可以看出鲁迅对麻木的民众那种说不出的痛苦。留学时期那次著名的幻灯事件，成了鲁迅的心理情结。日俄战争进行在中国的土地上，中国人被当成俄国侦探枪毙，周围的中国同胞没有表情。对"看客"问题的思索，促使鲁迅弃医从文，拿起了灵魂的手术刀。我们还可以发现很多革命家、思想家是学医出身，比如郭沫若、孙中山。这些先觉者的苦痛，来自于中国思想革命的艰难。当你发动农民革命时，农民却往往说没有受过地主剥削，也可能会把革命当做热闹看。鲁迅的思想是永远超前的。真理不能说永远掌握在少数人手中，但是可以说最先掌握在少数人手里，例如地心说和日心说。而鲁迅这样的首先发现了真理的人，就要忍受不被众生理解的大痛苦。

2. 政敌的污蔑、压迫。梁实秋等不负责任的文人，攻击鲁迅是"拿卢布"的，这不是严肃的论辩，而是卑琐的诬陷。鲁迅的《阿Q正传》发表后，有的人就探询是在影射谁。鲁迅的著述经常受到当局的查禁。1934年的《二心集》，38篇文章被删掉22篇，仅剩下16篇，只好改名《拾零集》出版。南京国民政府是武力征伐和文力征伐并举。鲁迅说："大约凡是主张改革的文章，现在几乎不能发表，甚至还带累刊物。所以在报上，我已经没有发表的地方……黑暗之极，无理可说，我自有生以来，第一次遇见。"

3. 革命阵营内部的摩擦和压迫。创造社的年青革命们，批判鲁迅是双重的反革命。"他是资本主义以前的一个封建余孽。资本主义对于社会主义是反革命，封建余孽对于社会主义是二重的反革命。鲁迅是二重反革命的人物。他是一位不得志的Fascist法西斯蒂！"一些革命青年，对鲁迅忘恩负义，使鲁迅渐渐怀疑起早年信奉的进化论。在"左联"这个进步的文艺团体内，鲁迅发现了"奴隶总管"。他说："以我自己而论，总觉得缚了一条铁索，有一个工头在背后用鞭子打我，无论我怎样起劲地做，也是打，而我回头去问自己的错处时，他却拱手客气的说，我做得好极了，他和我感情好极了，今天天气哈哈哈……真常常令我手足无措。""有些手执皮鞭，乱打苦工的脊背，自以为在革命的大人物，我深恶之，他其实是取了工头的立场而已。"可是，来自革命阵营内部的压迫，是不好公开的，也是不好发泄和抗拒的，所以这种痛苦使鲁迅遭受了深深的"内伤"。

（四）鲁迅对痛苦的转化

鲁迅的伟大，不是在于他遭受的痛苦多么深、多么大，而在于他能够将痛苦转化为思考的力量和思想的深刻。这也是合乎弗洛伊德"力比多"的理论的吧。鲁迅善于自我解剖，在严格与严肃之外保持了宽容的心态。很多人都认为鲁迅是不宽容的，因为他在《死》中说过："我一个都不宽恕。"

解读大师

其实这只是思想上的一个表态，他说不宽恕，可是他无权无势，又能把人家怎么样呢？他压迫过谁？损害过谁？其实在生活中，他是很宽恕的。鲁迅的《呐喊》题词是："弄文罹文网，抗世违世情。积毁可销骨，空留纸上声。"如果单单沉溺于痛苦，鲁迅早就气死了，他的智慧和他的度量使他把痛苦转化为丰富的人生内容。

对群众，他是理解和同情。比如对祥林嫂，不能说没有地狱。祥林嫂虽然迷信，但不可为了破除迷信，就否定了祥林嫂的唯一希望。所以鲁迅说"迷信可存，伪士当去"。母亲爱读张恨水的小说，他就经常给买。母亲不懂他的小说，他也不急于"启蒙"。而今天那些到处给别人灌输民主自由法制市场之类"真理"的自以为启蒙家的人，往往是既无学问也无德行的伪士。

对同志和战友、亲人，他是谦让、忍让，包括对爱人许广平，不能够相互理解之处，他就自己化解。许广平回忆，鲁迅生气时躺到阳台上独自承受，儿子海婴也跑去模仿。这很像受伤的狼隐到密林里，自己舔舐伤口。他与凶猛攻击过他的创造社等人后来也和解了、联合了。他对左联领导的官僚主义作风很反感，但是对"左联"的解散非常惋惜。用我们长期流行的政治话语说，他是把人民内部矛盾跟敌我矛盾区分得清清楚楚的。

对敌人，鲁迅的态度是"严打"和轻蔑。在战略上，他是藐视的，像恩格斯纪念马克思说的那样，像对待蛛丝一般，轻轻抹去敌人喷射的污秽。在战术上，他又很重视，他的主要精力都用在论战上了。对那些支持反动政府屠杀爱国学生的人，对那些叛变革命后又来侮蔑他的人，他愤怒地然而又是轻蔑地予以揭露、驳斥，坚持"痛打落水狗"的立场，不肯"费厄泼赖"，因为恶狗上岸后还会咬人。鲁迅以革命青年的鲜血为例，昭示人们不要上当。辛亥革命中绍兴的革命领袖王金发捉住了杀害秋瑾烈士的凶手，但是又放了，以表示革命的宽容，可是很快那个凶手就帮助袁世凯杀了王金发。再如民权保障同盟事件。鲁迅、宋庆龄等呼吁释放政治犯——今天我们也已经取消了"政治犯"。而胡适认为政府"有权去对付那些威胁它本身生存的行为"，这是明目张胆的法西斯言论，等于说政府可以随便剥夺公民的自由。鲁迅对这类言行是坚决反对的，不留情面的。敌人又恨他，又怕他。一个人活在世上，有人爱他有人恨他，这才说明他活得有价值。他的对敌姿态是举重若轻。他一生没有真正的敌手，酷似金庸笔下的大侠独孤求败，飞花摘叶，皆可伤人。什么"洋场恶少"、"革命小贩"、"资本家的乏走狗"，经鲁迅随便一用，都成了特有的名词。

由于前后受敌，所以他采取了"横站"的姿态。鲁迅研究专家林贤治先生称他为"横站的士兵"。鲁迅以大侠风采，在枪林弹雨中东挡西杀了十八年，可以说是壮哉、快哉。

对痛苦最重要的转化方式是写作。写作是对生活的反抗，他笔下人物的痛苦，很多是他自己的写照。比如《孤独者》里的魏连殳，当深夜在旷野里惨伤地嗥叫，这是"北方的狼"的意象来源。比如《铸剑》里的黑衣人，反对"同情"和"怜悯"，用独特的方式孤身向统治者挑战。鲁迅通过写作，既服务了社会，也解脱了自己的灵魂。

（五）小结

人生在世，我们大家都有痛苦，但一般比不上鲁迅这么深，这么广。鲁迅尚且那么乐观，我们又何必悲观呢？我们也要乐观地活在这个宇宙里，用写作也好，用其他有意义的工作也好，战胜世界的不圆满和不如意。既化解自己的痛苦，也帮助别人消解痛苦，那样的人生就可以说是快乐的人生。

鲁迅的呐喊

世纪之交，几家媒体评选 20 世纪中国最重要的文学作品，第一名是鲁迅的《呐喊》。我在答复媒体的征询意见时，也是这样写的。我的理由是：以最少的文字影响了一个最大的国家的历史进程。

"呐喊"本来是一个普通词，意思是"大声叫喊"。过去的白话小说里写战争场面时经常有"呐喊助威"这句话。京剧《杨门女将》里穆桂英有句唱词："人呐喊，胡笳喧。""呐喊"给人的印象是很有气势，杀声震天的感觉。电影《大决战》里满山遍野的"缴枪不杀"，那就是"呐喊"。可是自从鲁迅的小说集《呐喊》出版后，这个词就跟鲁迅的名字联系起来，跟中国的现代历史联系起来。我们的国歌就是"呐喊"的声音，"中华民族到了最危险的时候""前进、前进、前进、进！"有的人要修改国歌，说什么现在和平了，没有危险了，不需要战斗了，应该轻歌曼舞了。但是大多数中国人民不同意，因为我们还需要呐喊，还需要警惕，还需要战斗。"呐喊"已经成了现代中国的一种身姿和一种精神。

可是，鲁迅的"呐喊"是什么意思呢？他不是共产党，不是解放军，就是一个小瘦老头，他不是活得很滋润吗？他为什么要呐喊？了解这一点，对于我们理解中国的现当代历史是很有帮助的。我们不但要读鲁迅的《呐喊》这本薄薄的书，更应该思考鲁迅和中国为什么要呐喊的缘由。

鲁迅的《呐喊》出版于 1923 年 8 月，北大新潮社初版。是新文学历史上的第四部小说集——在它之前，其他现代文学作家已经出版过《沉沦》、《隔膜》、《超人》等小说集了。中国新文学的第一篇小说虽然是鲁迅写的

解读大师

《狂人日记》，但是他出版的小说集却不是第一个。《呐喊》是第四部了。封面是红色的底子，黑色的字框，非常厚重深刻的感觉。我出版过一本专门研究1921年文学的著作，叫做《1921：谁主沉浮》，里面谈了一些关于《呐喊》的内容，特别是1921年发表的《阿Q正传》。《呐喊》中最早的小说是1918年发表的《狂人日记》，那么我们要问，为什么鲁迅1918年要开始呐喊，1918年之前，他在干什么？

鲁迅其实在日本留学期间，就开始了他的"呐喊"生涯。但那时还构不成真正的呐喊，只能说是发声练习。比如他写《中国地质略论》，说："中国者，中国人之中国。可容外族之研究，不容外族之探险；可容外族之赞叹，不容外族之觊觎者也。"他梦想过科学救国，翻译凡尔纳的《月界旅行》和《地底旅行》，介绍居里夫人的科学发明成就。他也参加过革命团体，虽然是学医的，但不是为了将来收入高，而是为了国家富强，平时救助民众的病痛，战时去当军医。后来发现要改造民族灵魂，医学不如文学，所以他放下了肉体的手术刀，拿起了灵魂的手术刀。但是后来，他的梦一个一个都破灭了。我们大家也都有很多梦，鲁迅替我们大家说了一句话："我在年青时候也曾经做过许多梦，后来大半忘却了……不能全忘的一部分，到现在便成了《呐喊》的来由。"（《自序》）其实我们也想呐喊，但是忘了，麻木了，也就算了。

而鲁迅认为："凡是愚弱的国民，即使体格如何健全，如何茁壮，也只能做毫无意义的示众的材料和看客，病死多少是不必以为不幸的。所以我们的第一要著，是在改变他们的精神。"所以，他要呐喊了。可是，他失败了。要办的文学刊物流产了，发表的文章也没有多大的反响，他早期的文章都是后来被人们重新重视的。他和兄弟周作人一起翻译的《域外小说集》在中国和日本一共只卖出去四十本。好像一个人，喊了两嗓子，就沉默了。为什么沉默呢？鲁迅说："凡有一人的主张，得了赞和，是促其前进的，得了反对，是促其奋斗的，独有叫喊于生人中，而生人并无反应，既非赞同，也无反对，如置身毫无边际的荒原，无可措手的了，这是怎样的悲哀啊，我于是以我所感到者为寂寞。"

鲁迅呐喊了，但是没有回音，就在寂寞里回国了。

从日本回国后，先在浙江的杭州、绍兴任教，也尝试过进行改革，比如第一个讲生理课、带学生进行采集植物的实习等。但学生并不十分理解他。一次做氢气燃烧试验，学生故意造成仪器爆炸，炸伤了鲁迅的手。

鲁迅参与了驱逐教育会长等教育风潮，目睹了辛亥革命的失败，革命党的迅速腐化瓦解。他当过绍兴师范学校的校长，后来到北京在教育部任佥事，社会教育司第一科科长。在美术教育、通俗文学教育、儿童教育等方面做了些工作，但都没有什么大的成效。收入丰厚的他住在绍兴会馆，后来住在"补树书屋"，空余时间就搜集古董，抄写碑帖，在闲情雅致中消磨。夜晚，他望着天上的星星，槐树上的东西落到脖子里。他就这样度过了一个又一个白天和夜晚，到1918年的时候，这位周树人先生，已经37岁了。从小经历了人世的酸甜苦辣，又学习了古今中外的文化知识，参加过革命，经历过改朝换代，熟读历史，饱看人生，世态炎凉，经史子集都装在心里。可以说是"掌上千秋史，胸中百万兵"。然而，一身的本事没有用武之地。我写过一首诗："十年学得屠龙技，锁入厨中剥草鱼。忍看妖风兴四海，不周山下采黄菊。"大概就是鲁迅当年的心境吧。

如果没有新文化运动，如果上天不给周树人先生一次机会，他可能就这么过一辈子了。古人说"达则兼济天下，穷则独善其身"，历史上肯定有许许多多的人才，把倒海翻江的本领都用来独善其身了，因为历史没有给他机遇啊。有多少满腹经纶的饱学之士，就这样度过了一生，在书斋里，在胡同里，在办公室里……所以，我尊重每一个我不熟识的陌生人，每一个你不认识的人，都可能是一位隐居的文化高手，都可能一声呐喊，就影响了全人类的命运。

周树人每天悠闲着，可是，树欲静而风不止。上天要让你出来干事，你是早晚躲不过去的。那姜子牙躲到八十岁，不还是被周文王给薅出来"打工"了吗？周树人过着小资生活的时候，中国已经开始了一场新文化运动和文学革命。

1915年，陈独秀创办了《青年杂志》，很快改名为《新青年》，这是中国最重要的一份杂志。《新青年》提倡民主与科学，反对旧道德，提倡新道德。随后到了1917年，中国知识界又展开了文学革命。

可是，文学革命在理论上轰轰烈烈，而在创作实践上没有扎实的作品支撑。好像盖大楼只有漂亮的图纸，没有具体的建筑一样。又好像电影大片把广告做得铺天盖地，可是电影拍得漏洞百出一样。《新青年》一开始热闹了一阵，随后就气氛比较瘟，赞成和反对者都很少，大有"门前冷落鞍马稀"的光景了。而文学革命的闯将们大多是一些血气方刚的小伙子，热情有余，经验不足，他们很需要一位深刻的、睿智的、成熟的革命高手来帮助和指导。于是，他们看中了周树人。

有一个《新青年》的编辑，叫钱玄同，后来是著名的学者，他便去找周树人。他看着周树人抄写的古碑，问：你抄了这些，有什么用呢？周答：没什么用。意思是不做无聊之事，何遣有涯之生。知识分子做的事情，有时候看上去很高雅，其实往往也都是伪装，都是为了打发无聊的人生，跟普通人的打麻将啊、聊天啊、喝酒啊，没什么区别。文人逛书店跟妇女逛商场比，就高雅吗？写文章跟打麻将比，就高雅吗？可能高雅，也可能就是无聊，甚至是骗人和害人。鲁迅自己清楚地知道这一点，所以他从来不装孙子。这是鲁迅了不起的地方。

既然鲁迅表示了自己的无聊，表示了自己正闲得难受，钱玄同就趁机请他出山。他的意思是说：大哥，你看我们这儿刚刚挂牌上市，广告造得挺火，可是产品一直打不出去，你反正下雨天打孩子——闲着也是闲着，何不出来帮我们弟兄一把，咱一块儿把这生意做强做大呗。

可是周树人说：不行不行，我都快四十了，早都洗手不干了，我不做大哥好多年，不跟你们小孩子一块瞎混了。——旧社会中国人寿命短，四十多就是老头子了。钱玄同曾经发表过一个非常激进的意见，说人一过了四十岁就应该枪毙，因为思想落后了。可是后来钱玄同自己到四十岁了，他也不提这事了，腆着脸继续活。鲁迅就写了一首诗调侃他，说："做法不自毙，悠然过四十。"周树人这时候觉得自己岁数确实不小了，过几年办个"病退"，就安度晚年了。我们知道，鲁迅55岁就去世了，现在离他去世只有18年，他还没出山哪。好像一位绝顶的武林高手，练就了一身的盖世神功，可是觉得没什么对手，也没有什么好的观众，所以就不愿意出山。后来迫不得已出山了，啸傲江湖十八年，结果还是没有对手，打遍天下无敌手，连个对等的知音都很难找到，最后寂寞地离开人世。他寂寞而来，又寂寞而去。

不过钱玄同来请他出山的时候，他正犹豫着，不想出来，因为他对于革命已经颇有些失望以致绝望。可是钱玄同满腔热情，信心百倍，一定要劝说他投身革命。于是，就引出了中国现代历史上那个著名的铁屋子的比喻。周树人说：

> 假如一间铁屋子，是绝无窗户而万难破毁的，里面有许多熟睡的人们，不久都要闷死了，然而是从昏睡入死灭，并不感到就死的悲哀。现在你大嚷起来，惊起了较为清醒的几个人，使这不幸的少数者来受无可挽救的临终的苦楚，你倒以为对得起他们么？

这里我们可以看到，鲁迅的思考是深刻的，不是只为了独善其身的，这里面有一种仁厚的悲悯的人道主义情怀。

可是年轻的钱玄同不这样想，他说："然而，几个人既然起来，你不能说绝没有毁坏这铁屋的希望。"

这个单纯而浅显的反驳，竟意外地打动了周树人。鲁迅回忆说：

> 是的，我虽然自有我的确信，然而说到希望，却是不能抹杀的，因为希望是在于将来，决不能以我之必无的证明，来折服了他之所谓可有，于是我终于答应他也做文章了，这便是最初的一篇《狂人日记》。

就这样，周树人变成了"鲁迅"，一发而不可收，写了十几篇小说模样的文章,收集在一起,叫做《呐喊》。

鲁迅的"呐喊"是什么意思?是助阵、是帮忙,而不是冲锋陷阵。所以,鲁迅是思想型的革命家。"呐喊"就是"我不上"的意思,"你们上,我给你们喊两嗓子"。我们看革命战争影片时,里面的国民党军官总是喊:"弟兄们,给我上!"共产党军官则高呼:"同志们,跟我冲啊!"鲁迅两者都不是。他不是胆怯,而是清楚地知道了自己的历史位置。鲁迅说:"我决不是一个振臂一呼、应者云集的英雄。"这"呐喊",是为了他人,也是为了自己。是为了自己的不能忘却的寂寞和悲哀,也是为了慰藉那在寂寞里奔驰的勇士。伟大的文学作品,不但是表达自己的真性情、真思想的,也是为他人带来光明和力量的。

老舍的幽默

无论学者还是一般读者,提及老舍的时候,都会承认他是语言大师和幽默大师。老舍的幽默是与生俱来的吗?与其他幽默高手相比,老舍的幽默具有什么特点,我们今天如何理解老舍的幽默以及什么是真正的幽默?

下面我来跟您探讨一下老舍的幽默:

历年以来凡是向我约稿的报刊单位,大约十个里有六七个叫我写幽默文章,"您给我来篇幽默的吧,我们特喜欢您的幽默文章。"大家知道有一个词叫"命题作文",但很少有人听过"命风格作文",已经规定了你写文章的风格。我想这是有一定原因的,社会上许多人认为我属于"幽默"这个家族的,可是这使我个人的感觉并不十分舒适。就好像有一个人在街上吃了两回包子,让人看见了,于是,以后人们就把他叫做吃包子专家,"哎,我们那儿又蒸了锅包子,您来尝尝吧!"每次都是这样,天长日久,他好像就不太好意思吃别的了,吃别的就叫不务正业,就叫对不起观众,对不起读者。我本人也有这种深深被冤枉的感觉。

同时,我也用这种感觉体会今天我们要讲的老舍先生。一提起老舍就是幽默大师,但是我想幽默这个东西它能不能独立?幽默这个东西把一个人概括后,对于这个人在一定意义上也造成了一定的误解、误读,使他本人感到一点点冤枉。所以有一次我在愤慨之下写了一篇文章,叫《我不幽默》,里面历数了种种我不幽默的事例,有理有据。文章发表之后,广大读者说:"哎呀,这篇文章写得真幽默。"我知道有许多千古冤案是永远也翻不过来的,所以还不如不翻的好。

回到"幽默"这两个字上,幽默是千百年来人们想探讨清楚的,因为它每天都发生在我们的生活中。它不是文学家的专利,每个单位、每个小区都有幽默的人，有很多次谈话包含幽默的因素，人们经常会说"他说话很幽默"。有很多很多人在探讨，但越是这样日常的东西越探讨不清。我们可以把很复杂的问题搞清，我们可以搞清楚什么是洲际导弹，可以让杨利伟上天，这些问题是小菜儿，很容易就解决了。看上去困难的并不困难，可日常生活中的问题却很难解决，你让专家学者讨论什么是"桌子"，讨论一万年也说不清楚，他有一万多个定义。幽默也是这样，说了很多本书。所以我想，我们不是去抠它的定义，去给幽默下个概念化的定义，用它去套哪个是哪个不是。

幽默不是靠下定义解决的，你必须从它的文字里感觉到了幽默。有的幽默是一下子感觉到的，有的幽默不是一下子感觉到的。比如说我们在电视里看一个小品，看赵本山的小品。其实我们在看之前就怀着一种看幽默的心态去等着那个幽默出现，果然那个幽默如期出现了，我们给它鼓掌，也留下一个幽默的印象。其实赵本山也决不只是幽默，幽默背后有别的东西。老舍可能也是这样，我们读老舍的时候，可能没有去想它幽默不幽默，而是在阅读的过程中自然地去同情、去思索那些人物的命运。

有许多先生朋友读了老舍的文学，但不一定感受到了老舍文字的幽默，那么我想，用事实说话是最有力的。我选了一篇长篇小说叫《离婚》，《离婚》的第一节，有点长。《离婚》的主人公叫张大哥，小说的开头就这样写道：

张大哥是一切人的大哥。你总以为他的父亲也得管他叫大哥，他的"大哥"味儿就这么足。

张大哥一生所要完成的神圣使命：作媒人和反对离婚。在他的眼中，凡为姑娘者必有个相当的丈夫，凡为小伙子者必有个合适的夫人。这相当的人物都在哪里呢？张大哥的全身整个儿是显微镜兼天平。在显微镜下发现了一位姑娘，脸上有几个麻子；他立刻就会在人海之中找到一位男人，说话有点结巴，或是眼睛有点近视。在天平上，麻子与近视眼恰好两相抵销，上等婚姻。近视眼容易忽略了麻子，而麻小姐当然不肯催促丈夫去配眼镜，马上进行双方——假如有必要——交换相片，只许成功，不准失败。

自然张大哥的天平不能就这么简单。年龄、长相、家道、性格、八字，也都须细细测量过的：终身大事岂可马马虎虎！因此，亲友间有不经张大哥为媒而结婚者，他只派张大嫂去道喜，他自己决不去参观婚礼——看着伤心。这决不是出于嫉妒，而是善意的觉得这样的结婚，即使过得去，也不是上等婚姻；在张大哥的天平上是没有半点将就凑合的。

后面一段：

> 介绍婚姻是创造，消灭离婚是艺术批评。张大哥虽然没这么明说，可是确有这番意思。媒人的天平不准是离婚的主因，所以打算大事化小，小事化无，必须从新用他的天平估量一回，细细加以分析，然后设法把双方重量不等之处加上些砝码，便能一天云雾散，没事一大堆，家庭免于离散，律师只得干瞪眼——张大哥的朋友中没有挂律师牌子的。只有创造家配批评艺术，只有真正的媒人会消灭离婚。张大哥往往是打倒原来的媒人，进而为要到法庭去的夫妇的调停者；及至言归于好之后，夫妻便否认第一次的介绍人，而以张大哥为地道的大媒，一辈子感谢不尽。这样，他由批评者的地位仍回到创造家的宝座上去。

> 大叔和大哥最适宜作媒人。张大哥与媒人是同一意义。"张大哥来了，"这一声出去，无论在哪个家庭里，姑娘们便红着脸躲到僻静地方去听自己的心跳。没儿没女的家庭——除了有丧事——见不着他的足迹。他来过一次，而在十天之内没有再来，那一家里必会有一半个枕头被哭湿了的。他的势力是操纵着人们的心灵。就是家中有四五十岁老姑娘的也欢迎他来，即使婚事无望，可是每来一次，总有人把已发灰的生命略加上些玫瑰色儿。

这是他的长篇小说的开头的这样一节，同时我们也可以体会，老舍是这样推出一个他笔下的人物的。

再来看一个短篇中的一小段。有一个短篇小说叫《一天》，《一天》讲主人公"我"忙忙碌碌，一天都被别人侵占的这个过程，好不容易熬到晚上了。

> 晚饭后，吃了两个梨，为是有助于消化，好早些动手写文章。

> 刚吃完梨，老牛同着新近结婚的夫人来了。

> 老牛的好处是天生来的没心没肺。他能不管你多么忙，也不管你的脸长到什么尺寸，他要是谈起来，便把时间观念完全忘掉。不过，今天是和新妇同来，我想他决不会坐那么大的工夫。

> 牛夫人的好处，恰巧和老牛一样，是天生来的没心没肺。我在八点半的时候就看明白了：大概这二位是在我这里度蜜月。我的方法都使尽了：看我的稿纸，打个假造的哈欠，造谣言说要去看朋友，叫老田上钟弦，问他们什么时候安寝，顺手看看手表……老牛和牛夫人决定赛开了谁是更没心没肺。十点了，两位连半点要走的意思都没有。

一个很烦人的生活细节，被老舍写得意趣盎然。当事人很烦，可读者读起来很有趣，觉得并不烦。

再来看一段大家都熟悉的话剧《茶馆》中的一段台词,是《茶馆》第二幕,算命的唐铁嘴跑到王利发的茶馆里来喝茶。

唐铁嘴:王掌柜!我来给你道喜!

王利发:(还生着气)哟!唐先生?我可不再白送茶喝!(打量,有了笑容)你混得不错呀!穿上绸子啦!

唐铁嘴:比从前好了一点!我感谢这个年月!

王利发:这个年月还值得感谢!听着有点不搭调!

唐铁嘴:年头越乱,我的生意越好,这年月,谁活着谁死都碰运气,怎能不多算算命、相相面呢?你说对不对?

王利发:Yes,(原注:"Yes"即"对"的意思)也有这么一说!

唐铁嘴:听说后面改了公寓,租给我一间屋子,好不好?

王利发:唐先生,你那点嗜好,在我这儿恐怕……

唐铁嘴:我已经不吃大烟了!

王利发:真的?你可真要发财了!

唐铁嘴:我改抽"白面儿"啦。(指墙上的香烟广告)你看,哈德门烟是又长又松,(掏出烟来表演)一顿就空出一大块,正好放"白面儿"。大英帝国的烟,日本的"白面儿",两个强国侍候着我一个人,这点福气还小吗?

我们知道,唐铁嘴这个人是一个被讽刺的对象,是一个没有羞耻之心,没有道德感,没有民族正义感的一个人。但是老舍把他的话用一种非常幽默的语言给写出来,我们看这一段,其实就是抽离出来的一段相声。拿出来就是一段相声或小品,完全可以单独表演。

老舍在小说里、在话剧里都有幽默的语言,跟在其他文体里一样,比如在散文里,他写一个朋友叫何容,有一篇文章叫《何容》,何许人也?他说这个何容和太太一起出门:"他,真的,不让何太太扛伞。真的,他也不能给她扛伞。他不佩服打老婆的人,加倍的不佩服打完老婆而出来给她提小伞的人,后者不光明磊落。"

他写一只小猫,他说这只小猫"在纸上踩印几朵小梅花。它还会丰富多腔地叫唤,长短不同,粗细各异,变化多端,力避单调。在不叫的时候,它还会咕噜咕噜地给自己解闷"。

他讽刺国民党在重庆时的苟安政策,说:"是啊,一个人去吃大菜去玩麻雀,也不一定就不为伤兵难民捐钱。"

从这些文字中,我们已能感觉到老舍幽默的风格,就是有一种稳定的风格又有多元化的趋向。上面的文字,从小说,长篇的,短篇的,到话剧,到散文,当然还有其他的,没有一种文体他没写过,几乎有各种曲艺形式:鼓书、鼓词、快板、相声，老舍是二十世纪中国文坛的全能冠军。在各种文体中，老舍都有这样一种幽默的风格在体现。也正因为如此，人们说老舍是语言大师、是幽默大师。而且他这种幽默不是一般的幽默，是很有品位的。你读了听了看了之后不见得会哈哈大笑。有些东西一演出来、一读出来就让大家哈哈大笑的，还不见得是幽默。幽默所唤起的是中等程度的笑，不一定是哈哈大笑。哈哈大笑是马戏团小丑突然从马背上掉下来再翻一个跟斗，那可能是哈哈大笑，但那不是幽默。

下面我们简单介绍一下老舍幽默的作品。首先老舍被称为幽默大师和他走上文坛所采取的方式是有关的。因为他一开始写的就是幽默文学。老舍在20年代时，本来在中国教育界工作。后来去英国伦敦东方学院教汉语。在那儿利用业余时间写了他的第一篇小说《老张的哲学》，这是他的处女作。写完没事儿，投寄给《小说月报》。带着一种玩的心态，一种文学青年的心态，没想到就发表了。

《老张的哲学》用这种幽默的风格来批判中国的教育和社会上一些黑暗、腐败的现象。接下来，他又写了一本叫《赵子曰》。《赵子曰》名字就是幽默的，说有一个人姓赵叫赵子曰，本来这就是幽默的。《赵子曰》的幽默比《老张的哲学》情况稍好一点，但仍然存在油滑和贫嘴的问题。它的重要思想是批判盲目接受新思潮的一些浅薄的青年人的问题。

我们能想到的五四新青年都是每天喊"还我青岛"、"还我山东"、"爱国"这一类正面青年，其实在当时广大老百姓看这些大学生，这些新青年，未必像我们这么看。或者说，前面这种青年可能是少数。在许多人看来，大多数人是拿着自己父母的钱用来糟蹋，不好好上学，闹学潮，甚至闹学潮也是假的。比如说，老舍写赵子曰这样的人，每天胡乱消费。背着冰鞋到什刹海，不为溜冰，只为看看女学生。这是老舍从一个非常独特的角度来观察这些非常浅薄的新人物。

第三部作品是评价比较高的，现在已经搬上荧屏，是陈道明演的《二马》。这是把幽默与严肃结合得比较恰当的一部作品。《二马》的中心内容是反思中国和英国的国民性。他是写在英国伦敦的马氏父子两人。通过他们在伦敦与英国人的生活交往来看西方民族的不同点，也对中国的国民性有批判，但采用的风格依然是幽默。比如他写英国的一个牧师，他在中国呆了多年，说这位牧师是一位非常虔诚的基督教徒。他深夜时含着眼泪祷告上帝："上帝呀，快叫中国变成俺们英国的殖民地吧。"用这样一种方式写这样一位牧师，表面上是幽默的，其实非常深刻。

老舍曾经入过教，关于他与基督教的关系是另外一个很深入的话题，也是值得研究的。他到底对基督教是一个什么态度，这是一个很复杂的问题。老舍结束了在伦敦的工作，就回国了。他不是直接回来，而是在新加坡呆了一段时间。在新加坡的时候，他对新加坡的生活和青年有了观察，他写了一篇小说叫《小坡的生日》，以往不太受重视，以为它是儿童文学。近年来，对这篇作品的认识有所提高。

老舍用《小坡的生日》观察在全球化背景下民族与民族的关系。老舍在貌似儿童文学的作品里对此有所思考。我们只谈他幽默这一点，看看开头一段。他用一个小孩而不是大人的口气叙述作品。第一章叫《小坡和妹妹》，开头说：

> 哥哥是父亲在大坡开国货店时生的，所以叫作大坡。小坡自己呢，是父亲的铺子移到小坡时生的；他这个名字，虽没有哥哥的那么大方好听，可是一样的有来历，不发生什么疑问。
>
> 可是，生妹妹的时候，国货店仍然是开在小坡，为什么她不也叫小坡？或是小小坡？或是二小坡等等？而偏偏的叫作仙坡呢？每逢叫妹妹的时候，便有点疑惑不清楚。据小坡在家庭与在学校左右邻近旅行的经验，和从各方面的探听，新加坡的街道确是没有叫仙坡的。
>
> 你说这可怎么办！这个问题和"妹妹为什么一定是姑娘"一样的不能明白。哥哥为什么不是姑娘？妹妹为什么一定叫仙坡，而不叫小小坡或是二小坡等等？简直的别想，哎！一想便糊涂得要命！

他能够这么准确地捉摸一个小孩子的心理，用小孩子的眼睛来看这个世界。我们知道有一种文学专门叫儿童文学，据说专给儿童写的。但大多数儿童文学是用大人的眼睛看孩子，以为孩子心里没什么问题，就像看电视上浅薄的儿童节目一样："孩子们，叔叔给你们讲个故事。"其实孩子们不一定爱看这样的节目。把孩子当傻瓜的儿童节目和把老人当弱智的老年节目都是不受欢迎的。打开老年节目，开始就讲糖尿病，这节目没人爱看。这都是节目策划者不懂受众心理。

小孩子不能简单地说他们比我们差，只能说他们与我们的世界不一样。他爸爸就没想过，女儿生了为什么叫仙坡。但是小坡想到了这是一个疑问。他就想到了，我们三个名字排列得不合逻辑。然后，用这样一个小孩子纯洁的眼睛去看新加坡五方杂处的各个民族为什么关系这么复杂：广东的孩子、福建的孩子、马来的孩子、印度的孩子，还有洋人的孩子，怎么处理这个关系。我们觉得长大以后要让孩子上大学，升官发财，但小坡的理想是长大想当门口的印度看门人。他觉得那个老印度非常威武高大，脸色黑里透红，头上缠个大包布，下面光着两只脚。他觉得这多好看。他的理想就是想当这个。这种幽默是透明的带着灵气的幽默。

这时老舍回到中国，一上岸就发现自己已经是名满天下的幽默大师了。所以老舍的文学经历是很奇特也很赚的，好像天上掉馅饼一样。他就是出国呆了几年，顺便写点小说，没想到回来后就已经成为文学大师了。各方面不断请他参加各种活动，向他约稿，也是从此开始了他亦喜亦忧——一方面成为作家了，是个好事，人们都很尊敬他；另一方面，就被规定为写"幽默"文章了，这也是老舍一块小小的心病。

不但写幽默文章，在一开始的欢呼和表扬之后有了一些批评，特别是《老张的哲学》和《赵子曰》，许多人说他是耍贫嘴，说这是北平人耍贫嘴，不是正宗的幽默，对《二马》的评价稍高。所以老舍以后做了许多思考，怎么既能发挥幽默，又能合乎批评家的口味。

其实从一个更大的视野来看，是老舍怎么和"五四"新文学磨合的过程。我们知道，今天所倡导的文学是从"五四"新文化来的，"五四"新文化出了一批人，他们批判旧文学，提倡新文学——白话文的、欧式句法的、写现实的文学。当然他们内部也有矛盾，但合起来是一批人，不管是鲁迅呀、郭沫若呀、茅盾呀、郁达夫呀，这些人是一批人。老舍是一个外来者，老舍本来是一个基本群众、读者、玩票儿玩进来的。老舍与那些人八竿子也打不着。他不认识他们，他们也不会提拔老舍。老舍完全是个人投稿被看中，或带一点招安的意思。"嘿，他写得不错，把他招到我们队伍里来，能壮大我们的声势。"老舍是这样被招安到新文学队伍里来的。我在另一篇文章中说，"这是新文学与老舍的双赢。"我们今天不是讲双赢吗？——一方面确实壮大了新文学的力量；另一方面，也对老舍产生了磁场般的影响。

老舍就必须考虑我以后不能随便写作了。他在英国写《老张的哲学》和《赵子曰》是随便写。现在入了伙儿就不能随便写了。你在梁山泊以下随便杀人放火，到梁山上就有规矩了。这个规矩不是用法律条文一条条写的，是通过批评家的文章来左右你。所以老舍就考虑我怎么"看住了"我的幽默，不让它随便乱走。不要为了讽刺一个人就把话说尽。在这种情况下，老舍写了一篇小说，就是刚才在开始时读过的《离婚》。

《离婚》发表后得到了很高评价，认为把严肃和幽默拿捏到了一个最准确的火候。他探讨中国的国民性问题。一群灰色的小官僚、知识分子生活中的苦闷。里面有一个张大哥，维护社会秩序、社会稳定的，到处给人家做媒，反对离婚。他有一个同事老李非常苦闷，外号叫"苦闷的象征"。他老觉得自己的太太不好，没诗意，想换一个有诗意的太太，和其他杂碎人等这种苦闷一样。幽默、苦闷、严肃被他调剂成一盘非常好的菜。所以《离婚》不仅在当年，在半个多世纪后的现在读起来仍有滋有味。

由于《离婚》这个作品好，改成影视作品也不错。但还没有把它最幽默的地方演好。《离婚》还可以再改编再创造。老舍也对《离婚》很高兴很自信,认为这回我把幽默看住了,把幽默写到了恰到好处。所以什么是幽默,靠批评家、理论家写文章不容易探讨清楚。很多很多作家用创作实践去实验它,实验幽默把握在什么劲上比较好。

其实老舍一辈子,我刚才说他是全能冠军,也未必不带着几分实验的意味。他想实验实验我这种文体写的怎么样,这种风格写的怎么样。比如老舍还写了一篇在今天看来是科幻小说的作品叫《猫城记》。《猫城记》一直以来也没得到太多重视,一是因为它是科幻的,另一个是因为它对革命和反革命都有所批判。老舍不是一个革命者,我们称他为民主主义作家,这是我们对他的一个客观评价。

其实,在老舍自己看来他什么主义都不是,他就是一个老百姓。所以后来在抗日战争爆发后,谁来当"文协"的领导人,有一个全国文艺家抗敌协会,谁来领导全国的作家,国民党和共产党都僵持不下。国民党不放心共产党领导,共产党也不放心国民党领导,最后大家公认无党无派的老舍为众望所归。老舍就这样成为一个民主主义作家,但是他自己对各种主义都有怀疑态度和保留立场。

《猫城记》就表现了他这种思想。一个宇航员到火星上,飞机坏了,不得已在火星上住了一段时间。火星上住着一种猫人,这种猫人就代表中国,象征着中国的腐败,种种黑暗,不团结。后来被火星上另一国家入侵。另一国家就是矮人,当然也有象征意义。矮人来战胜猫国,猫国在抗战过程中以内部厮杀为主。敌人都把他们包围在一个林子里了,还在那儿开会争论。一直到最后,猫国都被消灭得只剩下两个人了。当矮人把这两人包围时,这两人正打得不可开交。根本不用打,他们就被打败了。然后关在一个笼子里。这是幽默吗?其实老舍写得很沉痛,是在发出一种警告:这样的民族是要灭亡的。《猫城记》的这种幽默是以尖锐的讽刺为主。也可能讽刺得太尖锐了,不太能被接受,所以文学史上很长一段时间不再提这个作品。

到了30年代,老舍的幽默发挥到一个极致。老舍自己认为已经可以任意地写各种作品了,长篇短篇。比如他还有一个作品《牛天赐传》,牛天赐是一个人名。小孩姓牛,因为是捡来的,所以父亲给他取名为天赐——天上掉下来的。通过这个,写一个小市民的成长过程。在一个小市民的教育环境下,怎么被培养成一个窝囊废。实际上我们今天的家长也可以看一看,作为一个反面教材。从小就把孩子的腿捆得紧紧的,长大以后就是罗圈腿。当然罗圈腿有象征:表示孩子长大后丧失独立生存能力。小时对他太溺爱,因为他父亲50多岁好不容易在门口捡一个孩子。比如孩子长到七八岁时,有这么一段写他,这一节叫《换毛鸡》:

黄绒团似的雏鸡很美,长齐了翎儿的鸡也很美;最不顺眼的是正在换毛时期的:秃头秃脑翻着几根硬翅,长腿,光屁股,赤裸不足而讨厌有余。小孩也有这么个时期,虽英雄亦难例外。"七岁八岁讨狗嫌",即其时也。因为贪长身量而细胳膊蜡腿,脸上起了些雀斑,门牙根据地作"凹"形,眉毛常往眼下飞,鼻纵纵者。相貌一天三变,但大体上是以讨厌为原则。外表这样,灵魂也不落后。正是言语已够应用的时候,一天到晚除了吃喝都是说,对什么也有主张,而且以扯谎为荣。精力十足,在万不得已的时候才翻着跟头睡觉;只要醒着手就得摸着,脚就得踢着,鞋要是不破了便老不放心。说话的时候得纵鼻,听话的时候得挤眼,咳嗽一声得缩缩脖,骑在狗身上想起撒尿。一天老饿。声音钻脑子,有时候故意地结巴。眼睛很尖,专找人家的弱点:二嫂的大褂有个窟窿,三姨的耳后有点泥……都精细的观察,而后当众报告,以完成讨厌的伟业。狡猾,有时也勇敢;残忍,无处不讨厌。

这是七八岁的一个讨厌的城市孩子的形象,写得栩栩如生。

此外30年代他写了许多短篇小说。我们前面读过了《一天》,还有其他一些都很幽默。还有一些散文比如《话剧观众须知二十则》。现在大家听讲座都要把手机关上。如果老舍先生讲,他一定不这样正面讲。他一定反面讲:"请大家把手机都打开,而且尽量打电话,以干扰了报告人的报告为宜。"这是老舍的说法。老舍的《话剧观众须知二十则》就是这样讲的,里边非常幽默地说:"单号戏票宜入双号门,双号戏票宜入单号门。楼上票宜坐楼下,楼下票宜坐楼上。最好无票入场,有位即坐,以重秩序。"老舍用反语的方式把30年代中国观众不文明、不遵守公共秩序的情况写得非常鲜活。人们读了以后就觉得再也不好意思这样做了。

到了40年代,老舍依然有幽默作品问世,但不都幽默。有一批不幽默的作品,我们下面再说。我们现在只说他幽默的作品。最有代表性的是《四世同堂》。《四世同堂》是老舍规模最大的一部作品,其实也是新文学作品中规模最大的一部作品。因为他想模仿但丁的《神曲》,想写一百万字,最后实际没完成,但也差不多。

《四世同堂》电视剧拍得很好。80年代后,长篇电视连续剧最早也是最成功的就是《四世同堂》。比如《二十四史》第一部是《史记》,《二十四史》最好的就是《史记》,往后越写越差。历史上第一部演义是《三国演义》,以后才有各种演义,各种演义都赶不上《三国演义》,第一个就是最好。这与别的国家不同,别的国家是后面的踩着前面的肩膀,后一座高峰比前一座更高。中国是一座高峰一杆,后面越来越矮。

《四世同堂》就是这样。以前说中国拍不了长篇连续剧,《四世同堂》

一出，马上成为经典，像广播学院、电影学院要讲这个，必然要讲《四世同堂》。无论对剧本的理解，演员的阵容，风格的体现，思想的深刻。包括《四世同堂》的主题歌，家喻户晓，精品。现在我们已能拍更长的电视剧了，不但是20集，40集、60集都能拍，但已经是水货了，可看可不看了。所以《四世同堂》小说的幽默给他打下了坚实的基础，而且演员演得非常好。

许多没看过小说的人对台词也记得清清楚楚，像那几个被讽刺的人物：冠晓荷，大赤包，包括祁家老二。老二是靠家里生活的人。他对他大哥说："大哥，你可得养着我，谁让你是我大哥呢？"这话说得多好，一个典型的家中老二的口气。还有冠晓荷的无耻，他的闺女当了日本特务，他不以为耻，反以为荣，还以此来吓唬别人："我们家招弟，那是大红大紫的特务。"这台词太深刻了，把一个人能无耻到什么程度写得入木三分。最后日本人把他活埋了，都推到坑里了还喊"皇军万岁！"这种汉奸真是死有余辜，一点不会得到人们的同情。他的幽默对不同的人是不同的，对于正直善良的人是温和的，对坏人采取的是夸张的漫画式的手法来戳穿他。

直到建国后，他写话剧，写《龙须沟》、《茶馆》，里面的幽默是必不可少的调味剂，像四川湖南人吃辣椒，饭菜中必须要有这一味。

老舍的最后一部作品《正红旗下》也是非常幽默的，老舍的创作过程是以幽默始幽默终的。他以幽默的方式打开文坛大门，以独树一帜的风格进来了。老舍《老张的哲学》发表时，新文学没有这样的作品，无论鲁迅、茅盾、巴金都没有这样的作品。为什么它能马上发表，立刻得到承认，因为它独树一帜。真正的大文豪应该是这样不可复制的，你可以把我的作品研究来研究去，但你复制不出来。所以幽默是老舍的重要标志。

我们谈了老舍幽默的例子，下面我们看看老舍幽默的特点。我们先来看看老舍自己的说法，人们认为他是幽默作家，他对自己应该有一个解释。老舍有篇文章就叫《谈幽默》。其实被称作幽默的作家对这个都有所反省，如鲁迅、钱钟书他们都谈过这个问题。老舍说：

　　幽默是一种心态。我知道有一些人是神经过敏的，每每以过度的感情看事，而不肯容人，这样的人若是文艺作家他的作品中必含着强烈的刺激性或牢骚或伤感。他老看别人不顺眼，而愿使大家都随着他自己走，或是对自己遭遇不满的、伤感的自怜。反之幽默的人便不这样。他既不呼号叫骂看别人都不是东西，也不顾影自怜看自己如一活宝贝，他是由世事中看出可笑之点而技巧地写出来，他自己看出人间的缺欠，也愿使别人看到，不但仅是看到他还承认人类的缺欠。于是人人有可笑之处他自己也非例外，再往大处一想，人寿百年，而企图无限，根本矛盾可笑，于是笑里带着同情，而幽默乃通于深奥。最后他说:幽默的心态就是一视同仁的好笑的心态。有这种心态的人,虽不必是艺术家也能在行为上、语言上、思想上表现出这种幽默态度,这种态度是人生里很可宝贵的,因为他表现着心怀宽大,一个会笑而且能笑自己的人,绝不会因为小事而急躁怀恨。往小里说,他决不会因为自己的孩子挨了邻儿一掌而打邻儿的爸爸。往大里说,他决不会为了战胜政敌而请清兵,偏狭自恃是四海兄弟这个理想的大障碍。幽默专治此病。嬉皮笑脸并不是幽默,心平气和,心宽气朗才是幽默,一个幽默写家对于世事如入异国观光,事事有趣,他指出世人的愚笨可怜,指出那可爱的小古怪地点,世上最可爱的人,最伟大的人也可能正是最愚而可笑的人。堂吉珂德先生即一好例。幽默的写家会同情于一个满街追帽子的大胖子,也同情——因为他明白——那攻打风磨的愚人的真诚与伟大。

真懂幽默的人看堂吉诃德打风车,是会发出一种会心的笑,不是只笑他是笨蛋,对他这种伟大的搏斗有一种同情之心。这是老舍自己谈幽默,从中我们可以概括出几点。同情是很重要的一点。真正的幽默是要有同情的。对世人的不幸,对人间的缺欠要有同情,不是幸灾乐祸,而且是一视同仁的同情。不是居高临下的同情,不是说我是亿万富翁你是个小乞丐,给你一块钱。不是这样的同情。而是说,假如有一天我也要饭怎么办? 是这样一种同情。所以用了"四海兄弟"这样一个词。他写一个可笑的人物时,包含这样一个可能性,即我你都可能成为他,他可能是你和我,这样一种心态。

所以老舍的幽默给人的感觉是平等、善意、宽容,用舒乙先生的观点是"穷人的幽默"。老舍的读者非常多,但据我了解,以普通百姓为多。在我所工作的大学里,自以为很有学问的教授喜欢老舍的程度不那么强。有很多原因。有鲁迅先生和毛主席所批判的知识分子的缺点:自视清高,不肯和别人采取平等的立场。当自己受迫害受委屈时要求民主平等;当自己日子过好了,就不再提这个话,对别人很难采取平等的态度。

这也是老舍先生讽刺和批评过的,不能以宽容的心看世事。大知识分子看别人都是缺点,看社会都是不公。他的批判是有道理的,但他的态度有时过于高高在上。老舍不是这样,他非常温厚,老舍的这种平民化的幽默态度,与他的出身经历都有密不可分的关系。有许多作家一回忆往事就是"我出身于书香门第"。这在过去都要被批判的,现在都成了时髦了,动不动就讲自己是大家庭的后代,动不动就"我祖上是清朝哪个贝勒哪个王公呀",已成为恶俗的时髦了,甚至有的人说"我爷爷是大太监"。很奇怪,以做达官贵人后代为荣。

老舍不是这样，不掩饰自己的出身贫贱，并把这转化为创作的资源。老舍出身旗人，有人称做旗人作家。家里很贫困，一岁时父亲就在八国联军攻打北京的战争中牺牲，从小由母亲抚养大。长大后一辈子凭自己的本事，凭劳动吃饭。他虽然是作家，但经常把自己叫"写家"，他不以知识分子看自己。其实他学贯中西，在英国时把西方文化研究得非常透彻。但说话时不放外文词和老百姓听不懂的词。他用平民态度，不用劳动之外的方式吃饭。所以也可以看他为工人。他是靠自己的汗换取自己生活条件的人。

所以他能保持社会平民间的仗义和同情。多少人回忆起老舍都是仗义的，别人有困难找到他，他能帮助的就帮。对坏人坏事不赶尽杀绝，这也是平民的态度。对坏人坏事可以是多种态度，如赶尽杀绝，除恶勿尽，斩草除根，也不能说这些态度就不对。但老舍的出身和经历决定他不采取赶尽杀绝的态度。他总是给人留有余地，因为自己生活的艰辛不幸而同情别人，给别人留下可能性。这种仗义和同情背后是他的自信。

真正的幽默没自信是不可能的，没有自信就不是幽默，真正的幽默是大家风度。我们看侯宝林、马三立说相声往台上一站，一种自信的气质就感染了整个剧场。他不相信自己逗不乐你，根本想都不要想。所以侯宝林往那一站是大家风范。人家绝没说过"您给我鼓鼓掌吧"这种小丑的语言。这是对幽默极没自信的人借一切机会来煽动观众鼓掌，大艺术家从不这样。他们该说什么说什么，自信我的艺术做到家了，艺术效果自然会出来。绝不会恨不得胳肢你两下，这是老舍自己说的和我们给他总结的幽默的特点。

说到幽默，我不得不说另外一点，就是开头我所说到的，老舍除了幽默以外，也有不幽默的一面。这也就是我开头说老舍为什么有被冤枉的一点。说老舍不幽默也有很硬的材料说明。比如说老舍的代表作《骆驼祥子》。《骆驼祥子》的整体风格是不幽默的，大家都说他幽默，在作者心里就激起一种逆反的心理，难道我就不能写不幽默的作品吗？我写不幽默的作品就不能写到一流吗？我非给你们写一个看看。

所以老舍写了一系列不幽默的作品，《骆驼祥子》、《月牙儿》等更有代表性的作品。谁读了《月牙儿》会哈哈大笑？不会，非常心酸的，很悲惨。但这样的作品，语言仍非常好，这样的作品语言不是靠幽默。老舍那种充满北京气息的流畅的语言没有改变，但他不幽默，他可以在这里少调侃人。他不幽默居然能写出代表作来，这就使我们进一步想老舍的核心价值可能不是幽默。幽默是他的一种手段，就好像一个人漂亮、干净，这都不是他的本质，他为什么把自己收拾得很干净，本质在后面。

我们看老舍可以幽默地写出非常好的东西，也可以不幽默地写出非常好的东西,这说明幽默与严肃背后有本质性的东西。这个东西我认为可以叫做关爱。有了这个关爱才可以愿意幽默就幽默,愿意不幽默就不幽默。他笔下的骆驼祥子,我们能看到一双关爱的眼睛的凝视。《月牙儿》也一样,这样的人物都处在关爱的注视下,他在写他的命运,把他的命运感同身受地同自己的命运结合起来。老舍写一个拉车的车夫祥子,好像跟自己不一样,其实老舍是像写自己一样写祥子。祥子买车三起三落就是为了要买上一辆自己的车,过一种他自己认为的独立的生活。老舍自己也是一样,他有一个理想,要当一个独立的写家、职业作家。因为一边在大学教书一边写作,他很不舒服。他说什么时候我能就靠写字来养活我这一家呢?他这个理想就像祥子靠拉车养活自己一样。就这样一个很低的、并不伟大的、普通人的理想都不能实现。居然一再破灭,这种关爱就超越了这个人物的职业,使所有的读者都能感同身受。我虽然不是拉车的,我是卖烧饼的,我是小学老师,我也可能有这样的一天,也可能受过这样的委屈,有过这样的心酸。所以有许多人给老舍写信,有一位工人给老舍写信说,"你把祥子的结局写的这么惨,我们的前途何在呢?"这是《骆驼祥子》引起的共鸣。所以说有了关爱,包括老舍说的"四海兄弟"呀,同情呀,你幽不幽默就都是一样了。

在新文学阵营里,许多作家都在写对劳动人民的关爱,但他们关爱的人群不一样,比如鲁迅,他关爱的是两种人群,一种是农民,以他家乡的祥林嫂为代表的农民。他们愚昧落后,必须关爱他们。再一种是在新旧间徘徊的知识分子。这是鲁迅的两种关爱。再说茅盾,茅盾关爱的一种是时代女性,就是在大时代环境中转变了人生观的妇女,还有一类是资本家。茅盾笔下写了很多很多资本家,我们今天叫企业家。关心他们在这个时代中的思想。而老舍比较关爱的是普通的城市贫民,他自己就是在这个堆儿里长起来的。所以你一想老舍,就是胡同里面,十字路口这些人。他对这个人群有大的关爱。由于这个关爱使他能够"看住"他的幽默,"看住幽默"不是光靠理论探讨靠研究技巧。你对人有了真正关爱后就不会赶尽杀绝,你会同情他。

为了更清晰地认识老舍的幽默,我们把他的幽默和其他作家的对比一下。幽默作家很多,不止老舍一个。如果说现代作家谁幽默,鲁迅就是一个,林语堂是,钱钟书是,我们看过他的《围城》。张天翼是一个,赵树理是幽默的。当代还有好多,王蒙、王朔都是,幽默作家很多。但他们谁跟谁都不一样,你用一个幽默可以概括,但不能淹没他们,不能说王蒙和老舍都是幽默的,他们都一样,不能这样说。

简单比较一下,比如说鲁迅的幽默,特点是老辣深刻,入木三分,像庖丁解牛一样，拿一把短刀刺入，正中要害。这是鲁迅了不得的地方。比如阿Q被人打了一顿，他就说"儿子打老子"，一句话把中国鸦片战争以来的屈辱的历史都写出来了。明明让人打得一败涂地，跟人家签订屈辱的条约，还不说是战败，说是"赐和"。不是战败，是皇上赐给你们和平。这和阿Q说的"儿子打老子"一样，"这个世界不像话，儿子打老子"。这是鲁迅式的幽默，一针见血，所以鲁迅是思想家型的文学家，这是他了不起的地方。

钱钟书的幽默也是很有特色的，他的《围城》改编的电视剧也是很成功的，可以和《四世同堂》媲美。钱钟书的幽默的特色在于机智、渊博、灵动、迅捷。钱钟书是大学者，学富五车，读过的书不知有多少，你看他文章里所列的数目多吓人，我们两三辈子也读不了那么多书。而且他不但读了，还能灵活运用，说一个时事，四面八方的材料全聚集到一块儿。他说桌子，能把世界上所有桌子的事都想起来。所以他机智、渊博。有很多人很渊博，但不机智。他作的是死学问。一个人读了很多书，但作文章时一篇也想不起来，就像一个电脑硬盘很大，装了很多文件，但操作系统很笨拙，一个文件也调不出来。钱钟书就能都调出来，所以他的幽默是学者型、智慧型的。

比如《围城》开头讲，轮船上的鲍小姐，她穿得很少，人们就叫她"局部真理"，因为"真理是赤裸裸的"。这个幽默对人物有调侃，但对人物并非很深的讽刺，主要在炫耀一种学问。这个幽默的产生主要在一句名言"真理是赤裸裸的"。所以没有很大学问的人是不会这么使用这个幽默的，后面透露的是学问。

还有一种是赵树理的幽默。他的特色是带有乡土气息的淳朴厚道，带有农民的狡猾。如《小二黑结婚》里讽刺三仙姑，这么大年纪还浓妆艳抹，说她化妆后好像"驴粪蛋上下了霜"。你必须有农村经验才能体会。这挖苦得很厉害，但在农村又不算什么。这种幽默是钱钟书、鲁迅、老舍说不出来的。

跟这几个类型一比，其他就凸显出来。比如说王蒙，王蒙属于机智型。他脑子非常快，也非常渊博，一瞬间由这儿跳到那儿，又由那儿跳到这儿，非常机智。还有王朔，王朔属于"坏小子"型。他把自己放到一个很低的角度，看你们都是阴暗面。有"坏小子"挖苦人的特点。好像一个猴子在树下看别的猴子爬树，看到的都是猴屁股。这是"坏小子"幽默的特点。

而老舍的幽默与上面都不一样。他的幽默是温和的、开心的，你不需要有多大学问，你有一点普通的文化修养就可以欣赏他的幽默。老舍是所有大作家中，在使用汉字时最少用难字的。有很多大学者、作家为炫耀学问写很多难字，让你们看不懂，上课让你们听不懂，表示我有学问。当然是有学问，但没达到很高境界。学问最高境界是让人听懂看懂，用很简单的语言写出最深的道理。文学史上第一流的大诗人写的是非常简单的诗。写的很复杂的,水平也很高,但是第二流。李白的诗很简单,永远是第一流,文字简单思想不简单。

老舍追求的是俗而有力。老舍有一篇谈通俗的文章说,大作家的作品是"俗而有力的"。《荷马史诗》是俗的,《诗经》、《楚辞》也是俗的,但要有力。《诗经》、《楚辞》都从民间开始,从民间提升出来的。读老舍的作品好像与邻家大哥、大叔说话,没有压力、压迫。比如如果老舍先生在这里,我们请他签名不会有什么压力。如果是钱钟书就有点诚惶诚恐。不知道他会说出什么话,他冷不丁说一句话会有杀伤力的。比如有一次一位读者想见钱钟书先生,钱钟书就说:"你已经吃了老母鸡下的蛋何必要见老母鸡呢?"这是一句名言。他指不定什么时候说出这种话来,会给你带来压力的,你有愉快也有压力。对老舍没有这种压力,开会时,你让他唱段京剧,他站起来就唱一段,你让他说段相声,他就说段相声,非常随和。他的幽默是代你说出你也能说出的话,代替大家说出大家感受到的幽默。

我们把幽默升华一下。幽默与许多概念如幽默与讽刺、滑稽、机智经常混在一起。许多学者探讨什么是幽默,其实就是掰扯这些概念错综复杂的关系,想把幽默与其他东西区别开又区别不好。这是千古难题。所以区别不开的不要硬去区别,从实践角度认识它就可以。在生活中能感受到谁幽默谁是小丑就可以了。比如老舍在谈幽默的文章里,他把幽默与反语、讽刺、机智、滑稽都进行了比较。他说反语是一句中有两个相反的意思。所要说的真意不在话内,而要暗示出来。比如秦始皇要修一个大园子。大臣如不想让他修,就要说:"你这个劳民伤财。"秦始皇未必采纳他的正面批评。如果有一个人说:"好,我支持你,一定要修这么大一个园子,放满飞禽走兽,等敌人从东边打过来,咱们就叫这些动物抵挡一阵。"说得非常好,秦始皇一听,算了,不修了。正话反说,他没反对你,他说的是反话,这是反语式的幽默。

还有讽刺,讽刺必须幽默,但比一般幽默厉害。它必须用极锐利的口吻说出来,给人以一种极强烈的冷嘲。它不使我们痛快地笑,而使我们淡淡一笑,笑完使我们因反省而面红。讽刺使我们笑得不那么痛快,笑完有痛心的时候。

机智是用极聪明、极锐利的言语道出像格言似的东西,使人读了心跳。中国的老子、庄子都有这种幽默。如"圣人不死,大盗不止"。世界上为什么有圣人呢?正是因为有大盗,圣人和大盗共生并存,没有大盗就没有圣人。世界上有武松恰恰是因为有西门庆。有了西门庆才有武松。所以说"圣人不死,大盗不止"。

另外就是滑稽。许多人把它误会成幽默。滑稽是我们经常看的西方短剧。如脑袋上顶好多盘子忽然都碎了,把汽车开进商店里了,很多货架都倒了。小孩很喜欢看这个,一看就哈哈大笑。老舍说这是"幽默发了疯"。这不是幽默。如果勉强算幽默的话,也是幽默的最低形式。

其实钱钟书先生对此也有很好的认识。钱钟书先生说:"真正的幽默是我们跟着他笑;滑稽是我们看着他笑。"他区分得很好,他说:"马戏团小丑做表演,我们笑他并不因为他幽默,而是因为我们自己有幽默。"我们看着他笑,我们笑的是他。我们听侯宝林说相声,我们是跟着他笑他讽刺的事,而不是笑侯宝林。我们越笑就越尊敬侯宝林。我们听侯宝林说《夜行记》时,那人说他被车撞了,警察问他:"你在车前走还是在车后走?"他说:"我在车前走。""你在车前走,怎么把你前轱辘撞了?""那怎么知道他怎么撞的?"我们笑他讽刺的人,但不会笑侯宝林。这是滑稽与幽默的重要区分。

老舍用贴标语举了几个例子,因为30年代流行贴标语。他说"今天贴了标语,明天中国就强大"。这是反语。讽刺不求实际空喊爱国主义的行为,是反语。实际不会使中国强大,中国强大不靠标语口号。

第二种,"君子国的标语'之乎者也'",这是讽刺君子国的人说话"之乎者也";第三种,"标语是弱者的广告"是机智。看到问题的实质,凡是满大街贴标语喊"打倒帝国主义"的都是弱者,帝国主义不贴标语。我们什么时候见过美国贴标语"一定要打到伊拉克去"? 没有。帝国主义不贴标语,因为他认为自己强大,贴标语的一定是弱者。有机智的人能看出其中的奥妙;第四种,"张三把'提倡国货'的标语贴在祖坟上",这是滑稽;什么是幽默呢?"张三把'打倒帝国主义走狗'贴成'走狗打倒帝国主义'"。为什么这是幽默呢? 因为张三贴一天标语才挣三毛钱,贴错就受罚了。所以我们一方面笑他,一方面又同情他,真不容易呀,才挣三毛钱多不容易,还因为没文化贴错了。所以老舍笔下都是张三式的小人物。他很可怜,值得我们同情,他犯的错误我们也容易犯。文化大革命时,许多人因贴错标语挨批斗,如果社会宽容些,大家把他嘲笑一下就算了,没有必要大批判。这样的社会状态才是老舍认为正常的社会状态,很宽容对方的错误,谁能不犯错误呢?

这样一比较,我们就很容易把握幽默。我们不去下定义,就能知道生活中什么是层次高一点的幽默,什么是层次低一点的幽默。并不是小丑式的低层次的幽默我们就不需要,因为生活中我们的审美需求是多层次的。有时我们需要微微笑,有时也需要哈哈大笑,但我们要搞清楚谁是幽默家就行了。我们绝不会请马戏团小丑做幽默报告,我们只看他表演就行了。

现在社会上幽默变成了消费，由于报刊杂志等媒体需要充填它的栏目，有很多掺水的幽默在传播。这就更需要我们从欣赏者、受众的角度去把握好。就像我们消费其他产品一样，得到正宗的产品。我们打开电视希望看到高水平的电视剧，所以需要我们有鉴别能力。听交响乐前有一点关于交响乐的知识；听京剧前有一点关于京剧的知识。我们欣赏任何艺术都应有一些知识储备，这样才能丰富我们的生活。

钱钟书的幽默

我们当前这个社会，很讲究娱乐、休闲、轻松、幽默。幽默似乎成了当下社会一个非常时髦的话题。我自己也常接到媒体的约稿，其中有相当一部分呢，口气很霸道，它给我限定的是命题作文：请给我们写一篇幽默文章。我感到非常悲哀，我不知道从何时何日起就成了一个专门写幽默文章的人了，这个事情本身对我来说是非常不幽默的。还有呢，也有一些读者对我进行批评，说我的某些文章呢，是不幽默的，好像我就不能写不幽默的东西了。如果有不幽默的东西，就是欺骗读者、假冒伪劣，那就是水分，所以呢，很多很多的事情使我回过头来考虑一下什么是幽默。也有一些好事之徒，经常问我，说，有人把你和钱钟书比，您的幽默和钱钟书的幽默有什么不同？我回答这样的问题不下二三十次了。我最近在江苏、陕西、湖南，到处都回答了这样的问题。有的时候使我感到不胜疲惫。那么我也希望通过学习一篇钱钟书专门谈论幽默的文章，看看是否能够提高一下我们彼此对幽默问题的见解。

钱钟书的学术不是我们今天谈论的内容，钱钟书的文学作品却是跟他的学术有密切的关系。他的文学作品充满了智慧和才气，因为他把渊博的学问和知识融会在作品当中。联想非常奇特，幽默而又隽永。

1. 钱钟书其人

钱钟书，大名鼎鼎的学者、作家，他生于 1910 年 11 月 21 日，逝世于 1998 年 12 月 19 日，活了 88 岁，属于比较长寿的。在文人学者中，尤其属于长寿的。大家知道，我们中国的知识分子以早夭见长。曾经有统计数据显示，中关村一带的知识分子平均寿命只有 50 多岁。这是我们中国社会的一个悲哀。但是在如此的悲哀艰难中，钱钟书先生活了那么长，幸运啊幸运。钱钟书为什么叫钱钟书呢？他一岁的时候，家里人给他举行了一个封建迷信活动，叫做"抓周"。"周"就是"周岁"，一周岁的时候"抓周"，就是弄一堆乱七八糟的东西给小孩来抓，看他抓到什么就象征着他未来的命运。比如说抓一把小刀，将来就能够杀人放火。抓一只笔，就能够写字或者帮人家打官司。要是抓了一盒胭脂口红呢,那就不知道干什么了。钱钟书先生很聪明,他竟然抓到了一本书,使家里的人特别高兴,因此他的父亲给他起名为"钟书","钟"就是"钟情"的意思,钟情于书。这倒很符合他的命运。加上他的姓也很符合,"钱钟书"么,把钱都用来买书了。也的确,钱钟书一辈子都没有离开书,读书非常多。读书之多,很难有人敢说我超过钱钟书。写书、论书都是一流的。钱钟书除了他的名字之外,还有字、号。他的字叫"默存",这个字很有意思,"默存",沉默才能生存。这似乎好像是讽刺,但又似乎是事实。在很多情况下,沉默是保持生存的一个不错的办法。他还有一个号,叫"槐聚"。钱钟书是江苏无锡人。无锡、南通、镇江这一带,历来都是我们国家盛产文人学者之地。在这里出个把钱钟书也不是什么奇怪的事情。他如果出产在冰山雪域、沙漠荒丘里,倒是可以论一论。一个现代的文人作家生在江浙一带,几乎可以不论,应该的。他的父亲是一位著名的古文家。他的父亲也是一部学术史了。

钱钟书是家里的长子。他 1929 年考入清华大学外文系。有一种说法,说钱钟书考清华的时候,数学得了 0 分。这是不正确的,其实他数学得了 15 分。数学得 0 分的据说另有人在,就是后来的北京市长吴晗先生。但是由于他中文和英文成绩特别优异,所以被破格录取。所以后来成为清华大学著名的才子。由此可见,素质教育是多么重要,不拘一格选拔人才是多么重要,当年的清华大学心胸是多么宽阔,都由此可见一斑。

钱钟书 1933 年大学毕业之后,又到英国和法国去学习文学。1938 年回国。回国之后,一直以一个学者的身份来从事学术研究。如果大家读过他的《围城》,会知道他写的那个方鸿渐从海外归来,成为一代海归派领袖,也是在 1938 年之际。但是钱钟书并不完全是方鸿渐。方鸿渐也许是钱钟书想成为的几种人中的一种,但是他本人并不是那样。他学术成就是非常高的,但是并不多。真正的大学者一辈子写不了多少东西。如果让一个学者每年都填表格,今年你写了什么,今年你完成了什么项目,这个国家就没有希望了。所有的教授都忙于填表格,都忙于申报项目,那两弹一星是永远搞不出来的。一个真正的学者、一个科学家,一辈子搞一两件能够传世的东西,就是这个民族的大幸。你要求他成天填表格来换职称、换房子、换待遇,这是整个民族的文化自杀。

钱钟书的著作,大家都知道,就那么几本:《谈艺录》、《管锥编》等。在五六十年代的时候,他还负责和参与把毛泽东诗词和毛泽东选集翻译成英文。关于这项活动,近年来也有一些人提出批评,似乎是说,钱钟书先生由于这个特殊的身份得以免过在政治运动中受到冲击。我觉得从钱钟书主观来讲,他有这样做的资格,有这样做的自由。他没有从事过损人利己的活动,为什么不能翻译毛泽东诗词和毛泽东选集呢？有些批评恐怕是过苛之言。

2. 钱钟书其文

在学术研究之余,钱钟书也进行一些文学创作。文学创作也不多,大家都知道。著名的就是长篇小说《围城》、短篇小说集《人·兽·鬼》、散文集《写在人生边上》,就这么多。而且这些文学作品,都是上世纪四十年代出版的。或者说都是他学术研究之余累了写着玩的,写完了给杨绛看看,让杨绛一乐。很多伟大作品都是不小心写出来的。故意在那儿埋头苦干的人也许能干出来,但未必就真能干出什么惊天动地的伟业来。特别是艺术这个东西,往往是玩出来的。甚至包括学术,也是玩出来的。

钱钟书的学术不是我们今天谈论的内容,钱钟书的文学作品却是跟他的学术有密切的关系。他的文学作品充满了智慧和才气,因为他把渊博的学问和知识融会在作品当中。联想非常奇特,幽默而又隽永。不是简单的幽默,他的机智和讽刺既能使读者发出会心的微笑甚至大笑,更能让你在笑过之后留下深刻的印象,留下深深的思索。他的笑不是浅薄的一笑,他的笑中是散发着哲理的气息的。所以有人说,钱钟书是学者型讽刺作家,也有人说钱钟书是智慧型幽默作家。他们的意思都差不多。幽默是有不同的种类的。我们可以想,你遇到的有哪些幽默的作家。有鲁迅、老舍、钱钟书、林语堂、张天翼……很多人都是幽默的,但是每个人都是独立的个体,每个人和其他人不会混淆。在钱钟书身上就表现为,他的作品是融知识、情感和幽默为一炉,所以个性色彩极为鲜明。下面我们所要欣赏的《说笑》就是这样一篇十分出色的散文。

对《说笑》的分段讲解

钱钟书说:"真正的幽默是能反躬自笑的,它不但对于人生是幽默的看法,对于幽默本身也是幽默的看法。"可以说这是钱钟书自己的幽默观。就是说真正幽默的人,你应该能够对自己幽默。

首先我们来看题目,题目叫"说笑"。作为题目的这"说笑"二字,不是我们平常讲的说说笑笑,而是一个动宾结构。"说"是动词,"笑"是它的宾语,"说笑"的意思就是说一说"笑"这个问题。"说",本来就是中国传统散文中的一种文体,是议论性的。大家学过什么"说"吗？对,韩愈的《马说》、《师说》,还有柳宗元的《捕蛇者说》。这就是什么说什么说。那么钱钟书的这篇《说笑》,如果写在古代,也许就会叫做《笑说》或者《笑之说》,是这样一个意思。这篇散文不长,我算了一下,不到两千字,一共只有五个自然段,非常小。所以我很希望这篇文章能够选入中学语文课本。我也在参与编写一些中学语文书籍的时候,推荐了这篇文章。下面,按照五个自然段的顺序,一段一段地来进行欣赏。

1. "起":开门见山

先看第一段:

> 自从幽默文学提倡以来,卖笑变成了文人的职业。幽默当然用笑来发泄,但是笑未必就表示着幽默。刘继庄《广阳杂记》云:'驴鸣似哭,马嘶如笑。'而马并不以幽默名家,大约因为脸太长的缘故。老实说,一大部分人的笑,也只等于马鸣萧萧,充不得什么幽默。

"自从幽默文学提倡以来,卖笑变成了文人的职业"。这个第一句可以说就是"开门见山"。当然,"开门见山"不是写论文唯一的路子,"开门见山"是一种风格,不"开门见山"也是一种风格。我"开门见水"不行么?我"开门",外面还有一道"门"呢。我开了五道"门"才看见"山",为什么不行啊?但是钱钟书的这篇文章是以"开门见山"见长的。凡是"开门见山"这样的文章,往往是想直接地、迅速地触及到一个公共话题。当写这样的文章的时候,"开门见山"是比较有力的。但是文学性的文字未必要这样。钱钟书这"开门见山"的一句话就会让我们明白,他不是闲着没事,泛泛地来说笑的。他是有很强的针对性的。一开始针对性就出来了,"自从幽默文学提倡以来",他针对的就是幽默文学的提倡。

这里就要讲一下背景。在20世纪30年代,林语堂等作家曾经大力提倡过一阵"幽默文学",当时是形成一种风气的。一些追着这些风潮的作家就在这里写一些离现实距离比较远、而是刻意追求闲适、轻松的这种文章。针对这种现象,鲁迅等作家一方面肯定了"幽默文学"中("幽默文学"是带引号的)也有一部分讲真话的好作品。另一方面则指出,那是一个什么时代?那是一个"皇帝不肯笑、奴隶不准笑"的时代。鲁迅另外有句话说那个时代是"风沙扑面,虎狼成群"——我不知道现在是什么时代,我只知道现在这个时代很复杂,一方面有人挥金如土、一掷千金,另外一方面有成千上万的"包身工"在黑暗的厂房里挣扎、呻吟。广东地区的工人每天被机器切断手指头的事时有发生。这是我所知道的今天的时代——那么在这样的时代,鲁迅他们认为,是"很难幽默起来的",所以鲁迅写了一系列这样的文章,批评这种对"幽默文学"的鼓吹。鲁迅认为,不应该把小品文当成小摆设,"一方面点缀富人们的太平盛世,另一方面掩盖穷人的呼号和血泪"。这是鲁迅等作家的态度。鲁迅说,这是"将屠户(就是那个杀猪的)的凶残使大家化为一笑"。这是鲁迅的态度。

那么钱钟书的态度是什么样的呢?钱钟书没有像鲁迅那样从正面来批判幽默文学,而是用他自己特有的文风,一开篇就说"自从幽默文学提倡以来,卖笑变成了文人的职业"。我觉得这话比鲁迅更刻毒。他一下子就把"幽默文学"这么庄严的四个字和"卖笑"两个字联系到一起。所以有人说钱钟书是很坏的。真正的幽默大师,往往他的杀伤力是比不幽默的人还要强的。那么把这两个词联系到一起,其实已经含蓄地表明了钱钟书先生的态度,同时也设定了这篇文章写作的角度,也就是说,他不是正面地、全面地来谈论幽默文学的问题,而是只从"笑"的角度,来发表他对"幽默文学"的看法。他换一个角度,换成从"笑"来谈论幽默文学。所以这篇文章不是古今中外、泛泛地谈"笑"这个问题的,是从"笑"入手,谈幽默文学。这就叫写文章的角度。我们谈论一个问题从哪个角度入手? 我经常说,我们做学问也好,写文章也好,很像打仗,很像攻城拔寨,选择哪个角度作为突破口,从哪里杀入,最能够以最小的伤亡获得最大的战果,这是军事家和文学家共通之处。那么他从"笑"这个角度入手,来破"幽默文学"这座城堡,这个突破口选择得真是非常好的。中国的散文讲究起承转合,这第一句就是一个非常好的"起"。这个"起"一方面扣了题目,不是"说笑"吗? 一下子"卖笑"就出来了,而且又很精炼地打开了话题。它既有非常强的现实针对性,又能引起读者的兴趣。而且你看来好像是不经心的,随便一句话就说出来了。钱钟书的确是写文章的高手。有的时候高手写文章,你看上去他说得很好,但你怎么琢磨都觉得他不用力,他非常轻松的一句话就说出来了。这叫"举重若轻",这是武林高手的一种风范。

㉟

那么第二句呢,钱钟书马上就扣着第一句,对"笑"和"幽默"进行了区别。他指出,"笑未必就表示着幽默"。有些话、有些现象,不说的时候我们习焉不察,就忽略过去了,当有人一指出来的时候,我们才发现是这么回事:原来笑跟幽默不是一回事。"笑未必就表示着幽默"。这就是说,真理就在太阳下面,需要有心胸、有眼光的人发现。我们大家都经常笑,但是我们想,大多数的笑跟幽默有关系吗? 没有关系。但是我们一般人都是狠不下心肠来对自己进行自我解剖,谁能经常没事说,哎呀,我刚才那笑真无聊。我们很少有这样自我解剖的时候,主要是没有这个勇气,所以经常需要别人来提醒。

下面钱钟书引用刘继庄的话。刘继庄就是刘献廷,他的生卒年是 1648 ~ 1695 年,别号叫广阳子。也许你在别的地方会读过他的著作。刘继庄说,"马嘶如笑",他形容动物说"驴鸣似哭",驴叫唤的时候似哭一样。有的口技演员会学牲口叫唤。学驴叫就像哭一样,带抽泣的。马嘶鸣起来就像笑一样。钱钟书说,既然马嘶如笑,可是并没有人说马是幽默的呀。这里,钱钟书开始发挥他的幽默功夫。"马并不以幽默名家",这里"名家"是动词,"成为名家"的意思。他用一个巧妙的调侃证明了"笑"不等于"幽默",进而指出,"大部分人的笑，也只等于马鸣萧萧，充不得什么幽默"。"马鸣萧萧"，如果放到古诗里，也是一个很好的意象。马鸣萧萧，觉得是很有几分悲凉色彩。但是如果人也像马鸣萧萧一样，色彩立刻就变了，立刻就不庄严了，就变成幽默了。所以说，短短的第一段可以说真是简洁利落，没有一个废字。道理无懈可击，而文字本身，你读了三两行之后，就会发现，一种真正的幽默味道透出来了。真正的幽默背后是一种力量。是非常有力量的人，他随便挥一挥手，那个幽默的气息就出来了，而不是故意去招人笑去。你看看春节晚会上相声演员，拼命地鼓动大家笑，鼓动大家鼓掌，恨不得下来搔别人的痒痒肉。你会觉得这非常无聊肉麻。因为什么呢，因为他没有力量，他没有力量使别人笑，也没有力量使别人哭。所以你觉得他特别可怜，有时候我们觉得他太可怜了，所以我们不得不笑上一笑。

2."承"：草蛇灰线

下面我们来看第二段：

把幽默来分别人兽，好像亚里士多德是第一个。他在《动物学》里说："人是唯一能笑的动物。"近代奇人白伦脱（W. S. Blunt）有《笑与死》的一首十四行诗，略谓自然界如飞禽走兽之类，喜怒爱惧，无不发为适当的声音，只缺乏表示幽默的笑声。不过，笑若为表现幽默而设，笑只能算是废物或者奢侈品，因为人类并不都需要笑。禽兽的鸣叫，仅够来表达一般人的情感，怒则狮吼，悲则猿啼，争则蛙噪，遇冤家则如犬之吠影，见爱人则如鸠之呼妇（cooing）。请问多少人真有幽默，需要笑来表现呢？然而造物者已经把笑的能力公平地分给了整个人类，脸上能做出笑容，嗓子里能发出笑声；有了这种本领而不使用，未免可惜。所以，一般人并非因有幽默而笑，是会笑而借笑来掩饰他们的没有幽默。笑的本意，逐渐丧失；本来是幽默丰富的流露，慢慢地变成了幽默贫乏的遮盖。于是你看见傻子的呆笑，瞎子的趁淘笑——还有风行一时的幽默文学。

读钱钟书的文章，你会感到很过瘾。你会觉得你也按照他的这个角度来写文章，你一定写不过他。什么叫对人佩服？对人佩服就是你按照和他一样的办法做一样的事情，你做不过他，那么这样的人就应该佩服。有很多人都批评个人崇拜，好像自己一个个都牛得不得了。我这个人是一个个人崇拜主义者，我崇拜许多人，只要比我强的人，我就崇拜。人家比我强我为什么不崇拜呢？人家比我有思想比我有学问，跑得比我快，长得比我高比我漂亮，我为什么不崇拜？我就崇拜。只有崇拜别人，自己才能进步，不要一个个都装做顶天立地的，自己什么也不是，凭什么高大起来啊？比如说写这样的文章，钱钟书在这方面达到的高度，我们超越不了。

如果说刚才的短短的第一段是文章的"起"，那么第二段是"承"，紧承第一段,它继续从人和动物对比的角度来探讨笑的问题。我觉得"五四"以后二三十年代的很多作家,有一个特长,经常把人还原到自然中来讨论,鲁迅也好,周作人也好,他们都说,他们中学学的那点简单的自然科学知识使他们受益终生。你不需要当科学家,你不需要研究特别深的科学道理,你不必知道黑洞到底怎么回事,但是你知道一些简单的自然界的道理之后呢,对你搞学问搞社科搞人文,那都是有非常大的益处的。我就喜欢看电视里的《动物世界》这个栏目,我很喜欢看,你不要以为那是孩子看的,孩子看有孩子的乐趣,大人看有大人的收获。你看到动物界那些东西,你就会想到一些人类社会的问题,怎么处理人与人之间的关系。你看到那个食肉类的动物勇猛地追击食草类动物的时候,你会想到很多很多的问题。比如说狼永远是要吃羊的,狼吃羊它是天经地义的,上帝就规定了,它就要吃羊,羊就要给它吃,因此我们人类经常骂狼,说狼不好,什么狼如豺狼等等,我觉得这都是没有道理的。狼虽然吃羊,但是狼从来不吃狼,这就是狼和我们人的区别。我们人有什么理由在狼的面前自高自大呢?在狼的面前,我们人是何其地猥琐虚伪不道德啊!我就经常想,自然界那些动物,它们之间互相吵架互相咒骂的时候会骂什么呢?一定会说,这个家伙卑鄙得像人一样。我觉得这是动物中对同类最低的一个评价,就是说"这家伙像人一样"。只有人才互相残杀、互相迫害,才不是为了生存而去害其他的动物。其他动物,狼,它要是不吃食草动物,它就没法活,所以上帝规定它要吃那个,那是它食物链上的一环,它吃完就完了,它不会弄回来在吃喝之外去玩耍它。

所以呢,钱钟书等人就能够从简单的动物学的角度出发,来看待人类社会的很多问题。他先引用亚里士多德的话说:"人是唯一能笑的动物"。但能笑却并不意味着需要笑,就是说你有什么能力,并不意味着你一定要去发挥和实践这个能力。有一次我去一个学校讲座,那个高中的学生很有思想,很有反抗性,他们提出一个问题,说:"我们学校的领导和老师反对我们早恋","我们已经到了有恋爱能力的年龄了,为什么不让我们恋爱?"我就说,人有了一个能力之后,是不是马上要实现这个能力?这是两回事。应该承认,你有这个能力了,但是还有一些同学没有。闻道有先后,术业有专攻。不是说你有了这个能力,马上就要把它转化成现实成果。所以钱钟书说能笑并不意味着需要笑,人"脸上能做出笑容,嗓子里能发出笑声",这里,钱钟书洞若观火地指出一个真理,"一般人并非因有幽默而笑,是会笑而借笑来掩饰他们的没有幽默"。我觉得当你读到这里的时候,你就不敢笑了,你马上就严肃起来了。你一下子就不敢笑了,你一下子就意识到,自己经常是没有幽默的时候,用笑来掩饰自己。比如说一大帮人在剧场里听相声、看小品的时候,有的人是没有听懂的,但周围的人都笑了,他也不得不跟着笑一下,表示自己跟别人有一样的欣赏水平。特别是你去听音乐会的话,你会看到很多人跟着别人一起鼓掌,其实他也根本就听不懂。别人欣赏的时候,他在那里使劲地喝可乐、吃面包就榨菜,一顿猛吃,一看别人鼓掌了,赶快跟着鼓两下掌,表示他懂了这个音乐。还有的人去看画展、书法展的时候,看到别人评论,他也跟着评论:"嗯,这个写得好,这个写得多好啊!"我记得有个同学去看书法展,人家上面写着两个繁体字"奮鬥",他说,"看,写得多好啊,'奋门'!"

所以钱钟书说,"本来是幽默丰富的流露,慢慢地变成了幽默贫乏的遮盖"。钱钟书的幽默是从哪里来的?是从深刻的观察来的。他把人性观察到这么深的程度,说明他平时就看出来了,谁是真的幽默,谁是"幽默贫乏的遮盖"。我们平时不是非常熟悉那些干笑、陪笑、皮笑肉不笑吗?电视里经常会播出一些镜头,记者去采访各行各业的人士,我看很多人士就是"皮笑肉不笑"。"哎,老乡,你的茄子为什么长得特别好啊?""党的政策好呗!"是吧?到处都是这样的报道。我觉得这样的记者是不负责任的,是给我们党的工作添麻烦。在这里,钱钟书先生写出了"笑"的辩证法。他充分使人体会到,幽默哪有那么容易呀?哪有那么多幽默?幽默是一种很高级的人性,不是随便笑一笑、逗一逗就叫"幽默"的。这一段的最后一句,钱钟书比较狠,他说,"于是你看见傻子的呆笑,瞎子的趁淘笑(就是说跟着人家乱笑)",最后,顺笔一带,"还有风行一时的幽默文学"。一下子把"幽默文学"和这几个并列在一起了。好像是东拉西扯,最终针对的还是"幽默文学"。好像金庸《书剑恩仇录》写的那个"百花错拳",你看他好像东一拳西一拳的,每一拳针对的还是你的要害。如果我们用散文的说法,这叫"形散神不散"。表面上东一句西一句,始终都围着"幽默文学"这个要害来讲。你看他第一段把"幽默文学"与"卖笑"、"马鸣"联系在一起,这第二段又与"呆笑"、"趁淘笑"联系在一起。就是这个主题,他不是老绷着它,而是虚虚地笼着它,好像手里拿着一根松松的绳子,用金圣叹的说法,叫做"草蛇灰线",始终不断。但这是需要有很大功力的,你得有很多闲话可说,又能够把闲话及时地收回到主题上来。所以说,这是高手。你看金庸的小说里经常写武林高手在打斗的期间,"好整以暇",比如说抽空写一个字什么的,就表示他的功夫非常高。他能够忙里偷闲。这是《说笑》这篇文章的第二段。

3."转":交代文眼

下面我们来看第三段:

笑是最流动、最迅速的表情,从眼睛里泛到口角边。东方朔《神异经·

东荒经》载东王公投壶不中,"天为之笑",张华注谓天笑即是闪电,真是绝顶聪明的想像。据荷兰夫人(Lady Holland)的《追忆录》,薛德尼·史密斯(Sidney Smith)也曾说:"电光是天的诙谐(Wit)。"笑的确可以说是人面上的电光,眼睛忽然增添了明亮,唇吻间闪烁着牙齿的光芒。我们不能扣留住闪电来代替高悬普照的太阳和月亮,所以我们也不能把笑变为一个固定的、集体的表情。经提倡而产生的幽默,一定是矫揉造作的幽默。这种机械化的笑容,只像骷髅的露齿,算不得活人灵动的姿态。柏格森《笑论》(LeRire)说,一切可笑都起于灵活的事物变成呆板,生动的举止化作机械式(Lemécanique plaque sur le vivant)。所以,复出单调的言动,无不惹笑,像口吃,像口头习惯语,像小孩子的有意模仿大人。老头子常比少年人可笑,就因为老头子不如少年人灵变活动,只是一串僵化的习惯。幽默不能提倡,也是为此。一经提倡,自然流露的弄成模仿的,变化不居的弄成刻板的。这种幽默本身就是幽默的资料,这种笑本身就可笑。一个真有幽默的人别有会心、欣然独笑,冷然微笑,替沉闷的人生透一口气。也许要在几百年后、几万里外,才有另一个人和他隔着时间空间的河岸,莫逆于心,相视而笑。假如一大批人,嘻开了嘴,放宽了嗓子,约齐了时刻,成群结党大笑,那只能算下等游艺场里的滑稽大会串。国货提倡尚且增添了冒牌,何况幽默是不能大批出产的东西。所以,幽默提倡以后,并不产生幽默家,只添了无数弄笔墨的小花脸。挂了幽默的招牌,小花脸当然身价大增,脱离戏场而混进文场;反过来说,为小花脸冒牌以后,幽默品格降低,一大半文艺只能算是"游艺"。小花脸也使我们笑,不错! 但是他跟真有幽默者绝然不同。真有幽默的人能笑,我们跟着他笑;假充幽默的小花脸可笑,我们对着他笑。小花脸使我们笑,并非因为他有幽默,正因为我们自己有幽默。

我们看钱钟书写得多么好啊,简直是层层递进,使你感到几乎要跟不上他的思维。刚才我所念的这第三段是比较长的,全文的核心一段,也可以说是"起承转合"中的"转","转"就是要深入一层。我不知道你们在高考作文的复习中,老师给你们什么秘诀,我也当过中学老师,我跟学生说,高考作文的第三段最为重要,第三段一定要写得深刻,因为"起承转"么,第三段是"转",第三段是要把你全部的智慧才华发挥出来的地方。第三段还写不好,那文章没戏了。第三段一般要能写得别有洞天、出人意料为上。我们首先会佩服作者的旁征博引。你看,他随手就引来一些和他的论题有关的材料,说明"笑"是不可人为的。而林语堂等人,他们以为提倡幽默就可以使中国人变得聪明智慧。到底中国人是不是笨,这首先就是个问题。是不是中国人就真不如外国人? 笨? 或者中国人就没有幽默,只有外国人才幽默? 我们先假定他说的这个有点道理,那么是不是提倡幽默就可以使

解读大师

中国人变得聪明智慧了？钱钟书一针见血地指出，"经提倡产生的幽默，一定是矫揉造作的幽默"。我觉得这话可以说是全文的文眼。因为真正的"笑"，是像闪电一样，是流动的、是迅速的、是个人的，一下子就过去了；而提倡的"笑"，是僵化的、是刻板的、是群体的。我们可以号召大家一起唱歌，我们可以号召大家一起做某个工作，但是我们很难号召大家一起产生某种感情，这是不能号召的。想像一下，"大家现在仇恨起来"，这是不可能的；"请大家互相爱起来"，这是不可能的。感情是没有办法提倡的，你只能指挥一个动作，感情没有办法提倡。有一个美国教授，到中国来演讲，他讲了一个很幽默的小故事，然后让翻译给他翻译，这个翻译简单地说了几句，然后全场的听众哈哈大笑。然后这个美国教授特别高兴，对翻译说："你这翻译的水平真高啊！你怎么翻译我的话他们就笑了呢？"这个翻译说："很简单啊，我刚才就说，'这位先生讲了一个很可笑的笑话，请大家笑一笑'，于是大家就哈哈大笑。"

笑其实是不能提倡的。钱钟书这样层层深入地解剖，他写出，真正的笑是一种非常高雅的境界。也许几百年后、几万里外，才会有人理解。这就像佛经上所说的迦叶的"拈花一笑"。再推理下去，提倡起来的"幽默"是什么呢？提倡起来的"幽默"就变成滑稽的小花脸表演。小花脸与幽默有什么不同呢？如果你有疑问的话，钱钟书一个字就道破了它们的区别："真有幽默的人能笑，我们跟着他笑；假充幽默的小花脸可笑，我们对着他笑。"一个"对"、一个"跟"，两个普普通通的词在钱钟书笔下就点铁成金了。最后钱钟书有力地说，"小花脸使我们笑，并非因为他有幽默，正因为我们自己有幽默"。通过小花脸的反面对比，使读者对"幽默"的理解又深化一层。我们对于"幽默文学"的理解也深化了一层，使得那些自以为是幽默大师的人看上去成了戏台上的小丑。你看有谁封自己为"幽默大师"吗？这是很难封的。

现在电视里经常有很多无聊的相声、小品，还有港台式的闹剧，其中的确有一些真有幽默才华的人。甚至达到艺术大师级的人，可能也有。但是很多的人，或者越来越多的人，在那里自以为"幽默"，而观众常常被他们搞得很难受。有时候我们笑了，不是因为他们演得好，而是因为他们演得很拙劣，我们发出了嘲笑。现在从港台、新加坡南洋等地传来一个词，叫做"搞笑"。现在经常用"搞笑"这个词来代替幽默、滑稽。什么叫"搞笑"？你想啊，就是说本来没有笑，去搞出一个笑来，去搞一搞，搞个笑。"搞"这个字的功能真是厉害，我上大学的时候，我们宿舍有一个南方同学，什么都是"搞"。比如我们一起去吃饭，就是"搞个饭来吃吃"；我们去看书，他说"搞本书来看看"；然后他晚上睡觉了，我说，"你搞个觉来睡睡"，他说，"这不行"。什么都可以搞,那么"笑"也是可以搞的吗? 搞出来的笑一定就不好笑。现在很多人以为自己很幽默,不知道他们的"幽默"是以什么做标准。北京大学曾经请著名影星周星驰来讲座。据说当时盛况空前,人山人海。大家把周星驰当作"幽默大师"。还有一次,北大某社团请中央电视台著名主持人王小丫同志前来讲座,也是盛况空前。很多北大同学认为,哎呀,王小丫真了不起呀,学问多渊博呀,什么问题都会! 我在这里没有贬低王小丫和周星驰的意思,我认为他们在各自的工作岗位上都做得很好。我对他们没有任何的不尊重。我只是想说,假如北京大学的学生认为王小丫是学识渊博的人,认为周星驰是幽默大师,那,这就是北京大学的耻辱,也就是中华民族的耻辱。也就是说,我们中华民族的幽默水平已经到了这个程度。所以我们今天看看六十多年前的人写的这个"搞笑",写的这个"幽默文学"的文章,仍然可以促使我们深省,仍然可以发人深省。我们今天社会上有多少笑是真正从心灵中流露出来的呢? 有多少是制造出来的?

4."合":挥洒自如

钱钟书《说笑》的第四段说:"所以,幽默至多是一种脾气,绝不能标为主张,更不能当作职业。"我开头说,有人命令我写这个"幽默文学",几乎要把这个当成我的职业,真是使人痛苦。"我们不要忘掉幽默(Humour)的拉丁文原意是液体;换句话说,好像贾宝玉心目中的女性,幽默是水做的。把幽默当为一贯的主义或一生的衣食饭碗,那便是液体凝为固体,生物制成标本。就是真有幽默的人,若要卖笑为生,作品便不甚看得,例如马克·吐温(Mark Twain)。"我们这里可以看到钱钟书先生对马克·吐温的评价,一句话就可以看出他对马克·吐温评价并不高。我也在一些讲座场合回答过我与马克·吐温的关系,当我表示我也不太看重马克·吐温的时候,很多人表示"你算什么呀? 你敢看不起美国人?"令我无话可说。

"自十八世纪末叶以来,德国人好讲幽默,然而愈讲愈不相干,就因为德国人是做香肠的民族,错认幽默也像肉末似的,可以包扎得停停当当,作为现成的精神食料。"每个民族的人可能都给世界上其他国家的人留下某些特性、某些主要的精神气质。比如一般我们都认为德国人是最严肃的人,英国人是幽默的,说什么法国人是浪漫的,什么俄国人是懒惰的之类,只有中国人是深不可测的。只有中国人不知道中国人一天到晚在想什么。比如有人说在路上丢了一块钱,这美国人马上就会去打电话,"报告警察,我丢了一块钱,马上来给我找,我是纳税人,必须为我服务",这是美国人的态度;要是英国人呢,耸耸肩膀就走了,"这算什么? 没什么";如果是德国人呢,就会把他丢钱的这个范围,纵横各划上 100 道,划成一万多个小方格,拿着放大镜,挨个去一个格一个格地找,以非常严肃认真的科学态度,一定要找到这一块钱,而且往往能够找到;如果是日本人呢,假装表面上没事,回到家里拼命地自我忏悔,自我谴责;如果是中国人会怎么办呢? 中国人会说,"算了吧,谁捡到就当他是买棺材去吧",这是中国人的态度。而这里钱钟书对德国人的评价显然是认为德国人是没有幽默的,认为德国人是比较偏重于严肃的。而我们在大量的西方文学作品特别是影视作品中,都看到德国人往往被塑造成没有情趣的。但是我也看到德国有很好的幽默文学,包括有很好的漫画。德国有一个布劳恩的《父与子》,不知你们看过没有,非常好的漫画。其实德国人的情趣是特别高傲的,英法他们的幽默是比较世俗的幽默。钱钟书接着说,"幽默减少人生的严重性,绝不把自己看得严重。"要注意这一点,幽默的人首先要能够反躬自省。"真正的幽默是能反躬自笑的,它不但对于人生是幽默的看法,对于幽默本身也是幽默的看法。"任何一种命题,要上升到对自己的一个反躬的评价上来,你才能够最后完成。"提倡幽默作为一个口号,一种标准,正是缺乏幽默的举动;这不是幽默,这是一本正经的宣传幽默,板了面孔的劝笑。我们又联想到马鸣萧萧了! 听来声音倒是笑,只是马脸全无笑容,还是拉得长长的,像追悼会上后死的朋友,又像讲学台上的先进的大师。"

这个第四段就是文章中"起承转合"的"合",是做结论的部分。但是钱钟书做结论也依然是旁逸斜出,挥洒自如。他首先指出,幽默不能成为主张和职业。幽默成为主张和职业,就坏了。其实不光是幽默,很多事情都不能成为主张和职业,一旦成为主张和职业,就严重地损害了这个事情本身。我想大多数,是抱着对文学的某种希望、梦想,来到北京大学中文系的。我也是这样,当年我的很多同学、朋友都是这样。大家本来是因为爱好文学而考入中文系的,没有想到,中文系误我终身啊。因为一旦你把它当成职业之后,马上就减少了很多乐趣,跟别人就不一样了。别人看小说、看电影,是非常轻松的欣赏,你不一样,你看小说、看电影的时候,总是心怀鬼胎,老想这是主题、这是结构、这是倒叙,你老想着这些东西,你跟别人就不一样了。你首先是一个职业变态者,就是说,任何东西变成职业之后,都有损害。意识到这一点,就要想办法减少职业化的危害。我们还有很多人,在中文系很长时间,当了教授、学者,可能学问做得不错,但他慢慢地就把这个东西当成一个职业了,他已经缺少了那颗文学的心。他的脑子里已经没有梦想了,他看到任何文学作品,没有喜怒哀乐了,他看到的都是那个庖丁解牛之后的部件,看到的都是骨头,看到的都是筋,啊,这是结构、这是反讽、这是什么什么东西。他看文学作品跟做数学题是一样的,最后呢,就容易"泯灭天良"。这一点不是夸张。在文学研究界,有大量的没有"天良"的人,而他并不是生来这样的,其中有一部分原因就是职业化所导致的。我觉得一个人从事任何职业，都要小心自己这个职业本身给自己带来的危害，就像发明原子弹的那些科学家一样，我们不要等原子弹爆炸了之后，再去忏悔，其实人文科学界照样有一颗一颗的"原子弹"，害起人来也是绵绵无穷的。幽默不能成为主张和职业这一点，我觉得钱钟书指出得非常及时。如果说鲁迅那样的批判呢，可能对方不容易接受，就讲"啊，你就把问题上纲上线提得特别高"，但钱钟书完全是从哲理的、美学的角度来谈这个问题，我觉得他这样的讲法更能被人所理解、被人所接受。因为你成了职业之后，就变成了与幽默的本质相矛盾的。

我最近在网上看一篇围棋大师吴清源谈围棋的感受。围棋也是这样，围棋本来是一种艺术，一种高级的智慧，但是它变成了一种比赛，比赛后面有奖金，有广告，很多人是为了得冠军而比赛，那么这种职业化就减少了下棋本身的乐趣。有的时候为了比赛赢，就不择手段。比如说一个年轻的棋手和一个老年棋手比赛，那首先是要把他的身体拖垮，拖垮他的身体，"乱拳打死老师傅"，是吧？这其实从比赛角度讲是合理的，教练甚至可能会故意这样安排他，但是，它是不符合围棋美学的。你想很多像大竹英雄那样的棋手，看到对手把棋下得很乱、很糟糕，他就不跟你好好下了，他就输了你算了，你不就是要赢么？那就让你赢算了。好的围棋像好的文学作品一样，应该留下来是一盘佳作，是能够传世的。而近些年来，比赛虽然非常多，你看有几盘棋可以真正传下去呢？这都可以让我们思考这个职业化的问题。

钱钟书说，"真正的幽默是能反躬自笑的，它不但对于人生是幽默的看法，对于幽默本身也是幽默的看法。"可以说这是钱钟书自己的幽默观。就是说真正幽默的人，你应该能够对自己幽默，你不是老随便开别人的玩笑，你应该把自己也看得不是那么重吧。你自己是什么样，需要历史来评价，需要别人来评价。别人一时评价不好，你不要着急，孔子说，"不患人之不己知，患不知人"，你不要担心别人不了解你，老向别人解释你，你怎么样怎么怎么样，别人爱怎么想你怎么想你，关键的是你要了解别人。最重要的问题是了解外部世界。对你自己的评价无所谓。你解释也解释不过来，你老到处解释你是一个好人，那没有用的。你解释多了反而让人觉得你居心可疑。不必解释，你甚至可以经常说，"我是一个坏人"，经常说自己是坏人，大家就会觉得这坏人还有点优点，不错。

5."补充"：首尾暗合

下面我们来看最后一小段，第五段：

大凡假充一桩事物，总有两个动机。或出于尊敬，例如俗物尊敬艺术，就收集骨董，附庸风雅。或出于利用，例如坏蛋有所企图，就利用宗教道德，假充正人君子。幽默被假借，想来不出这两个缘故。然而假货币竟充不得真。西洋成语称笑声清扬者为'银笑'，假幽默像掺了铅的伪币，发出重浊呆木的声音，只能算铅笑。不过，'银笑'也许是卖笑得利，笑中有银之意，好比说'书中自有黄金屋'；姑备一说，供给辞典学者参考。

　　这第五段是"起承转合"之外的一个补充，本来上面四段已经把问题说完了，上面四段本身也可以构成一篇完整的文章了，但是作者意犹未尽。他先指出假充幽默的两个动机，"或出于尊敬"、"或出于利用"，什么事情只要是好的、具有好的价值的东西，总难免被人利用。任何好的东西都会被人利用。钱钟书说，俗物收集古董，附庸风雅，这有的是。鲁迅也曾经指出，他说那个有钱人，买来青铜器，然后擦得锃光瓦亮，摆在客厅里，给人家来看，告诉人家，这是司母戊大方鼎。利用好的东西是一切社会、一切时代的共同特点。就像现在好的名牌产品，很快就会出来假冒的。不管法律多么严密、不管怎么打假，这是滚滚洪流，一定要被假冒，而且最后好的要被假的打败。这是经济学上的有名的劣币驱逐良币的规律。在我们现在这个世界，这样的规律制约下，好的东西大多数情况下要被坏的东西所驱逐。比如说，你去买橘子，两个人的橘子一样，其中有一个说他的橘子是从新加坡来的，说"他的橘子卖2块钱1斤，我这是新加坡来的，所以我卖8块钱1斤"，而你觉得这两种橘子差不多呀，你一定不会买这8块钱1斤的橘子，你绝对会去买那2块钱1斤的橘子。而事实上，他可能真是新加坡来的，所以在竞争之下，他没有办法继续做生意，最后他只好放弃卖精品，只好也去卖那2块钱1斤的橘子，所以那好的东西就会被淘汰掉。在商场上是这样，在学术界、在文化界、在艺术界，通常都是这样。所以，钱钟书这里说"假货毕竟充不得真"，这是不一定的。他说"假货毕竟充不得真"，可能是说在相当长的历史阶段中，真理必然会胜利的这么一个愿望。但是我们经常会看到，在一个短时段里，在一个被限定了的时空里面，不一定是善良获得胜利，不一定是真理获得胜利，而经常是假、丑、恶获得胜利，这就是人生活着的意义。如果人生活着都是一片美好，老是好东西胜利，那活着有什么劲呐？那样就不必奋斗了，反正好的都会胜利。正因为好的东西不一定会胜利，经常是坏的东西胜利，我们活着要跟它们斗争，要反抗，这才是我们活着的意义。接下去，钱钟书又发挥"银笑"的词义，钱钟书是要把他的学问发挥到每一个角落里去，不肯放过任何一个联想。他暗指"幽默"的人实际上像卖艺的小丑一样，说笑卖钱，那么，又回到文章的第一段，"卖笑变成了文人的职业"，最后用"银笑"来扣它，这是一种暗合，好像对联一样，上联前面出了，在下面给它对上。

"幽默"的风格与启悟

所以说，钱钟书这里表现出，真正的幽默是一种高级的智慧和高尚的人生态度的自然流露。真正的幽默不是制造出来的，它是一种高级的智慧和高尚的人生态度的自然流露。如果人为地去制造，就容易变成无聊的滑稽表演。

1. 文章的三个特点

上面我们把这五段文字赏析了一遍，通观全文，可以说，这是一篇非常精彩的议论散文。文章的主题是批评"幽默文学"，这条主线是贯穿始终的。如果说鲁迅是从社会效果上批判了"幽默文学""不合时宜"，鲁迅是讲它"不合时宜"。鲁迅并没有说幽默这东西不好，就是说在中国这种情况下，你在那儿领着人大笑，这是不合适的，那边日本要侵略我们，这边人民受苦受难，那边还有包身工，就是在这样的时代中，提倡幽默是否合适？钱钟书，他所采用的角度和鲁迅先生是不一样的。钱钟书先生是从美学理论上、从艺术的本质上、从"幽默"这个词的本义上更加致命地给了"幽默文学"以打击。当然，这个打击是纸面上的打击。林语堂他们这些人提倡幽默文学，应该说动机还是好的。我觉得起码他们的动机是为了中国好，动机是善意的，所以鲁迅和钱钟书在批评的时候，都把握了一定的分寸。现在有很多批评性的文字，其中有很多暴力性的语言，夹杂很多道德侮辱、人身攻击，这是当前文风不好的一种表现。现在有很多人，批评"文革"也好、批评什么也好，他本身就带着"文革"的文风，对对方、对对方的文风、文理都没有好好地研究、理解，就凭着闭门瞎想，给对方乱扣帽子，特别是在网络上，这种情况可以说是铺天盖地的。我觉得对年轻的人，特别是不是专门写文章的人影响是很恶劣的。写文章其实就是有助于自己身心修炼，文章写不好，这个人心也不好。文章写得好的人，不见得他的人格就好；但是文风不好的人，人格一定是不好的。这可以看得出来，在网络上，在文章里就可以对别人大泼污水、无原则地戴帽子的人，那他这种人一旦有了权力，那是不可想像的。

我们总结一下钱钟书先生这篇《说笑》，总结一下它的几个主要特点：

第一个特点是推理严密，论证透辟。它这五段文字可以说是环环相扣，一气呵成，读起来很洒脱。但是你经过分析就会发现洒脱中有法度，细微处见工夫。它既有现实的针对性，又有哲理深度和普遍意义。他写这篇文章的时候，针对的就是 30 年代林语堂啊、周作人啊他们提倡的"幽默文学"，可是我们今天过了 60 多年读起来，仍然有现实针对性。这说明它可以超越时空。好的文章是应该超越时空的，我们为什么说鲁迅是伟大的呢？就因为我们今天再一次遭遇鲁迅时代的许多现象。我在 80 年代的时候曾经发现鲁迅的文章对我们没多大用处了，鲁迅说的什么洋奴啊、什么

解读大师

西崽啊，我们都没有啊，但是到了90年代以后，我发现我又一次置身于鲁迅时代。今天这时代、这社会上的种种现象和鲁迅先生笔下所写的是那样的酷似，所以今天，我们格外需要重读鲁迅，重读中国现代文学。那么钱钟书这个文章呢，表现出一个学者力透纸背的严谨和那种高瞻远瞩的大家气魄。以前还没有人把钱钟书这篇散文特别加以重视。我觉得这是非常好的一篇文章。

第二个特点，钱钟书的这篇《说笑》材料丰富，左右逢源。他这文章的一个最大特点，或者是让人佩服之处、让我也佩服之处，是能够打通古今中外，信手拈来，纵横潇洒。他既扯得远，又收得拢。这篇文章一共引用中国古人的话3次，西方古人的话4次。不到两千字的文章，引用中西人士的有关论述7次，从而把"笑"和"幽默"这两个词的词义挖掘得淋漓尽致，使读者享受到畅游于知识海洋的乐趣。你读钱钟书的文章会长知识的。当你读一个人的文章，你从他文章中长了知识之后，我觉得作为一个有良心的人，应该感谢作者。我总觉得我从谁那儿长了一点知识，我从谁那儿知道了一点东西，我应该感谢他。我觉得我们很多人都需要感谢钱钟书的。要做到这一点，除了要有渊博的知识积累外，更需要有灵活驾驭材料、打通知识壁垒的良好悟性。学术界也有很多大的学者，学富五车，如果有一个特别高水平的记者来问他，设计好问题，能从他肚子里掏出很多东西来。但是他自己写文章呢，他未必就能够写出什么来。有很多人就是一个活的"藏书架"，就是一个"立地书橱"，他这个肚子里书很多，有10万本书可能都读进去了，但是呢，拿不出来。这也是我们教育上的一个问题。就好像一个电脑一样，光有大容量，你说我这电脑是1万G的，你1万G能装那么多，里面都装满了，但是你这个操作系统很笨拙，这操作系统不灵，286的操作系统，那你装那么多东西有什么用啊？人就像电脑一样，一方面要大容量，装好多好多东西；另一方面你能够灵活地调动，"啪"一点，你这东西就能够出来，说要什么就要什么，这才是一个一流的人才。我们说钱钟书就是这样的人才，我们现在把他叫做通才型的大学者。我们应该培养通才型的人，不能把人培养成只会干一两种工作的当代打工仔。当然，我们现在社会需要千千万万的打工仔，但我觉得北京大学不能这样，这并不是说要培养我们的精英意识，我们一方面要紧紧地立足于我们脚下这片土地，关心下层人民、关心下层社会，但另一方面你自己要把自己培养成为一个精英。你要对得起把你送入大学校门的那股力量，是很多很多力量把你送进这个校园里来的，你要对得起这股力量啊，你不能满足于自己将来就是挣一碗饭吃。一个北京大学的人还愁没有饭吃吗？你如果从大一就开始考虑吃饭的问题，是可耻的。你现在应该考虑的是"安得广厦千万间"的问题,这才是一个有出息的北大人。所以我们从现在开始,尽量把自己培养成通才,实在当不了通才的时候,再去随便混碗饭吃,容易得很,哪儿不能活人?这是钱钟书给我们的第二点启发。

第三个特点是,文笔幽默,才华横溢。钱钟书这篇文章谈论的是一个非常严肃的话题,但是又处处引人发笑,而且这个“笑”是我们心悦诚服地跟着作者笑,而不是对着他笑。我觉得我也挺有学问的,但我还是要佩服他,我读了他这个文章之后,我就是佩服他。他这文章里到处闪烁着机智的火花和快乐的光芒。钱钟书用自己这篇玲珑锦绣的美文本身说明了什么是真正的幽默。他反对“幽默文学”,但他自己这篇文章就是幽默文章,这篇文章本身就立起一个什么叫“幽默”的样板。就是说,你们提倡的那个东西不行,我没有提倡“幽默文学”,但我这个才“幽默”呢,这才叫真正的幽默。真正的幽默是“我不幽默”。所以他做了这么一个幽默文学的样板,就令人信服地表明了,作者并不是反对幽默,而是反对故意提倡的幽默。你反对的东西,如果你自己不能做到,那么你这个反对,就失去了一半以上的力量,人家会说,你就是因为做不到才反对的。有的人说,我反对京剧、我最讨厌京剧,那么我首先问你,你会不会唱京剧?你不会唱,你不会唱你有什么资格反对京剧?你必须会,甚至精通,你反对起来才有权威性,才有说服力。当然,这是比较高的要求。有的人,从来没有读过武侠小说,他就反对武侠小说,他说武侠小说是青少年的“鸦片”。自己都没有读过武侠小说,你凭什么说这是鸦片呢?你反对什么东西,自己首先要做到。是吧?比如说,我这几年对我们国家现行的高考制度有很多批判。于是就有人批评我,说,孔庆东对现在的高考制度充满仇恨,我们可以想像,孔庆东一定是高考成绩很差。我说,我说出我的高考成绩吓死你,我是我们这个高考体制的最大的受益者,但是我不能因为我自己是受益者,我就不指出它的缺点。我们应该看到还有那么多没受益的人。它还有缺点,我们就应该指出缺点来。我反对它不是因为我做得不好,恰恰是因为我做得好,我才更有资格来反对它。幽默问题也是这样,一个没有幽默感的人、一个没有幽默才能的人,你反对人家幽默,你是没有说服力的。你如果反对我幽默,你必须比我更幽默,那你才有反对我的资格,我才会听你一言半语的。

所以说,钱钟书这里表现出,真正的幽默是一种高级的智慧和高尚的人生态度的自然流露。真正的幽默不是制造出来的,它是一种高级的智慧和高尚的人生态度的自然流露。如果人为地去制造,就容易变成无聊的滑稽表演。从这里,我们可以感受到,钱钟书不仅是一位大学者,还是一位入情入理的文学大师,更是一位特别热爱生活、特别善于生活、活得非常有情调、有乐趣的、有滋有味、有血有肉的人。我觉得这才是钱钟书的魅力所在。一个人，只是特别有学问，我觉得这不能构成魅力。一个人有学问，学问是什么东西啊？不就是老学这个学那个吗？学了很多本事，别人会做桌子，你除了会做桌子还会做沙发立柜什么的，我觉得学者就跟木匠铁匠没什么区别，就是你的一种职业。如果你不能贯通它，最后不能落实到对生活的态度上，那就是说"层次不够"。

2. 怎样写好文章

《说笑》这篇文章能够使我们对上世纪三十年代的"幽默文学"现象有更全面、更深入的了解，对"幽默"和"笑"的意义有一种焕然一新的体悟，对钱钟书的创作风格有很鲜活的感受。虽然文章不长，我们可以得到这么多的启悟，而且对我们自己的写作也有多方面的启发。我曾经跟一些老师谈过，就是我们北大中文系当然有很多优点，我们每个学科都是国家重点学科，都是全国一流的，但是我们有没有自己的弱项？有没有自己的这个"气门"？怎么来评价？我想，我们北大中文系还是有的，比如说我们没有写作课，我们很多年都没有写作课，还有我们旗帜鲜明地不支持学生当作家，我觉得这是不是值得讨论和值得反省的问题？我们学生的写作，往往自己要在黑暗中摸索很长时间，摸索到大三，才把文章写得像个样子，而我们在大一、大二的时候，所写的文章经常不如理科生。我们的高考成绩不如理科生，就包括语文成绩，因为90年代以来，中文系的生源已经不是最优秀的了。我上个学期给数学学院的学生上课，那是我们中国最聪明的学生，那都是国际上拿了奥林匹克金牌回来的。我说，大一的学生比大一的学生，我们中文系的比不了你们。讲课最后剩15分钟，我说每个人写一首小诗交上来，看完我说绝对比中文系的写得好，中文系到大三才能写出这个水平来，那是因为学了好几年了。我想，我们应该除了学习理论、框架这些东西之外，要有意识地加强自己写作技能的训练。上了大学就靠你自己来塑造自己了。有人说老师是塑造灵魂的工程师，这是不对的，自己才是塑造自己灵魂的工程师。你自己将来成为什么，是由你自己来塑造。比如说，你是一个中文系的学生，四年以后文章写得都不通，这样的人大有人在。我有一个同学现在在一个出版社，经常跟人家签合同，合同写得都是文理不通的，经常写什么"如果双方发生什么纠纷，不得互相埋怨"，就这种土话都往上写。我说这简直是给哥们儿丢脸嘛。

所以说，我觉得钱钟书的文章对我们写作也是有很大启发的。不过，应该实事求是地说，文章写到钱钟书这个水平也是很不容易的，你看上去他是行云流水、轻松愉快，就跟你看台上的京剧演员表演一样，你看他演得轻松，那可是"台上一分钟，台下十年功"啊！要达到这一步，钱钟书读了多少书啊！那么现在呢？有很多人都在写杂文，喜欢写杂文，我们现在这个时代比以前进步了，应该说气氛、环境都比以前宽松了，民主、自由的程度都比以前扩大了，这是应该承认的，所以很多人都觉得杂文好写，这是一种误解。很多人以为，我写不了小说、写不了诗歌、写不了戏剧，我就去写杂文吧，杂文不就是骂人嘛，骂人还不会吗？所以这是造成当下杂文写作低水平的一个重要原因。其实，在我看来，杂文是最难写的，因为写杂文需要一个全方面的积累。鲁迅为什么杂文写得好啊？是因为他什么都写得好，是因为他学问就做得好。鲁迅出道的时候都快40了，积累了多少年？就好像在华山绝顶练了几十年的功夫，然后突然下山来了，所以才武林中纵横无敌呀！所以他写杂文就像"飞花摘叶，皆可伤人"一样，那首先是因为他有成套的武功啊！鲁迅所写的《中国小说史略》，现在没有人能够超越；鲁迅写的小说，没有人能够超越。是因为你别的都写得好，你积累得特别多，你才能轻轻一挥洒就点到要害上了，这样的人才能写出好的杂文来！而不要一开始动不动就写杂文，这样就会把自己的文笔写坏了，也容易把人修炼坏了。这是给大家一个劝诫。

当然，除了读书之外，还有更重要的是对人生、对世界万物的思索和探寻。一个人不管有多少学问，如果没有一个丰富广阔的内心世界，是写不出优美的文章来的。我们当老师的经常说，要给学生一杯水，你自己要有一桶水，但是你要想，要达到钱钟书这水平，那得多少水呀！那得滚滚长江的一江水吧！

打通雅俗的张恨水

（一）张恨水的意义

小说奇才

讲到中国现代的通俗小说，张恨水是天字第一号的人物。

第一，张恨水名气最大。通俗小说最重要的价值标准就是名气，而名气并非是虚无缥缈的空穴来风，名气往往是人心所向的结果。中国近现代通俗小说名家如云，而张恨水只手打出天下，后来居上，独占通俗小说头号宝座数十年，不但在20世纪前半叶无敌手，即便到了21世纪仍然有"张恨水迷"对他缅怀不已。老舍称张恨水是"国内唯一的妇孺皆知的老作家"[1]，这话至少在张恨水生前是一点不假的。

第二，张恨水作品最多。这位小说大师一生创作了中长篇小说120多部，比巴尔扎克还多，总字数约2000万，而且是按照旧式排版，而且许多作

---

[1] 老舍《一点点认识》，重庆《新民报》1944年5月16日。

品都是用毛笔写成的。张恨水可以同时写作多部作品,最多时达到七八部,虽然其他个别作家也有这个本事,但张恨水的高明在于多而不乱,多而不滥,手挥目送,自在悠闲。中国南方北方最重要的报纸都以张恨水的小说为主打品牌,就连盗版书商也以张恨水为第一衣食父母,假冒之作铺天盖地①,张恨水几乎成了通俗小说的代名词。

第三,张恨水水平最高。通俗小说是大众文学,精品较少,而张恨水以制精品的态度去创作大部分小说,使得很多作品都脍炙人口。读者不但记住了张恨水的名字,也记住了他的作品的名字和人物的名字。他的读者中有毛泽东、周恩来、张学良这类大政治家,有章士钊、陈寅恪、夏济安这类大学者,有茅盾、老舍、张爱玲这类大作家,学术界越来越重视对张恨水以及"张恨水现象"的研究探讨,张恨水创造了小说史上罕见的奇迹。

仅仅根据上述几点,张恨水就足以成为中国通俗小说最重要的代表人物。古代的通俗小说,不登大雅之堂,作者藏头露尾,不以真面目示人,就连伟大如曹雪芹者,也要靠后人的考证。张恨水是第一个以堂堂的通俗小说家的身份成为社会名流的人。有人拿他比大仲马,有人拿他比狄更斯,但其实这都是委屈了张恨水。张恨水没有大仲马的"小说工厂",他的每一个字都是自己写出来的。他的每一部作品都力图更新,他在小说的主题、题材、情节、结构、语言、细节、回目乃至人物的小动作上,都花费了大量心血,他把中国的章回体小说不但引入了现代,而且在不知不觉中提高到一个雅俗共赏的新阶段。张恨水为中国传统的通俗小说奏出了绝响。

承前启后

张恨水走上文坛的20世纪20年代,是中国的通俗小说面临重大转折的时代。当时五四新文学已经占据了文坛的制高点,通俗小说已经失去了民国初年独领风骚的神采。而张恨水在这个时候横空出世,点石成金,使传统的章回体小说再次焕发出旺盛的生命力。张恨水继承了中国古典小说的神韵,他广泛学习《红楼梦》、《水浒传》、《儒林外史》等经典作品的艺术经验,继承了李涵秋《广陵潮》等晚清民国以来的近代小说的衣钵,开创了一条通俗小说的改良之路。

张恨水在文坛上崛起之前,中国的通俗小说基本上是以南方为中心,扬州、苏州、上海、南京、杭州,是通俗小说的大本营,小说风格偏于柔媚婉丽。而20年代末张恨水在北京异军突起,开拓出一种深沉悲凉的崭新格调,既有宏大的社会场面,又有深刻的人生感悟,给通俗小说吹来了一股春

---

① 仅抗战时期沦陷区伪书即超过百种。

风。张恨水的小说很快成为北方通俗小说的"霸王"①,随即又进军南方,使看惯了苏扬风格的南方读者耳目一新。通俗小说自从有了张恨水后,整体上进入了改良时代。张恨水的风格影响了许多新一代作家,如刘云若就被称为"天津张恨水"。张恨水以后,通俗小说再也不能回到以前的老路,包天笑等老一辈作家成了古董,徐枕亚的《玉梨魂》那类骈四俪六之作更恍如隔世。张恨水开启了一个时代,借用严家炎先生评价金庸小说的话,可以说:张恨水给中国的通俗小说带来了一场"静悄悄的革命"。

张恨水在中国通俗小说史上起了承前启后的作用,"承前"可以说是集大成,"启后"则可以说是开新风。张恨水不但继承了传统通俗小说的艺术手法,并进而发扬光大,更值得重视的是,他努力继承渗透在传统小说中的中国文化精神。儒家的进取、道家的清净、佛家的悲悯,都在他的小说中得到显著的反映。过去的通俗小说是自然地承载着中国文化精神的,而从张恨水开始则是自觉地这样做的,这是时代的潜在要求。此后成功的通俗小说,多具有比较明确的"文化意识"。这是张恨水能够超越时代的最大秘诀。

打通雅俗

张恨水在中国现代文学星座中的坐标不仅是承前启后了通俗小说,他另一重要的意义在于力图打通雅俗,并取得了相当大的成果。

张恨水虽然创作的是所谓"通俗小说",但是他的自我追求却是非常高雅的。张恨水不是出身于正宗的鸳鸯蝴蝶派队伍,也不是出身于新文学队伍,他开始写作小说并没有明确的"雅俗"成见。当后来他意识到自己是身处通俗文学阵营时,张恨水有一股强烈的"打通雅俗"的意识。他的小说一般都是先在报纸上连载,然后再出版单行本。张恨水没有因此粗制滥造,而是精心构思,精心撰稿。他把自己定位在一个高雅的坐标上。

张恨水的高雅追求是在两个方向上努力的。一个是传统标准的高雅,这包括语言的典雅清丽、趣味的高尚不俗、名士的风范、感伤的境界等。另一个是向新文学看齐,以新文学为时代的高雅标准。张恨水表面上并不愿向新文学低头服输,许多新文学作品的艺术水准他可能也并不佩服,但是他内心里知道新文学毕竟是代表时代发展方向的,新文学的许多主张是正确的。所以张恨水暗中进行的自我改良,就是一步一步向新文学靠拢。在主题上呼应时代,在结构上改"回体"为"章体",在语言上去掉陈词滥调,在环境描写、心理描写等许多具体手法上大胆革新,因此他的作品在雅俗两方面都获得了大量读者。章士钊、陈寅恪为他的小说写过诗,而只读通

解读大师

---

① 姚民哀编《小说之霸王》,收入张恨水《真假宝玉》和《小说迷魂游地府记》。

俗小说的鲁迅的母亲最喜欢张恨水的作品,张爱玲说他的作品是"不高不低",这恰是张恨水不懈努力的结果。

张恨水除了在小说方面著作等身外,他的散文和诗歌创作也有骄人的成绩。作为一个传统气息浓重的文人,张恨水内心怀有深深的"诗文乃是文学之正宗"的观念,他的散文质朴清淡、清新隽永,深得中国古代散文之精髓。他的旧体诗创作也功力深厚,是20世纪旧体诗的重镇。此外,张恨水还进行过新诗创作、民间故事改编等多种艺术探索。在每一种探索中,他都既坚持格调高雅,又注意通俗易懂。他的艺术经验,不仅是通俗小说的宝贵财富,也非常值得新文学作家借鉴研究。张恨水孜孜追求的雅俗共赏的艺术境界,正是中国通俗小说的本质精神所在。

(二)走遍江湖

书剑门第

张恨水1895年5月18日出生于江西广信(今上饶),他的籍贯是安徽潜山。现在的天柱山古称潜山,又名皖公山,曾被汉武帝封为"南岳",景色奇绝,历代骚人墨客在此留下诗篇无数。潜山近代的名人有一代京剧大师程长庚、杨月楼、杨小楼等,后来由于出了张恨水,被当地人与天柱山合称为"一山一水"。张恨水很重视自己的家乡,有时署名"潜山张恨水",他还有笔名"我亦潜山人"、"天柱山下人"、"天柱峰旧客"等。

张恨水的祖父自幼练得一身好武艺,以军功做到参将和协镇(旅长),驻防在江西广信。张恨水的父亲也武功过人,在营中襄理军务,他的长子出生后取名"芳松",字"心远"。张恨水成名前,一直以"张心远"之名行世。

张恨水幼年时很崇拜武功高强的祖父,曾说"愿学祖父跨高马,佩长剑"[①]。祖父就给他特制了竹刀竹箭,让他骑在山羊上,往来奔驰。这对张恨水日后创作武侠和战争题材的小说有很大影响。

张恨水6岁时,祖父病逝。父亲把他送入私塾,习读"三百千"和四书五经。张恨水天性聪颖,四书五经都背得很好,也会做八股文,但是到10岁以后,张恨水开始迷上了《千家诗》和《残唐演义》、《三国演义》等更有文学趣味的书。随着父亲频繁的职务调动,张恨水每到一地,都喜欢饱览各种小说,对《西游记》、《水浒传》、《封神演义》、《红楼梦》、《聊斋志异》等书烂熟于心。他从小说的批注中,悟到了许多"作文之法"。13岁时,为了给弟弟妹妹讲故事,他在一个小本上连写带画了第一篇无名处女作,内容是一个14岁的小孩,使两柄180斤的铜锤打虎的故事。这个形象,很可能是

---

① 张恨水《剑胆琴心》序。

张恨水的"英雄自况",不过他后来用的武器是笔,打的则是社会之虎。

1909 年,张恨水 14 岁时,他在南昌插班进入新式学堂,开始接受维新派的新思想。1910 年,张恨水考入"甲种农业学校",学习数理化等现代科学知识和英语,但他仍然醉心于文学,特别是魏子安的《花月痕》那类词章典雅的作品。同时,《小说月报》上的林译小说所呈示的新颖手法,也激发了他的兴趣。受革命思潮鼓动,张恨水剪掉了辫子。辛亥革命后,张恨水本打算出国留学,但是父亲突然因急病去世。父亲一生清廉,家无积蓄,张恨水只好中途辍学,随全家回到潜山。鲁迅曾说:"有谁从小康人家而坠入困顿的么? 我以为在这途路中,大概可以看见世人的真面目。"[1]和鲁迅一样,张恨水以长子的身份经历了少年丧父、家道中落的人生打击,然而书剑门第的滋养和文学世界的熏陶,已经在张恨水的心底埋下了远大的志向。这个名叫"心远"的少年,就要到远方去追寻他的梦想了。

走南闯北

1913 年,18 岁的张恨水在亲友帮助下,到上海求学,考入孙中山创办的"蒙藏垦殖学校"。家庭生活的忧虑和学业前程的渺茫,使张恨水多愁善感的气质得到引发。在这里,他用文言和白话各写了一篇小说,署名"恨水"[2],投往《小说月报》,虽然未曾发表,但主编恽铁樵充满鼓励的回札,极大地增强了张恨水的文学自信。然而不久,因二次革命失败,"蒙藏垦殖学校"解散,张恨水回到潜山,接受了母亲为他包办的一门亲事。郁闷之中的张恨水,闭门苦读,吟诗填词,并写了一部未完成的章回小说《青衫泪》,模仿的是《花月痕》的风格。

1914 年,张恨水往南昌求学不成,便又到汉口投亲,为一家小报做补白,仍署名"恨水"。他本有个笔名"愁花恨水生",取自李煜《乌夜啼》中的"自是人生长恨水长东",这就是"张恨水"笔名的由来。他还有"哀梨"、"并剪"、"旧燕"、"杏痕"等鸳鸯蝴蝶派风格的笔名,但"张恨水"最后成了他的"正名",并引起了许多望文生义的猜测。

不久,张恨水加入了一个演文明戏的剧团,负责文字宣传,剧团生活对他以后的小说创作有很大帮助。张恨水回忆说:"当我描写一个人,不容易着笔的时候,我便自己对镜子演戏,给自己看,往往能解决一个困难的问题。"[3]张恨水小说的戏剧性和许多为人称道的小细节,以及小说中的演艺界人物形象,都与他的亲身观察和体验是分不开的。然而,剧团票房很不

解读大师

---

① 《呐喊》自序。

② 张明明《回忆我的父亲张恨水》之《"我亦潜山人"和"恨水"》。

③ 张恨水《我的小说过程》。

景气，加上一场大病，迫使张恨水在 1915 年底又回到潜山。他在孤独中，继续练笔，写出文言小说《未婚妻》和《紫玉成烟》。几个月后，他到上海为一个吃官司的族兄奔走，随后又到苏州跟着一个文明戏班流浪了一段。1917 年，张恨水与一同乡效仿《老残游记》的主人公，卖药浪游，一路观民风、览美景，彼此唱和，对军阀混战的苦难社会现实，有了深切体会。再次回到潜山后，得知《未婚妻》将被发表，遂又鼓起创作勇气。

　　1918 年，张恨水被推荐到芜湖的《皖江日报》做编辑，从此开始了他长达 30 年的报人生涯。

　　《皖江日报》是只有 4 名编辑的地方小报，内容大都是"剪刀加糨糊"的抄袭新闻。张恨水到任之后，每天写两个短评，编一版副刊。他在副刊上发表了自己的习作《紫玉成烟》，得到不少好评，于是又创作了一部才子佳人体的白话小说《南国相思谱》，在本报连载，因"偏重于辞藻"和"力求工整"①，颇受市民喜爱。张恨水一鼓作气又写了两篇小说《真假宝玉》和《小说迷魂游地府记》，发表在上海的《民国日报》，这是今天能够查到的张恨水的最早作品。

　　1919 年，五四运动爆发，张恨水领导报社工友在芜湖举行了抗日示威。在爱国浪潮中，张恨水燃起了对新文化运动的渴慕之情，他希望能够到北大读书，于是他典衣借钱，辞职北上，闯入了文化古都北京。

文字劳工

　　张恨水到北京后，先为《时事新报》打工，每天发 4 条新闻稿，业余练习填词，并因此结识正在北大读书的《益世报》编辑成舍我，后者推荐张恨水担任《益世报》助理编辑。为了生活，张恨水每天分 3 段工作 15 个小时，没有完整的睡眠时间。虽然精力充沛，但进北大读书的愿望已成镜花水月。不过张恨水仍然坚持自修，随时随地朗读英语，因为经理夫人嫌吵，1920 年，他被经理调任天津《益世报》驻京通讯员。

　　1921 年，张恨水又兼任了芜湖《工商日报》的驻京记者，并应邀在《皖江日报》连载长篇讽刺小说《皖江潮》，后被芜湖学生改为话剧公演，这是张恨水作品首次走上舞台。

　　为了肩负起长子的责任，张恨水建议母亲和全家人由潜山迁居到芜湖，以利于弟妹们的教育。张恨水把自己基本生活费用之外的全部收入寄往芜湖，供养一家人生活和弟妹们上学。张恨水因此"成了新闻工作的苦力"②，一连几年，未再创作小说。张恨水当时天天"要写好几千字，笔底下

---

① 张恨水《我的小说过程》。
② 张恨水《写作生涯回忆》。

是写得很滑了,只要有材料,我可以把一篇通讯处理得很好,而且没有什么废话。"①这种强迫性高速写作,大大锻炼了张恨水的文字功夫,而且使他有了随机处理、八面来风的敏锐判断能力,报人生涯是张恨水成为优秀小说家的最深厚的底蕴。

1923 年,张恨水担任过空头的"世界通讯社"总编,后来又为上海《新闻报》和《申报》写通讯。不久,他离开《益世报》,协助成舍我创办"联合通讯社"并兼北京《今报》编辑。1924 年,成舍我创办《世界晚报》,邀请张恨水编新闻,后又编副刊。《世界晚报》从第一天起,连载张恨水的长篇小说《春明外史》,使这份报纸迅速扬名京城。成舍我旋又创办《世界日报》,仍请张恨水编副刊,两大报纸蒸蒸日上,成为北方最有影响的报业集团。

1925 年,张恨水在《世界日报》上,连续发表 10 个短篇小说,这是他发表短篇小说最多的一年。除小说外,他几乎每日均有杂文见报,张恨水用辛勤的写作改善了自己的生活。1926 年,张恨水再次结婚,并把全家从芜湖接到北京。由于一家人的生活费用很大,张恨水说他这时的创作,"完全是为了图利"。但实际上,张恨水虽然为稿酬而写作,但他"抱定不拆烂污主义"②,不但文字清楚流利,而且立场高尚,正义感强。他所供职的报纸,都由于他的文笔而极受欢迎,张恨水成了报界的摇钱树。1927 年底,张恨水担任《世界日报》的总编辑,由于白天写小说、编副刊,夜间编新闻、看大样,兼以家庭负担沉重,张恨水突然病倒,但他 1928 年仍然大量创作,并同时写作 6 部长篇小说。张恨水以一支笔"供给十六口之家",以诚实劳动获得四方赞誉,他成了当之无愧的"文字劳工"。

（三）走上文坛

《春明外史》

张恨水的作品汗牛充栋,他自己也难以尽数。但他最得意的作品只有三部:《春明外史》、《金粉世家》、《啼笑因缘》。其中《春明外史》是他的成名作。

张恨水在《春明外史》之前,大约发表过 5 部小说。今天可以看到的是1919 年发表在《民国日报》上的《真假宝玉》和《小说迷魂游地府记》。《真假宝玉》属于滑稽小说,设想《红楼梦》中的贾宝玉下凡,与舞台上扮演宝玉的诸位名角逐个对比,用夸张的笔调讽刺这些名角的体型外貌,意趣比较简单。《小说迷魂游地府记》属于讽刺小说,假托一个小说迷的阴曹地府经历,表达了对社会、文化,特别是文学的一些见解。小说对当时的新旧两

① 张恨水《写作生涯回忆》。

② 同上。

55

解读大师

派文学都进行了尖锐嘲讽,主张既要继承传统,又要顺应潮流,并推《花月痕》为小说样板。小说虽然也很简单,但已经表现出张恨水许多重要的艺术情趣和喜欢以假托影射现实的创作倾向,他后期的《八十一梦》等作品可以在此找到最初的影子。

《春明外史》1924年4月16日开始在《世界晚报》连载,到1929年1月24日结束,将近五年,轰动京城。全书约100万字,分三集出版。所谓"春明",本是唐朝长安的一个城门,后人以之泛指京城,所以《春明外史》实际就是"北京怪现状大观"的意思。张恨水开始也的确要走《儒林外史》、《官场现形记》的路子,但他又"觉得这一类社会小说犯了个共同的毛病,说完一事,又递入一事,缺乏骨干的组织"①。于是张恨水决定借一个贯穿人物的故事来提领全书,即"以社会为经,以言情为纬",他自己号称"用作《红楼梦》的办法,来作《儒林外史》"②。这个贯穿人物就是以张恨水自己为原型的新闻记者杨杏园。小说在言情这条线上,描写了杨杏园与纯真的雏妓梨云和高洁的才女李冬青之间缠绵悱恻的动人爱情,显示出张恨水"风流才子"的一面;在社会这条线上则广泛展示了北京三教九流的人情百态,显示出张恨水优秀记者的一面。当时许多读者也确实把《春明外史》当作"新闻之外的新闻"来看,因为小说中的大量人物和情节都有真实的原型和花絮、逸事。即使时过境迁,百年以后的读者也可以把这部小说看作北京当年的风俗画卷。难能可贵的是,作者没有停留在"八卦新闻"的奇观展示上,而是以极大的勇气把社会批判的矛头指向了当时的达官贵人。

《春明外史》在艺术上取得了多方面的成就。一是超越了单纯的才子佳人小说和谴责小说,上承李涵秋的《广陵潮》,为社会言情小说打开了一个新天地。二是塑造了杨杏园这一正直文人的典型形象,写出了近现代转型期知识分子徘徊于新旧之间的巨大内心冲突。三是语言典雅隽秀,充满文学魅力。尤其是回目的构制,极尽工整完美之能事,有人评价已经超过了《红楼梦》,以致几十年后仍有读者能朗朗背诵。不过小说也有一些辞气浮露及顾影自怜之处,张恨水也认为不能算是自己的代表作。③

《春明外史》连载的时期,张恨水还在其他报纸连载了《新斩鬼传》、《京尘幻影录》、《荆棘山河》、《交际明星》等中长篇。《新斩鬼传》写钟馗来到现代社会斩鬼,结果斩不胜斩,败兴而归。此书可以看作《八十一梦》的先声。《京尘幻影录》是社会小说,可以看作是《春明外史》揭露社会部分的延伸,写

---

① 张恨水《我的创作和生活》。
② 张恨水《我的小说过程》。
③ 张恨水《写作生涯回忆》。

得前紧后松，水平一般。《荆棘山河》与《交际明星》都没有写完。张恨水还写了一部《春明外史》的续集《春明新史》，发表在沈阳的《新民晚报》上，多少有些敷衍了事，只能说是《春明外史》的副产品吧！

《金粉世家》

《春明外史》使张恨水一举成为通俗小说大家，但他并不满足，他要趁热打铁，再攀高峰。就在《春明外史》连载过半的时候，张恨水推出一部更上一层楼的巨著《金粉世家》。这部小说可以看成是张恨水才华横溢的扛鼎之作。

《金粉世家》1927年2月14日至1932年5月22日连载于《世界日报》，百万余字，是张恨水连载时间和篇幅都最长的作品。张恨水有意要超过《春明外史》一筹，他在写作之初，就构思好了整个故事，设计了大致的情节脉络，并且列出了比较详细的人物表，标明了主要人物的性格及相互关系，从而一改《儒林外史》式的"串珠式"、"新闻化"，使一百二十回的百万字巨著成为一个结构性极强的整体。这种写作方法与后来的新文学小说大师茅盾极其相似。

《金粉世家》借"六朝金粉"的典故，描写了一个民国总理之家的豪门盛衰史。小说的主人公是北洋政府总理金铨的七少爷——纨绔子弟金燕西和美丽聪慧的贫民姑娘冷清秋，小说以二人的婚恋离合为主线，全方位地展示出金府上下几十个人物的生存状态。金燕西是典型的浪荡公子，在家族败落后，下场凄凉。冷清秋知书达理、洁身自好，在看透了金燕西虚伪浮华的本质后，她深刻反省到"我为尊重我自己的人格起见，我也不能再去向他求妥协，成为一个寄生虫。我自信凭我的能耐，还可以找碗饭吃；纵然找不到饭吃，饿死我也愿意"。冷清秋是一个充满矛盾的悲剧人物，作为一个在大家庭的苦海中顽强挣扎的女性，她与《雷雨》中的繁漪、《北京人》中的愫芳具有同样震撼人心的艺术魅力。书中身居总理高位的金铨也是一个丰满复杂的形象，他既是一位精明的政治家和一个治家严明的父亲，有他威严开明的一面，他又是一个贪图享受和善于伪装自己的俗夫，有他虚诈和矛盾的一面。《金粉世家》在描写中国式大家族方面，上追《红楼梦》，下与巴金的《家》、《春》、《秋》等巨著相比，毫不逊色。

《金粉世家》在结构和手法上，都极富新意。张恨水在小说的首尾，设置了楔子和尾声，采用了一反中国小说传统的倒叙式开头，而结尾则是"准开放式"，书中还穿插了大量的内心独白和景物描写。这些艺术改良，随着《金粉世家》的轰动而被广大的中国读者和通俗小说界所接受，可以说《金粉世家》无论在艺术思想的丰富性，还是在艺术手法的革新性方面，都称得上是张恨水最杰出的作品。

解读大师

《金粉世家》连载期间，张恨水还发表了《青春之花》、《天上人间》、《剑胆琴心》、《银汉双星》、《斯人记》等作品。其中《剑胆琴心》是描写太平天国后人的武侠小说，《银汉双星》是张恨水第一部被改编成电影的作品。此时的张恨水身价倍增，八方约稿，张恨水走向了创作高峰。

《啼笑因缘》

《春明外史》和《金粉世家》是张恨水的双子巨著，然而比这两部作品更有名的却是一部并不很厚的《啼笑因缘》。《春明外史》和《金粉世家》当年影响所及大体还局限于北方，而《啼笑因缘》问世后，立即引起全国性的轰动，一再被改编成评弹、大鼓、评书、京剧、评剧、沪剧、粤剧、话剧等多种艺术形式，截至20世纪末，小说再版已达20次以上，10余次被搬上影视屏幕。如此盛况在20世纪中国文学史上是独一无二的。

《啼笑因缘》是应上海《新闻报》之邀，创作于1929年，从1930年3月17日至11月30日连载于《新闻报》副刊。《新闻报》本来就是当时中国发行量最大的报纸，随着《啼笑因缘》的连载，销量更是直线上升，张恨水的名字响彻了大江南北。

《啼笑因缘》的故事并不复杂，富家子弟樊家树爱上了唱大鼓的少女沈凤喜，而与沈凤喜相貌酷似的豪门小姐何丽娜及江湖侠女关秀姑，则先后爱上了樊家树。樊家树资助沈凤喜读书，但在他回乡探望病重的母亲期间，沈凤喜却因贪慕奢华生活，嫁给了军阀刘将军，后被刘将军摧残致疯。樊家树徘徊在三个性格迥异的女子之间，进退维谷，啼笑两难。

《啼笑因缘》本有生活中的真事为素材，张恨水经过巧妙构思，点铁成金，写成一部融言情、武侠、社会为一体的跌宕起伏、扣人心弦的精彩作品。《啼笑因缘》的巨大成功，除了情节曲折、悬念迭起以外，更重要的是主题思想深刻和人物形象鲜明。樊家树是一位具有五四平等思想的新时代知识青年，他打破门第观念，爱上出身卑微的沈凤喜，并在沈凤喜失身于刘将军后，表示"身体上受了一点侮辱，却与彼此的爱情一点没有关系"。这里表现出的，是与以前的通俗小说迥然不同的现代的性爱观念。在天人共叹的爱情悲剧中，几个时代青年激烈的内心冲突得到深刻展示，这是小说制造出一大批"啼笑因缘迷"的重要原因。线条清晰的多角恋爱描写之外，《啼笑因缘》还真实地刻画出"小市民的精神创伤"[1]，沈凤喜家中长辈面对金钱和权势的态度，几乎与主人公一样具有强烈的典型意义。小说对北京平民社会的风俗性描写和清丽流畅的语言，使南方读者充分领略到"京味"的

---

① 刘扬体《流变中的流派》P216。

艺术魅力。①《啼笑因缘》的平民观念和明确的社会批判立场,超越了此前趣味性压倒思想性的通俗小说,使得这部作品不但成为民国通俗小说的第一代表作,而且也引起了新文学界的刮目相看。中国的现代通俗小说至此进入了又一层新的境界,尽管张恨水本人并不认为《啼笑因缘》是自己首屈一指的作品,但后人却多把《啼笑因缘》列为张恨水的第一代表作。

发表《啼笑因缘》之后,张恨水已经成为现代通俗小说的无冕"天皇"。"上至党国名流,下至风尘少女,一见着面,便问《啼笑因缘》"②,张恨水拿到一笔巨额版税,大大改善了生活,创办了"北华美术专科学校",自任校长,聘请齐白石、徐悲鸿、李苦禅等美术大师任教,颇有声誉,并于1931年再次结婚。30年代初,张恨水还创作了《满江红》、《落霞孤鹜》和《啼笑因缘》续集等作品。在惊人的创作高产之余,张恨水还收集古书,研究考据,赏名花,买古董,充分实现了他少年时代的名士梦。张恨水的辉煌之时,也正是中国现代通俗小说的鼎盛之日,进入30年代,新文学和通俗文学"两翼齐飞",中国的现代文学迎来了喜人的丰收季节。

(四)走向新文学

艰难改良

张恨水成为全国知名作家后,稿约不断,每日创作五六千字,但张恨水对自己文学事业的前程感到茫然。张恨水走上文坛之始,就确立了改良传统通俗小说的"雅化"立场,但是这条改良之路,是十分艰难的。顺应潮流也好,花样翻新也好,张恨水的主要目的是希望读者"愿看吾书"③,他不能站在新文学的理论高度,把文学创作看成是改造民族灵魂的千秋大业,所以,名满天下的张恨水也经常有失落感和自卑感。读古书,看佛经,都只能增添他的消极情怀。而且由于张恨水的巨大名声,新文学界把他当作"鸳鸯蝴蝶派"的头号靶子进行批判,而通俗小说界又未免觉得他的步伐太快,这些都使张恨水倍感孤独。但奋发进取的思想仍然在张恨水的精神世界中占据主导。张恨水在红尘滚滚的20世纪30年代,不懈地探索着改良通俗小说的各种途径。

"九·一八"事变爆发,激起了张恨水的爱国热情,他奋笔创作了一系列"国难小说",如《九月十八》、《一月二十八》、《最后的敬礼》、《仇敌夫妻》,与电影剧本《热血之花》和其他一些诗词、笔记结集为《弯弓集》。张恨水"国难小说"最出色的作品是《满城风雨》,小说真实描绘了军阀混战

---

① 张恨水也属于广义上的"京味作家"。
② 张恨水《我的小说过程》,《小说画报》672期。
③ 《金粉世家》序。

和外寇入侵给国人带来的毁灭性灾难,小说结尾义勇军奋起抵御外寇,表达了张恨水坚决的抗日立场。正如《弯弓集》中的豪言:"背上刀锋有血痕,更未裹创出营门。书生顿首高声唤,此是中华大国魂。"

张恨水的言情小说,进一步突破了才子佳人的模式,人物和情节都向下层社会位移,现实关注胜于浪漫气息,具有与新文学接近的现实主义精神,但又比新文学更加生活化。以《现代青年》为代表,张恨水塑造了一系列在现代化物欲横流的社会里沦落的"时代青年",延续了从杨杏园、冷清秋开始的"人格清白与社会污浊"的悲剧冲突。他的《欢喜冤家》描写艺人的遭遇,《艺术之宫》披露模特的不幸,《夜深沉》则写的是车夫与歌女之间的恋情,对浪漫爱情的幻想转变成对现实情爱的深沉的思考和慨叹。

张恨水对武侠小说也进行了有益的改良,他力图使武侠小说"严肃化"和"现实化",他抗战前夕发表的《中原豪侠传》就是这样的尝试。他在社会言情小说中加入武侠成分,也都是绝无"怪力乱神"的现实武术。张恨水说:"我作小说,没有其他的长处,就是不作淫声,也不作飞剑斩人头的事。"这一点,对于现代武侠小说的发展倾向,具有良好的影响。

张恨水此期的小说,开始模糊"章体"与"回体"的界限,有的直接采用新文学小说的结构和笔法,如《别有天地》以一封书信开头,《夜深沉》的结尾,故事没有结局,只有充满感叹的一句:"夜深深的,夜沉沉的。"这与10年后巴金《寒夜》的结尾何其相似。

张恨水在30年代,仍然注意亲身考察中国社会现实。他1934年自费考察西北,亲眼目睹了西北人民水深火热的生活窘境,根据这次考察,他创作了《燕归来》和《小西天》两部作品。在民族危亡的局势下,张恨水到上海帮助成舍我主编《立报》副刊,后又到南京独资创办《南京人报》。亲身参与大量社会活动,使张恨水的小说创作获得了源源不断的活水,也使张恨水由一个孤芳自赏的传统名士,演变成一个参与现代民族国家建立的新时代的文化工作者。

跟上时代

1937年抗日战争全面爆发后,张恨水的创作跃进到一个崭新的阶段。

1938年,"中华全国文艺界抗敌协会"成立,张恨水被选为通俗小说家中唯一的理事。他放弃了《南京人报》,只身来到陪都重庆,担任《新民报》主笔。抗战时期,张恨水把写作从谋生的意义真正提高到了要为"说中国话的民众"工作的意义。在与新文学的关系上,双方也由对立转变为合作。张恨水在贫困的生活条件下意气昂扬,抗战期间创作了大约20部作品。

张恨水此期的小说可以分为三类:第一类是抗战小说,包括《桃花巷》、《潜山血》、《前线的安徽,安徽的前线》、《游击队》、《巷战之夜》、《敌国的疯兵》、《大江东去》、《虎贲万岁》等。这些小说超越了他以前的"国难小说",言情已经退居到陪衬的位置,甚至完全消失,张恨水努力用"真实"来代替趣味。另外,他在小说中贯彻了民众至上的思想,有意歌颂非政府组织的游击队,以致引起政府不满,许多作品遭到"腰斩"。张恨水的抗战小说与新文学的抗战小说类似,仓促求成,结构粗放,当时影响很大,但禁不起时间考验,题材上开掘不够,经常用情节巧合来图解观念,这也是"主题先行"类的作品难免的毛病。

第二类是讽刺暴露小说,包括《八十一梦》、《疯狂》、《蜀道难》、《魍魉世界》、《偶像》、《傲霜花》等。这类小说本来就是张恨水和整个通俗小说界的特长,但张恨水超越了民国初年的黑幕小说和自己早年的新闻化的路子,他在讽刺暴露中贯穿着统一的叙事立场,即从人民大众利益出发的正义感和深切的民族忧患意识。这些小说揭露了贪官污吏巧取豪夺、花天酒地,大发国难财,而知识分子却穷得四处乞食,下层百姓饥寒交迫、怨声载道的触目惊心的现实。特别是《八十一梦》,锋芒直指最高统治当局,国共两党要员从不同角度都作出了强烈反应,以致张恨水只写到十四梦就被迫收场。作品出版后,畅销国统区和解放区,成为现代讽刺小说的一个里程碑。

第三类是历史和言情等其他小说,包括《水浒新传》、《秦淮世家》、《赵玉玲本记》、《丹凤街》、《石头城外》等。其中最著名的是60万字的《水浒新传》,写梁山泊英雄招安后抗击金兵、为国捐躯的悲剧,其借古喻今的主题思想与同期的新文学中郭沫若、阳翰笙等人的历史剧是一致的。历史学家陈寅恪和中共领袖毛泽东都对此书高度赞赏。小说在历史背景的考证和人物的性格语言方面都极其注意准确,今日读来仍有催人泪下的魅力。[1]

抗战时期的小说创作表明,张恨水已经跟上了时代的步伐,他的创作宗旨和思想立场已经与新文学大体接轨。1944年5月,重庆文化界隆重发起为张恨水五十诞辰祝寿,新文学界发表重头文章赞誉张恨水"最重气节,最富正义感"[2]等,张恨水从此更加努力进取。不过这一时期在具体的艺术手法上,除了心理刻画更加自觉外,许多作品结构比较粗糙,叙事语言不如战前流畅精美。此中的得失是很值得玩味的。

嬉笑怒骂

张恨水从抗战后期开始,创作重点就由言情转到了社会批判。抗战结

解读大师

---

① 通俗小说专家陈墨自叙读《水浒新传》"不禁怆然泪下"。见《张恨水名作欣赏》P418页。
② 老舍《一点点认识》。

束,内战随即爆发,张恨水愤慨时事,忧国忧民,笔调便也越发沉重和尖锐。

由于《新民报》是大后方销量最大的报纸,并发展成全国性大报,抗战胜利后,张恨水回到北平,主持《新民报》北平版创刊。张恨水坚持"超党派"立场,反对内战,反对扰民,特别是针对经济崩溃和物价飞涨以及国民党接收大员的贪得无厌,张恨水进行了辛辣的嘲讽。

张恨水在北平《新民报》期间创作的长篇小说有《巴山夜雨》、《纸醉金迷》、《五子登科》、《玉交枝》。后因物价飞涨,纸张贵如布匹,[①]便改写中篇小说,有《一路福星》、《岁寒三友》、《雨霖铃》、《人迹板桥霜》、《马后桃花》、《开门雪尚飘》、《步步高升》等。其中《巴山夜雨》、《纸醉金迷》、《五子登科》是这个时期的代表作。

《巴山夜雨》借用李商隐《夜雨寄北》一诗的典故,描写抗战时期大后方文人的艰苦生活和漂泊感。小说带有自传色彩,以文人李南泉的生活见闻为主线,通过三对夫妇的婚变,展示了国难当头的时代,各种人物的挣扎和命运。小说风格真实而冷静,但贯穿其中的人道主义精神,深深打动了读者。这是一部可与巴金《寒夜》媲美的优秀作品。

长达50万字的《纸醉金迷》,再现了抗战胜利前夕,整个后方社会沉湎于声色、赌博和抢购黄金的疯狂现实。小说以通货膨胀造成的"黄金风潮"为主线,刻画了一批贪婪奸诈的投机商人,反映出国统区丑陋、卑琐的人心世态。小说1946年9月开始在上海《新闻报》连载,到1948年11月连载结束时,以上海为中心,国统区又一次发生了疯狂的黄金抢购风潮,这真是一个绝妙的讽刺。

《五子登科》是直接抨击国民党接收大员腐败罪行的力透纸背之作。小说化用五代时窦燕山五个儿子全部登科的典故,全面展示了以主人公金子原为代表的接收大员疯狂索取和占有"金子、房子、车子、女子、票子"的一系列荒淫无耻的丑行。写出了国民党政权崩溃前夕的一部"现代官场现形记"。小说引起巨大轰动,"五子登科"也成了被赋予讽刺贪官污吏的新意的时代词语。这是一部充分表现了张恨水嬉笑怒骂风格的现实主义力作。

张恨水这一时期的创作,数量虽然少于以往,但他直面现实的勇猛抨击,大大加重了作品的分量,使得新文学界也非常重视。1948年末,张恨水在政治高压下,辞去报社职务,结束了他30年的报人生涯。经过30年的曲折探索,张恨水不仅攀上了通俗小说的艺术顶峰,而且使中国通俗小说在现代化进程中,获得了新的生命。

---

① 见张恨水《写作生涯回忆》和《我的创作和生活》。

（五）走进新中国

政治立场

张恨水一生坚持自食其力、正直无私的人格立场，他痛恨北洋政府和国民党的腐败统治，但对政治和革命等问题思考很少。张恨水辞职后，北平很快和平解放，《新民报》发表了严厉批判张恨水的文章，加之张恨水的多年积蓄被朋友卷逃，在政治和经济的双重打击下，张恨水突患脑溢血，经过几年的治疗和休养，才恢复生活和写作能力。这场大病恰好象征着现代通俗小说在进入新中国后，从"瘫痪"到"更生"的微妙转折。

张恨水其实是热爱新中国和新社会的，早在重庆时期，他就对毛泽东、周恩来等中共领袖十分敬慕。张恨水这次患病后，全家生活陷入困窘，政府特聘他为文化部顾问，帮他一家度过难关。张恨水是知恩必报的传统知识分子，他病愈后，从1953年开始，改编了一系列民间爱情故事。《梁山伯与祝英台》、《牛郎织女》、《白蛇传》、《孟姜女》等中国民间四大爱情故事出版后，大受欢迎。他的旧作也得到再版，张恨水投入到了新中国的文化建设事业之中。

张恨水实地考察了北京城的巨大变化，写了一组散文，歌颂在共产党领导下的建设奇迹。他又远游江南和西北，心潮澎湃地感受到新中国的日新月异，为香港《大公报》写了三四万字的南游杂记。他还写了一组散文《街头漫步》在海外发表。1959年，张恨水再次发病，周恩来得知后，特聘他为中央文史馆馆员，使张恨水晚年的生活有了保证。张恨水表示："老骆驼固然赶不上飞机，但是也极愿做一个文艺界的老兵，达到沙漠彼岸草木茂盛的绿洲。"①

忠孝两全

张恨水晚年创作的小说有《记者外传》、《逐车尘》、《重起绿波》、《男女平等》、《凤求凰》、《卓文君传》等，多由中国新闻社传往海外发表。张恨水努力改造思想，追求进步，他为两个孙女取名张前、张进，并在《示儿》一诗中写道："敬祖才能爱国家。"张恨水的思想，其实与他的早年是一脉相承的，张恨水一生都在不断"追求进步"，只不过他的脚步是改良的、渐进的，多少有些缓慢，这也是大多数传统知识分子的共同特点。所以，尽管建国后他的个人生活不如他创作鼎盛时期优裕，尽管他被视为庸俗的鸳鸯蝴蝶派作家，一些作品受到批判，但他仍然热爱时代、热爱生活。他鼓励子女们不断上进，自己也决心要在暮年发奋读完两千多本的《四部备要》，并计划进行太平天国史料研究。

---

① 张恨水《我的创作和生活》。

张恨水还写了很多旧体诗，他的诗作"疏爽慷慨，沉绵健茂"[1]，贯穿着一种忠孝两全的士大夫思想。他40年代曾写下"日暮驱车三十里，夫人烫发入城来"的脍炙人口的讽刺诗句，50年代则有"徘徊人静三更妙，一寺花香月满帘"的佳句。寻章摘句本是张恨水的拿手好戏，他在《春明外史》和《金粉世家》时代，常为写好一副工整优美的回目而花费比写一回小说更多的时间。对联界公认"张恨水对联格律严谨，堪为学人典范"。张恨水还专门研究过散曲和套曲，他的《斯人记》就是以几千字的套曲发端的。晚年的诗词创作则信手拈来，愈加成熟。张恨水很像老舍，希望自己在各种文学体裁上都有建树，希望自己不辜负每一个时代，这种奋发向上的追求使他成为了"大家"。

难得清闲

张恨水晚年的生活轻松悠闲。他再不用为了生计日夜不停地写小说、写新闻。他创作之外的时间，看报、写信，到琉璃厂搜集旧书，还有逛公园、练书法，带领一家去饭店美餐，以及在文史馆里与文友们下棋谈天。张恨水七十诞辰之际，文友们赠他一副对联："揭春明外史嘲金粉世家刻画因缘堪啼笑，看新燕归来望满江红透唤醒迷梦向八一"。张恨水回首一生创作，最满意的还是《春明外史》和《金粉世家》。[2] 那时的张恨水并不清闲，但那两部小说却充满了"清闲"的神韵。中国小说本来就是"闲书"，有闲才会出艺术、出意境。但是近代以后文学愈来愈被组织到建设民族国家的进程中，通俗小说也随着新文学一道担负上启蒙的重任，"清闲"的境界就越来越难达到了。

张恨水一生忠厚善良，勤劳刻苦，不参与政治谋划，不卷入人事风波。他在1957年反右运动和1966年开始的文化大革命运动中，都没有受到冲击。1967年2月15日，张恨水因脑溢血辞世。一位读者挽词曰："生已留名世上，死亦无憾人间。"[3]张恨水用几千万字的辛勤劳作，为中国几亿读者描绘了生动开阔又气象万千的人生画卷，他把中国通俗小说推上了时代的高峰，为中国文学的现代化奉献了毕生的精力。他在半个多世纪的报人和作家生涯中，正直清白，侠肝义胆，"坚主抗战，坚主团结，坚主民主"[4]，得到社会各界的一致赞誉。张恨水逝世几十年后，他的作品依然风行于华人世界，学术界把他看做是20世纪通俗文学的经典巨匠。这不仅是张恨水本人的荣耀，也是中国通俗小说艺术魅力名至实归的必然。

---

① 刘扬体《流变中的流派》P234页。
② 参见张明明《回忆我的父亲张恨水》之《成名作与代表作》。
③ 参见张明明《回忆我的父亲张恨水》之《读者》。
④ 潘梓年《精进不已——祝恨水先生创作三十周年》，重庆《新民报》1944年5月16日。

《啼笑因缘》的爱情模式

《啼笑因缘》是张恨水的代表作之一，小说描写了上个世纪二三十年代，青年人的情感和恋爱故事。杭州富家子弟樊家树在北京读书，而围绕着樊家树，有三个少女分别喜欢上了这位有为青年。她们分别是平民女子、唱大鼓书的艺人沈凤喜，部长的千金何丽娜和一位走江湖卖艺的侠女关秀姑。就在这一男三女之间发生了一连串的故事，演绎了一场啼笑皆非的爱情悲剧。

这个故事简单，为什么会有这么大的魅力？能够一遍一遍地改编，总有观众在看，总有批评家、学者在讨论，它的魅力何在？如果说其魅力在于"三角恋爱"，可三角恋爱的故事俯拾皆是，别人的三角恋爱怎么就流传不下去呢？如果我们分析一下它的爱情模式，一点都不复杂，一男三女，但它所担负的文化含量是很重的，每一个人都担负了不同的文化含义。当今人们购物，讲究"性价比"，《啼笑因缘》的"性价比"是非常高的，每两个人物的关系都独具韵味。下面我们不妨逐对进行分析：

我们先看樊家树和沈凤喜。樊家树和沈凤喜的关系怎么概括呢？可以说这是典型的传统的才子佳人式的男女关系。樊家树是什么人呢？大学生，类比古代，就是一个秀才或者举人。他无论从气质上，从学养上都是一个才子。而传统的知识分子观念中，才子要配佳人，我们今天一讲"才子佳人"，好像是一个老掉牙的庸俗模式，其实不然。才子佳人模式在历史的进程中，也是一个进步，也是人类情感演进阶梯上的一环。在上古的时候，男女婚姻不由自己决定，婚姻是家族与家族之间的事情，哪个男的和哪个女的结婚，是由长辈决定的。长辈根据什么决定呢？根本不根据两个当事人的特点，而是根据长辈之间的交情，长辈之间的地位，这就是门阀婚姻。由这种门阀婚姻，演进到才子佳人婚姻，是一个巨大的进步。才子佳人婚姻是由个人的素质决定的，我有才、你长得漂亮，这跟咱两个家庭没关系，这就超越了家庭背景，所以要历史地看待这个问题。才子佳人模式今天看比较俗了，但是在历史上它曾经带有革命性。

樊家树和沈凤喜的爱情是传统的才子佳人的爱情。这个才子佳人的爱情里边又有新的因素，什么新的因素呢？就是樊家树又是一个"现代青年"，他既有传统的士大夫的风韵，又接受了现代的平等思想。可是小说的一个"书胆"在于，这个才子佳人模式，本身是有隐患的。我们对这个模式，一方面要肯定它的历史进步性，另一方面也要用更进步的标准来看。他们两个人的爱情中间有什么隐患呢？尽管樊家树在思想上是有平等观念的，

解读大师

可是他们两个人在生活中的实际地位，是不平等的，这是一个不能回避的事实。尽管口头上说咱俩平等，实际上俩人不平等，你有钱我没钱这是一个铁的事实。所以樊家树要出一笔钱，来捐助沈凤喜上学，这个问题就复杂了，二人之间除了男女恋爱关系之外，还夹杂着一个"希望工程"的关系——樊家树是沈凤喜的供养人。经济上的不平等，必然造成人格上不能完全平等。樊家树主动跟她平等，这里边带有一种施恩的色彩，施予的色彩。而沈凤喜本来就有艺人生活带来的那种不可避免的虚荣心，所以她跟樊家树要好之后，发现樊家树有钱，有的时候就向樊家树要这要那，说你看我的同学她们都有自来水钢笔了，就我没有自来水钢笔。这"自来水钢笔"在当时了不得，自来水钢笔的价值相当于今天的掌上电脑。樊家树没办法，只好给她买一枝自来水钢笔，别在胸前，很漂亮的一个学生形象。那个时候学生表示自己有学问，都得别钢笔。据说可以用别钢笔的数量表示学问的大小，别一枝钢笔的是大学生，别两枝钢笔的是研究生，别三枝钢笔的就是教授，别四枝钢笔的——那就是修理钢笔的。买了钢笔过两天又说不行了，你看人家都有手表，就我没有手表，樊家树一看没办法，还得满足她，又给她买了手表。由此可见，他们两个人在纯洁的爱情中间夹杂了一些不纯洁的因素。两个人都没有意识到，两个人都觉得很自然，这个自然中已经增加了一些经济因素，这个经济因素，为以后的悲剧埋下了隐患。既然你能够出钱养活沈凤喜，就可能还有人出更多的钱，把她抢走。你樊家树只不过是个普通的富家子弟，哪里赶得上一个军阀，来了一个师长，一个司令，就比你的力量大得多。所以他们俩的爱情缺乏一个最坚实的基础，这一点也是我们站在今天的角度可以加以反思的。当然我们对待历史都要怀有同情的态度，历史在20年代那个时候，青年人能有樊家树这样的思想就不错了，就算是难能可贵了。这是樊沈之间的模式。

再看樊家树和何丽娜——部长千金何丽娜小姐之间的关系。何丽娜小姐爱樊家树，樊家树也觉得何丽娜有可爱之处。可是她的可爱之处主要是由于相貌酷似沈凤喜，也就是说他爱的是她的一个外壳，爱的是她的形象，爱的是她的容貌，爱的是"色"这个层次，而并不喜欢她内在的东西，不喜欢她的"内秀"。那么他们内在的东西区别在哪儿呢？张恨水把握得非常准确，樊家树是一个现代青年，但他不是那种浮浪青年，不是那种吃喝玩乐、到处跳舞滑冰、追香逐艳的青年。他还是好好读书、有理想有抱负的，他是一个稳妥地在中西古今之间取一种平衡态度的有为青年。他不喜欢每天到处疯跑、到处跳舞的那种女孩子。而何丽娜自己并不认为这样的生活有什么不妥。樊家树对她有一个评价，说她可爱也倒是蛮可爱的，但是放荡也是够放荡的了。"放荡"这个词说得有点夸张了，不是我们今天说的

"放荡"的意思,但是在樊家树看来一个年青姑娘不在家里呆着,每天去跳舞,这就够放荡的了。还有她生活的奢华,她一年买衣服就要花几千块大洋,几千块大洋相当于今天的几十万人民币。樊家树不喜欢她这种生活方式,而何丽娜一开始不觉得自己的生活方式有什么不妥,她觉得自己很时髦,她觉得自己的生活代表社会进步,别人的是老土。所以他们两个人之间存在一种文化冲突。中国社会科学院文学所的杨义先生,有一个很好的概括,他说樊家树和何丽娜之间就是文化冲突,他说樊家树喜欢的是温柔淑好的东方文化情调,而何丽娜身上所有的却是浪漫纵情的西方文化情调。西方文化和东方文化,处在一个空间里必然要发生碰撞。樊家树在几个女性之间的选择,其实就是一种文化选择。

可是这个何丽娜她爱樊家树,樊家树不喜欢她,她很痛苦,怎么办呢?最后她明白了,樊家树不喜欢的是自己的这种文化方式。她为了自己的爱,她就要克制自己,最后她就改变自己。何丽娜最后放弃了她的纵情浪漫的生活方式,不去跳舞了,不去那些娱乐场合了,穿衣服也很朴素了。最后隐居起来,到了西山别墅,在那里吃斋念佛,一个女孩子完全变了,可见爱情的力量之大。而小说的最后,是关秀姑把他们两个人又撮合在一起,他们两个在一块谈话,然后关秀姑把一束花扔进来,暗示着将来有一个好的发展。我们看这里边还是有文化的,最后怎么改变何丽娜的呢?吃斋念佛,用佛经来化解她,这显然是包含着文化寓意的。佛经是东方文化的代表,用东方文化最有代表性的哲学,用佛学来化去她的西方文化影响。她必须化去那些西方文化影响她的浮躁的浪漫的东西之后,回归到东方文化中来,才能被代表东方文化的樊家树所接受。以后能不能接受还是个未知数,但是有了接受的可能性了,已经入围了,进入决赛了,小说最后写到这样一个程度。

下面再看樊家树和关秀姑的关系。关秀姑心里边是默默地喜欢樊家树,但是她含而不露,她牺牲掉自己的爱,去成全自己的爱人。从爱情观上说,这是最高尚的一种情感了。喜欢自己的爱人,包括喜欢他所爱的人,这是颇不容易做到的。现在大多数人的爱情观都是自私的爱情观,一张口就说爱情是自私的,爱情是排他的,你爱我,所以你就不能跟别人说话,你跟她说话咱们就离婚,这是现代人的爱情观。但是在爱情的世界中,有这样一种高尚的人,他可以牺牲掉自己的爱情,他不认为爱情是排他的,不认为爱情就是占有,他认为爱情是奉献。我爱你,你也爱我,那更好。假如我爱你,你不爱我,那怎么办呢?我仍然帮助你成就你的理想,我帮助你找到你所爱的那个人。为什么说关秀姑是"侠女"呢?不是说会武术的女子就是侠女,会武术的女子完全可能成为坏人,成为一个女魔头。侠的最基本的

解读大师

意义是有牺牲精神，能够为别人牺牲的人，不会武术也是大侠。笔者讲武侠小说时经常发表一个观点：谁是最大的侠？雷锋是最大的侠。虽然他是个不打仗的解放军，但是他能够为别人牺牲自己，礼拜天不休息，到处助人为乐。雷锋出差一千里，好事做了一火车，这就是侠。关秀姑在《啼笑因缘》里，她的功能，就是一个女雷锋的形象。自己的爱情不去努力争取，她不是没有机会，你看那个沈凤喜意志不坚定，那个何丽娜生活比较浮华，所以关秀姑自己有很多机会。但是她把机会放弃，帮助自己的爱人，给他撮合这个不成，再去撮合那个，把自己这份爱埋在了心底。

反过来从樊家树这方面说，你不知道关秀姑爱你吗？你不知道这个女孩子对你最好吗？我想他这么聪明有学问的一个人，他不可能意识不到这一点，一个女孩子没事老帮助你，老帮助你跟女朋友约会，约会了人家就走了，她有病啊。樊家树他不可能没意识到，但是他意识到了，他为什么不去争取？我们可以说他不喜欢她呀。那么再问他为什么不喜欢她？你说那个沈凤喜她连字都不认识，她没文化，她不就长得娇小可爱，会唱大鼓，然后很漂亮。何丽娜你看上她不也就是她很漂亮吗，可是你还不喜欢她的生活方式。而关秀姑人又漂亮，还能给你当保镖，当警卫员，一身好武功，写字写得也很漂亮，又温柔又细心，那你为什么不要她呀？这个秘密何在呢？这里面就写出了中国男性知识分子的一个致命的缺点，就是中国男人特别是知识分子是有问题的，他们喜欢什么样的女人呢？他们总是喜欢那些明显不如自己的女人，中国男人不喜欢女强人，不喜欢一个很全面的各方面隐隐约约能超过自己的女人，他喜欢一个沈凤喜这样的娇小可爱，又没什么文化，下班没事教她写两个字的，他喜欢这样一个人。他面对一个很优秀很全面的女性的时候，他退缩了，他不敢了，他甚至有意地回避这份感情。

这里我们可以举另外一部作品做对比，就是金庸先生有一部作品叫《书剑恩仇录》。《书剑恩仇录》的主人公叫陈家洛，陈家洛本来喜欢上一个女孩子叫霍青桐，是回疆部落的一个女孩。霍青桐这个女孩子就是智勇双全，作为一个女人她是一个完美的女人，完整的女人，长得又漂亮又聪明，能够指挥大的战斗，武功又好，又温柔体贴，什么都好。可是这个陈家洛放弃了她，回避她的感情，他爱上了霍青桐的妹妹，就是香香公主。他为什么爱上这个妹妹，当然他说这个妹妹漂亮啊，漂亮得像仙人一样，但这个妹妹就是一个纯洁的女孩子，别的都不会，武功也不会，智慧也没有，一张白纸一样的。后来陈家洛有一个瞬间反省自己，说我为什么不喜欢霍青桐？他深刻地反省解剖自己的时候，他恍然大悟，难道是我不喜欢她太能干吗？这句话说到根上了，中国知识分子有软弱性，他不喜欢太能干的女孩子。对这一点很多作家都用他的作品进行过批判，包括鲁迅先生用杂文也批判过，鲁迅先生调侃说中国男人不喜欢非常健壮的女孩子，看了心里有点自卑，总是喜欢林黛玉这种病病歪歪的女孩子。鲁迅还调侃说这些人理想的生活模式就是残秋的时候，秋天的时候吐半口血，由丫鬟扶着到街前去看秋海棠。他把文人的酸劲给描绘出来了，这是他们一种酸腐的生活方式，这里面是有批判的。按照我们今天的观点，很多人可能就会喜欢关秀姑这样的女孩子，她是一个武功很好的人，在今天可能就是一个工作很好的人。她在她的公司里工作很好，有一身本事，又能出谋划策，又敢作敢为，这样的一个女孩子可能是今天大多数人选择的。可是在那个时候，他们两个人却是希望最小的，关秀姑在小说中的功能就是帮助他，她老帮助他，成了他的一个"三替"公司了，帮助他成全一切好事，关秀姑这个形象也很感人。

　　所以这三对爱情加起来我们看，正好满足了很多男性的白日梦。不要忘了我们生活在一个男性的时代，生活在一个父权社会，男性社会的文学作品更多的是满足男人的心理要求，满足男人的白日梦。所以我们看小说中，写三角恋爱的故事很多，但是说一个女的周围几个男的这样的作品是比较少的，大多数作品都是一个男的周围几个女的，而且这几个女的肯定是不一样的。这样写它不是说英雄所见略同，它是社会需求。是因为社会上大多数的男人心里边有这样的梦想。我们当然现在实行一夫一妻制，你只能找一个法律上的配偶，但是在法律之外很多人保存着这样那样的想像，有些人也有条件创造各种各样的机会，所以现在我听到民谣说，现在很多人要求什么呢，家里有个做饭的，身边有个好看的，远方还有个思念的。理想的男人的白日梦，我们看樊家树不就是这样吗？这三个女孩子一个是小鸟依人的，对他百依百顺的，你只要花钱让她上学就行了，然后另外有一个何丽娜，这是可以带出去出国访问的，一下飞机就光彩照人的，这是一个好看的。然后还有一个默默的含情不露的，远方还有个思念的，她叫关秀姑，多好。一个理想的男人的白日梦，所以我们看，它这个恋爱关系并不复杂，很简单，麻雀虽小，五脏俱全。它把人的白日梦写全了，一个人所要的基本上的感情就是这几种嘛，它这里面都有。你别的小说都可以从我这里偷一些招数，化用我的这个模式，但是大概跑不出这个范围，跑不出这个如来佛的手掌心。男人喜欢女人，无非就这么几种模式，沈凤喜这一类的，何丽娜一类的，关秀姑一类的。大多数人都能从这几类当中找到自己最喜欢的那一种，所以无论你喜欢哪一种，《啼笑因缘》都满足了你，那么这说的是男性中心，反过来又说，女性读者同样喜欢《啼笑因缘》，这又怎么解释呢？

这还可以从社会生活角度来说，正因为我们的社会是一个男女不平等的社会，是一个以男性为中心的社会，所以不同的女性又从中可以满足自己的白日梦，《啼笑因缘》实际上也能满足女性，但是能够满足女性它有一个前提，就是你必须把这个男主人公描写得非常好。简单说好到什么程度呢？我用一个词概括，叫做大众情人，必须把这个男的描写成大众情人，少女可能喜欢他，少妇可能也喜欢他，中老年妇女对他也有点意思，大概像濮存昕这样的一个形象，得到广大妇女的喜爱，这就成功了。你不能把他写得特别另类，写得特点特别突出，只有一类女性喜欢他，那不行。写得具有的优点多一些，综合一点。我们看樊家树恰好是这样一个人，一个具有中庸之道标准的好男人，你说他传统吗？他有传统才子的那种气质，吟诗作赋，惜香怜玉，但是他又不是东哄先生，不是老封建，他又很新，他又新他又旧。他又能够接受现在的自由平等，他又讲忠孝两全，又讲自由平等，所以两边他都占着，他又风雅又果断，所以樊家树你挑不出他太多的缺点来。你除非从革命的立场上挑他缺点，说他思想还不够进步，但如果那样进步的话，那就成一个危险分子了，成了共产党了，那就不行了，很多女孩子不敢喜欢他了。他不能成共产党，就得是普通大学生中的一个优秀的人，将来有可能当教授，也可能当部长，至少是个全国人大代表，这样一个有着很好前程的模范青年，用现在的俗话叫钻石王老五。这样一个人见人爱的人，有才华，但是不狂妄，不是到处批评这个批评那个的人。家里有钱，但是不坏。所以把这个男主人公描写好了，那么就可以满足社会上不同状态的女孩子的想像，她们对一个理想爱人的想像，比如说，像沈凤喜这样的女孩子，她好像是这个社会中的灰姑娘，她是灰姑娘，当这种读者来读《啼笑因缘》的时候，她就把自己认同为沈凤喜，她可能是个唱大鼓的，她可能是一个家里没有钱的贫困学生，她可能是一个卖馒头的，可能是一个工厂里的普通女工。但是她觉得自己不错，她把自己想像成一个灰姑娘，灰姑娘就希望有朝一天，大门一打开，王子进来了，王子一眼就看中了她。每个灰姑娘都有自己的王子梦，所以无数的灰姑娘就都喜欢这个樊家树，而且她们会对沈凤喜加以最大限度的批评。说沈凤喜真是有福不会享，放弃了这么好的一个机会，她们会为沈凤喜惋惜，留下自己同情的泪，所以《啼笑因缘》这一支爱情线索，能够满足很多灰姑娘的梦想。

那么第二种何丽娜这种女孩子，这种叫做时髦女郎。她是比灰姑娘生活好得多的，她每天换时装的，是这个社会的主流，相当于我们现在很多白领女性、小资女性，动不动就去泡酒吧的，要看一些什么伊朗电影的，是这一类女子。这一类女子表面上生活得很飒、很爽，但是精神比较空虚。天长日久发现每天忙什么呢，真烦、真累。精神空虚需要什么呢？需要精神导师,樊家树恰好是她们的精神导师,樊家树到灰姑娘那里是一个王子,到了这些女孩子面前他是一个精神导师。他有学问,他可以给她们讲,说你们这样的生活是空虚的,我告诉你,我们唐朝是怎么样的,宋朝是怎么样的,明朝是怎么样的,一下就把这些女孩子讲傻了。原来人生活得这么有价值啊,我是碌碌无为而羞耻,我是虚度年华而悔恨,于是樊家树在她们的生活中担任了一个精神按摩师的作用。所以她找到樊家树之后,她觉得生活踏实了。为什么何丽娜最后能够放弃自己原有的生活去吃斋念佛呢?她觉得自己的灵魂没有归属,这些人物质上都可以满足,甚至不需要再满足的时候,就要找灵魂归属,而恰好樊家树这个形象对于她们就变成一个精神导师。我们知道很多女孩子在选择爱人的时候,有一类是要选精神导师型的,她觉得这个丈夫能够教导我,我不懂事,他把我像一个学生教育,使我能够成熟起来,确实是这样的。所以对于何丽娜这样的女孩子来说,樊家树又是她的精神导师,所以这种人,也能够满足。

那么对于关秀姑这种人,这种人相当于女强人,不需要男人帮助,自己一个人可以包打天下,解决个人生活所有问题。我们现在对女强人常常有误解,我觉得女强人在我们中国生活很不幸,比如说自己一人开创了一个公司,拳打脚踢都能弄,但是这些男性谁也不敢爱自己,认为女强人就不温柔,那是错误的理解。其实女强人往往很温柔,但是由于她忙于事业,她把这个温柔藏起来了,她含而不露。很多女强人爱上自己的办公室主任这个男孩子,但她不露,她经常用批评的口吻说,你看你今天哪个哪个工作又没做好,今天晚上跟我一起吃饭,我批评批评你。她用这种口气说话,其实是对他流露了某种感情,但这男的不懂,男的回家还挺恨他的上司"一天到晚就知道工作,没意思"。他不能察觉她的温柔,所以这个女强人希望有一个知趣的、知情的又有才华的这样一种男人,做她的梦中情人。她即使不能跟他谈恋爱,不能跟他结合,但是这个人的存在,就满足了她一种思念的要求。我们现在人急功近利,谈恋爱就想在一起,有了爱情就想结婚,总是一条线的思维,其实在那些真正的懂得爱情的人中,他把这些问题能够复杂地看待。你爱一个人,你不是非要把他弄到家里来跟你过日子,能够思念他,在旁边看他过得很好,也是一种幸福。我觉得一部分女强人她觉得自己不容易得到,那么她就是保持这种思念的状态,在这个思念的状态中,她完成了自己的高尚感。所以樊家树的形象他也能够满足很多女强人的想法。

所以我们看这样一个并不复杂的多角恋爱,保证了《啼笑因缘》的巨大成功。多角恋爱是一个常套,是一个俗套。我们不能因为一个人写多角恋爱就指责他,也不能批评他,也不能表扬他,就是说这就是一个模式。好像京剧一出来就要穿那身衣服一样,不能因为他穿这身衣服来褒贬他。关键是你是否通过这个模式写出了文化选择,我们看优秀的小说,爱情小说也好,带有爱情内容的小说也好,都是通过多角模式写出了文化选择。比如我们看《三国演义》,貂蝉在董卓和吕布之间的选择,她是一个文化选择。一开始把她弄到董卓那里去,但是董卓是一个坏人,他代表腐朽文化,他马上要被干掉的。然后貂蝉喜欢吕布,可不能简简单单地理解成吕布年轻漂亮,武功第一,不能这么理解。吕布虽然有很多缺点,但是他是代表新生文化力量,虽然后来他又被曹操杀掉了,但是吕布代表要反抗天下秩序的,反抗董卓他们建立的秩序,他是代表反抗者。所以貂蝉在董卓和吕布之间的选择,是她对新文化的一种选择。假如小说不这么写的话,貂蝉这个形象不会这么可爱。再比如说贾宝玉在林黛玉和薛宝钗之间的选择,怎么理解?我们今天的人不太能够体贴人心,我们今天就会想,干嘛不喜欢薛宝钗,薛宝钗长得多漂亮,多丰满,林黛玉长得那么瘦,肺结核似的。不懂,贾宝玉根本不是考虑谁长得漂亮不漂亮,两个人是不同的漂亮,这个不同的漂亮就是文化的不同,林黛玉她的文化模式,她考虑的是什么呢?她考虑的是宇宙的问题,人生的根本的问题,根本的幸福的问题。而这个薛宝钗呢,每天劝他去读书,去做官去考试,用贾宝玉的话说,每天说那些仕途经济的混账话。就好像现在一个女的,每天老劝男的,你怎么不多挣点钱?咱家什么时候买宝马?什么时候买房子呀?每天说点这样的话,把男人烦得要死。所以贾宝玉绝不喜欢薛宝钗这样的女性,他在林薛二人之间的选择仍然是一个高雅的文化选择还是庸俗的文化选择的问题。

那么我们比较这几部作品反过来就更能够深刻地理解《啼笑因缘》它的巨大影响,它的这个模式你可以学习它,你可以不断地变化,所以我们今天仍然可以用这个模式来继续创造。

最后我讲几点《啼笑因缘》对大众文学的启示,我们从《啼笑因缘》巨大成功上可以看到,最受大众喜欢的不是最先锋的作品,就是社会上刚有一个最深刻的思想,只有一千个人明白,你就把它写成文学作品,一千个人明白了,也许明天就被推翻了,没有经过时间的考验。所以每个时代有一个赶时髦的作品,经常被淘汰,我们改革开放一批改革文学,后来一批反思文学,一批寻根文学,不是说你每次写最时髦的就能成功,而且是沉淀一段。这个时候的文学呢,它是一方面满足了大众的白日梦,你不能说你一点不满足大众,就跟读者对着干。我写文学作品就是跟读者对着干,我打开电视我就骂观众,这节目没人看。要满足大众的白日梦,但是不能溺爱大众,另一方面又对这白日梦要略敲几下警钟。你看《啼笑因缘》他写了满足男人白日梦的多角恋爱,但是它的结局是不圆满的。它对结局是有反思的,不是大团圆结尾。后来《啼笑因缘》别人不断地要写续集,逼得张恨水没办法,1933年的时候,他自己写了十回的续。把这个故事赶紧结束掉,最后终于让沈凤喜死掉了,不死没办法,不死怕别的书商又盗版再写,终于把沈凤喜写掉了,然后大家都去参加抗战了。那时候爱情次要了,变成民族危亡隐隐约约突出一个主题了,那个续集写得并不好,但是被迫写这个续集,说明了正集的威力之大。所以大众文学,一方面要满足白日梦,另一方面不能让这个白日梦圆满。最近我看记者采访赵本山说,你这电视剧怎么才能抓住观众呢? 你这电视剧怎么收视率这么高? 赵本山没有学过文艺理论,他是从生活中直接摸爬滚打出来的,他就摸到一条道。他说这个主人公你就不能让他得好。哎呀,我说这句话说得太棒了,如果让我们大学教授来说,会讲得云山雾罩的,会讲一大套理论。其实说了半天,就是赵本山说的不能让他得好。他刚一得好,你给他安排一个悲剧,他刚一得好,你给他安排一个惨事,老让他倒霉就抓住观众了。他是朴素的生活感受,但是他和我们研究了多少年得出的结论是一样的,所以说高人就是高人。这和我说的不能让白日梦圆满是一样的。所以要构造一个白日梦,但是要指出这个白日梦的缺点,从这些意义上讲,《啼笑因缘》是大众文学的范本,是最精致的范本。

艺术化的人生

——朱光潜《谈美》导读

美学这东西来到中国,只有100多年的时间。这样讲并不意味着中国古代就没有"美学",而是说作为一门独立的现代学科,美学是到了晚清才从西方引进的。而中国古代其实拥有非常丰厚的美学传统,一经与来自西方的新知识结合,便产生了特色鲜明的中国现代美学。

中国现代美学的早期大师有王国维、梁启超、蔡元培、鲁迅等。其中王国维的造诣最高,他力图打通中西美学,并结合现实人生经验来观照中国的文学艺术。王国维著有《宋元戏曲考》、《人间词话》等杰作,其中《人间词话》可说是一部精彩的美学经典。

到了五四新文化运动以后,"美学"作为一个现代学术和现代文化概念,开始在社会上流行。这时致力研究美学的主要有北京大学的朱光潜和宗白华教授等。其中朱光潜除了写有《文艺心理学》等学术专著外,还用了很大精力进行美学的普及工作,所以他的影响更大一些。这里介绍的《谈美》就是一本雅俗共赏的美学佳作。有人说:"作为普及性的、通俗性的学术著作,《谈美》仍然是一本经典,至今没有一本新的《谈美》来代替它。"

朱光潜,字孟实。1897 年生于安徽桐城,1986 年逝世于北京大学,他90 岁生涯的大部分都贡献给了中国的美学事业,所以晚年的他和宗白华都被尊称为"美学老人"。20 世纪 80 年代,他们在未名湖畔散步的身姿,已经成为北京大学师生永远怀念的风景。

朱光潜的《谈美》写于 1932 年,由著名的开明书店出版。在此之前,他写过一本《给青年的十二封信》,用书信的形式,漫谈文艺、美学、哲学、道德、政治等问题,发人思考,指点迷津,在青年中引起很大反响,成为重印了30 多次的畅销书。但这本书主要谈的是人生修养,还没有充分展示朱光潜的美学思想。于是,作为《给青年的十二封信》的姊妹篇,朱光潜以"给青年的第十三封信"为副标题,写了这本《谈美》。

在《开场话》里,朱光潜这样写道:

朋友:

从写《十二封信》给你之后,我已经歇三年没有和你通消息了。……听说我的青年朋友之中,有些人已遭惨死,有些人已因天灾人祸而废学,有些人已经拥有高官厚禄或是正在"忙"高官厚禄。这些消息使我比听到日本出兵东三省和轰炸淞沪时更伤心。……我坚信中国社会闹得如此之糟,不完全是制度的问题,是大半由于人心太坏。……要求人心净化,先要求人生美化。……在这封信里我只有一个很单纯的目的,就是研究如何"免俗"。……

朱光潜是怀着一种崇高的使命感和社会责任感来写这本不厚的小册子的,他用通俗易懂的方式和明白如话的语言把高深的美学问题讲得深入浅出,引人入胜,从而起到了净化读者心灵、提升一代青年精神境界的作用。

什么是美?什么是美感?朱光潜没有用深奥的理论语言把问题讲得云山雾罩,他首先从一个很具体的事例入手:从我们对于一棵古松的态度来谈。同一棵古松,木材商看到它值多少钱,植物学家看到它的生长结构,而画家则看到它的气质、风韵,也就是"美感"。这便是我们对待客观对象"实用的"、"科学的"、"美感的"几种不同的态度。通过木材商、植物学家和画家对一棵古松的不同态度,朱光潜指出"人所以异于其他动物的就是于饮食男女之外还有更高尚的企求,美就是其中之一"。美是无用的,但是无用之用,方为大用,人之所以是高级动物,就高级在追求"无用"上。我们知道孔子说过颜回粗茶淡饭还能够"不改其乐",这就是用审美的态度看待人生,所以颜回也被尊为圣人。

可是为什么木材商和植物学家没有看到美呢?是他们绝对不具备"审美细胞"吗?朱光潜用"当局者迷,旁观者清"来解释这一现象。朱光潜指出人们在欣赏事物之时普遍具有一种"围城"心态。太关心利益和知识的时候，美就远了。"总而言之，美和实际人生有一个距离，要见出事物本身的美，须把它摆在适当的距离之外去看。"距离太远和太近，都看不清楚。必须抛开实际生活中的物欲去看，才能真正沉浸在艺术的美感当中，才不会焚琴煮鹤，暴殄天物。

那么美是事物本身就具备的吗？朱光潜用庄子"子非鱼安知鱼之乐"的比喻讲了美学上的"移情作用"，即"把自己的情感移到外物上去，仿佛觉得外物也有同样的情感"。朱光潜把这种移情的现象称为"宇宙的人情化"。宇宙本来是无所谓情的，"天若有情天亦老"，是人赋予了天地万物以情，所以花会笑，海会哭，所以世界因此而多姿多彩。写到这里，朱光潜涉及了一个美学中的难题，即美究竟是在客观还是在主观的问题。朱光潜说："依我们看，美不完全在外物，也不完全在人心，它是心物婚媾后所产生的婴儿。"美的欣赏就是"把自然加以艺术化，所谓艺术化就是人情化和理想化"。以含情之眼观物，则物皆含情也。所谓"情人眼里出西施"，便是这个道理。

我们平时也经常说某人某物很漂亮，很"酷"。这些都属于"美"吗？朱光潜又通过"希腊女神的雕像和血色鲜丽的英国姑娘"的比喻，区分了两种极易混淆的感觉——美感与快感。朱光潜指出"美感经验是直觉的而不是反省的"。当我们感觉到高兴而联想到自身的欲望时，那么这只是快感而不是美感。美感不是普通的感官刺激，它不包含功利目的，它使人暂时忘记自我而专注于欣赏的对象当中。所以说，艺术可以使人"出世"。

美是联想所产生的吗？朱光潜借用牛希济的两句词"记得绿罗裙，处处怜芳草"，指出"许多通常被认为美感的经验其实并非美感"，而是"实际人的态度，在艺术本身以外求它的价值"。由萋萋芳草，联想到绿罗裙，也可以由一件古董，联想到金钱，并不是所有的联想，都是美的。纯粹的美，永远是一种"专注"，离开了专注，就已经离开了美了。

我们大体知道了什么是美和美感，那么怎样叫做欣赏美呢？许多学者所进行的考证和批评是否属于美学欣赏呢？朱光潜指出："考证所得的是历史的知识。历史的知识可以帮助欣赏却不是欣赏本身。""总而言之，考据不是欣赏，批评也不是欣赏，但是欣赏却不可无考证与批评。"没有艺术细胞的人也能够做考证和欣赏，其中不乏有人还是借此掩饰自己的无才。只有把三者结合起来的人，才是真正的艺术大师。

跟美颇有联系的一个词儿叫做"丑"，那么丑是美的反面还是美的一种呢？是不是画一个少女就要比画一位老太太更美呢？朱光潜指出：艺术的美丑和自然的美丑是两件事，艺术的美不是从模仿自然美得来的。而写实主义和理想主义都是主张艺术模仿自然,所以它们是错误的。法国画家德拉克罗瓦说:"自然只是一部字典而不是一部书",所以,"依样画葫芦"是不可能产生艺术美的。我们必须把从自然这部字典上得来的文字,用自己的心去创造出好的文章,而这好的文章,是字典上本来没有的。

朱光潜在讲解了这些基本的美学观念之后,又进一步跟我们谈了艺术与游戏、艺术与想像、创造、情感等方面的问题。

小孩子的游戏是不是艺术?朱光潜指出"艺术的雏形就是游戏"。大艺术家都有一颗赤子之心。越会游戏的人就越擅长艺术。但是艺术同时带有社会性,"不能不顾到媒介的选择和技巧的锻炼,它逐渐发展到现在,已经在游戏前面走得很远,令游戏望尘莫及了。"而游戏里面那些核心的美感因素,则还是来源于游戏精神的。所以说"大人者不失其赤子之心"。创造从哪里来?朱光潜以王昌龄的七绝《长信怨》为例,分析指出艺术创造的定义"就是平常的旧材料之不平常的新综合。"其中想像发挥了非常重要的作用。乌鸦身上的日影,本来没有什么意义,但是诗人通过想像,把它和帝王的恩宠联系在一起,于是,一种言不尽意的艺术感觉就诞生了。

艺术创造除了想像之外,还需要情感。朱光潜借司空图《诗品》中的一句话"超以象外,得其环中"指出:"诗人于想像之外又必有情感","情感是综合的要素,许多本来不相关的意象如果在情感上能协调,便可形成完整的有机体。""意象"是朱光潜美学理论的重要概念,这里情感的作用十分突出。没有情感的统率,想像也许会杂乱纷纭,有了情感的主导,则纲举目张,"意"与"象"合了。

许多人或许还会疑虑,想像和情感都是主观的东西,那么艺术创造就可以完全不顾"客观事实"吗?真正无拘无束的自由是存在的吗?朱光潜指出"在艺术方面,受情感饱和的意象是嵌在一种格律里面的。""格律不能束缚天才,也不能把庸手提拔到艺术家的地位。""古今大艺术家大半后来都做到脱化格律的境界。他们都从束缚中挣扎得自由,从整齐中酝酿出变化。"最后能够达到孔子"从心所欲,不逾矩"的境界时,那就是圣人了。可见艺术创造既要尊重规律,又要超越规律。这就又涉及了模仿的问题。为什么我们的学习要从模仿开始?朱光潜指出"各种艺术都各有它的特殊的筋肉的技巧",学习技巧首先要"模仿",凡是艺术家都须有一半是诗人,一半是匠人。"妙悟来自性灵,手腕则可得于模仿。"模仿到后来,应该达到一种似与不似之间的程度,完全不似则丧失了艺术的普遍性,完全相似又丧失了艺术的主体性。这就叫"不似则失其所以为诗,似则失其所以为我"。真是运用之妙,存乎一心啊!

说到这里,问题似乎变得有些麻烦了。怎么样既能够"似",又能够"不似"呢？有没有什么窍门呢？难道非得如杜甫所说"读书破万卷"，才能"下笔如有神"吗？世上有没有真正的"生而知之"者？不下死工夫能不能成功？朱光潜说："只有死工夫固然不尽能发明或创造，但是能发明创造者却大半是下过死工夫来的。""凡是艺术家都不宜只在本行小范围之内用工夫，须处处留心玩索，才有深厚的修养。"知识面不广，眼界不够开阔，在任何领域也成不了一流的大师，只能成为一个心胸狭窄的学霸而已，对人对己都是有害无益的。

从艺术欣赏，到艺术创造，朱光潜给青年进行了全面的讲解后，曲终奏雅，在全书的末尾，朱光潜表达了他最根本的人生观：人生的艺术化。人生本来就是一种比较广义的艺术。"过一世生活好比做一篇文章。完美的生活都有上品文章所应有的美点。""文章忌俗滥，生活也忌俗滥。"在全书的最后，朱光潜借用阿尔卑斯山路上的一副著名的标语赠送给青年朋友："慢慢走，欣赏啊！"

朱光潜的这种人生观深深打动了许多青年的心。为此书作序的朱自清先生说："孟实先生引读者由艺术走入人生，又将人生纳入艺术之中。这种'宏观的眼界和豁达的胸襟'，值得学者深思。文艺理论当有以观其会通，局于一方一隅，是不会有真知灼见的。"

学术界有人指出："朱光潜对美学的理解可以说是非常之深，他对西方美学的介绍，在《谈美》中已经达到了一代大师的化境。"（张法《思之未思》）这个评价应该说是十分中肯的。学习美学也好，学习艺术也好，关键不在能否掌握一两种技能，而是要看我们能否达到一种化境。人生的境界有很多种，能够达到朱光潜先生所崇尚的"艺术化的人生"，则可以说"今生无愧矣"。

二、文学如何现代

本辑文字皆为谈论现代文学问题的
纸面文章,亦曾用做讲稿。

中国现代文学的发生

(一)现代文学的现代性

我们身处 21 世纪的初叶来学习中国现代文学,首先应该思考的问题
之一是,什么是"现代"。

"现代"不仅仅是一个时间性的名词,同时也是一个包含价值判断的形
容词。我们可以说世界各国都置身于"现代",也可以说一些国家比另一些
国家更"现代"。为什么在相同的时间段里存在着"现代"程度的差异? 这
说明"现代"具有时间和空间上的不平衡性。由于这种不平衡性,"现代"
就不是随着时间的河流自然涌到我们眼前的一个"历史的码头",而是一座
需要主动进入和主观建构的历史城堡。由于"现代"概念的双重含义,便产
生了对于"现代性"和"现代化"问题的林林总总的复杂理解和阐释。

世界各国进入"现代"的时间和方式都是不同的,这与工业文明的兴
起、理性启蒙的普及、人类愈来愈组织化的生活模式都有着密切的关联。
所以,我们必须在"人类现代文明"的总体框架之下来看待和学习中国现代
文学,才能比较准确地把握中国现代文学的发生和发展,从而进一步去探
索中国现代文学以致当代文学的演变规律。

中国现代文学究竟是什么时候"发生"和怎样"发生"的,这并不是一
个具有"标准答案"的客观真理,而是依照对"现代"和"现代文学"的不同
理解各有不同的表述。现代文学的重要作家周作人在他的著名演讲集《中
国新文学的源流》中认为:"我们可以这样说:明末的文学,是现在这次文学

运动的来源,而清朝的文学,则是这次文学运动的原因。"(第三讲《清代文学的反动》上)他还说:"今次文学运动的开端,实际还是被桐城派中的人物引起来的。"(第四讲《清代文学的反动》下)最后总结道:"今次的文学运动,其根本方向和明末的文学运动完全相同。"(第五讲《文学革命运动》)

周作人的意思是说,中国现代文学的发生不过是数千年的中国文学长河里"言志派"和"载道派"起伏消长的又一个回合而已。

> 于是产生了胡适的所谓"八不主义",也即是公安派的所谓"独抒性灵,不拘格套",和"信腕信口,皆成律度"的主张的复活。所以,今次的文学运动,和明末的一次,其根本方向是相同的。其差异点无非因为中间隔了几百年的时光,以前公安派的思想是儒家思想道家思想加外来的佛教思想三者的混合物,而现在的思想则又于此三者之外,更加多一种新近输入的科学思想罢了。(第四讲《清代文学的反动》下)

现代文学的主将之一郭沫若认为:"中国新文艺,事实上也可以说是中国旧有的两种形式——民间形式与士大夫形式——的综合统一,从民间形式取其通俗性,从士大夫形式取其艺术性,而益之以外来的因素,又成为旧有形式与外来形式的综合统一。"(《民族形式商兑》)

1949 年后曾任中国社会科学院文学研究所所长的何其芳说过:"我认为五四运动以来的新文学是旧文学底正当的发展。"(《论文学上的民族形式》)

这些意见都偏重于认为"现代"是"过去"的自然演变。现代文学也无非是文学史上的又一次"改朝换代"。

而文学革命的发起人之一胡适却认为"中国这二千年只有些死文学,只有些没有价值的死文学","从文学方法一方面看去,中国的文学实在不够给我们作模范",所以"不可不赶紧翻译西洋的文学名著作我们的模范。"(《建设的文学革命论》)

现代文学的著名理论家胡风认为:

> 以市民为盟主的中国人民大众底五四文学革命运动,正是市民社会突起了以后的、累积了几百年的、世界进步文艺传统底一个新拓的支流。那不是笼统的"西欧文艺",而是:在民主要求底观点上,和封建传统反抗的各种倾向的现实主义(以及浪漫主义)文艺;在民族解放底观点上,争求独立解放的弱小民族文艺;在肯定劳动人民底观点上,想挣脱工钱奴隶底命运的、自然生长的新兴文艺。(《对于五四革命文艺传统的一理解》)

他们代表的意见偏重于认为现代文学具有崭新的特质,所谓"现代",不能从中国自己的历史中去孤立地理解,而要与世界、与"西洋"联系起来。

如此看来,中国现代文学实际上包含了"中国"和"世界"两种因素。其"现代性"既是中国历史的自然演进,又是中国与世界碰撞交融后的自我更新。因此就产生了从不同立场出发的对中国现代文学性质的不同阐述。王瑶1951年出版的第一本中国现代文学的正式教科书《中国新文学史稿》,运用毛泽东《新民主主义论》的思想指出:

> 中国新文学的历史,是从五四的文学革命开始的。它是中国新民主主义革命三十年来在文学领域上的斗争和表现,用艺术的武器来展开了反帝反封建的斗争,教育了广大的人民,因此它必然是中国新民主主义革命史的一部分,是和政治斗争密切结合着的。新文学的提倡虽然在五四前一两年,但实际上是通过了"五四",它的社会影响才扩大和深入,才成了新民主主义革命底有力的一翼的。

其后由唐弢、严家炎主编的教育部统编教材《中国现代文学史》明确指出:

> 历史驳斥了那些把"五四"以来的新文学说成只是明朝"公安派"、"竟陵派"的继承和发展,或是西欧资产阶级文艺的"一个新拓的支流"等不符事实的言论。无产阶级领导并以革命民主主义文学和无产阶级文学这两种力量为中坚,保证了我国现代文学具有前所未有的崭新的性质。(《绪论》)

1985年,黄子平、陈平原、钱理群提出了"20世纪中国文学"的概念,力图打通近代、现代和当代。1987年,钱理群、吴福辉、温儒敏等人出版了《中国现代文学三十年》,该书认为"整个二十世纪中国文学都是中国社会大变动,民族大觉醒、大奋起的产物,同时又是东西方文化互相撞击、影响的产物,因而形成了共同的整体性特征。"他们根据对鲁迅、周作人文艺思想的理解,把现代文学的性质概括为"改造民族灵魂"。但是该书1998年出版修订本时,却进行了另一概括,明确指出所谓"现代文学",即是"用现代文学语言与文学形式,表达现代中国人的思想、感情、心理的文学"。修订本最为引人注目之处是在每个"十年"都增加了一章对通俗文学的论述。这显然与20世纪最后十余年间对"现代化"理解的学术背景有关。严家炎最早采用"现代化"的观念来看待整个现代文学,影响了一代学者。从80年代开始的"重写文学史"的呼声,到90年代基本落实,新文学研究和现代通俗文学研究都取得了重大进展。这为新的现代文学史的编写奠定了坚实的学术基础。

现在,我们可以在一个更为开阔的视野上理解现代文学的"现代性"。这是一种"反帝反封建"的文学,但是不止于此;这是一种"改造民族灵魂"的文学,但是不止于此;这是一种表达现代中国人精神世界的文学,但是不止于此。这是伴随着并促进着中国现代化进程的文学,这是三千年诗文大国自我扬弃变革的文学,这是组织和建立现代中华民族与现代中国的文学,这是走向世界舞台去实现光荣与梦想的文学……

但是,可能还不止于此。

（二）现代文学发生的必要性

现代文学之所以能够发生,其首要的前提必然是传统文学出现了重大的问题,遇到了重大的挑战。传统文学自身的问题早已潜伏并不断滋长,而当它遭遇到来自外部的挑战时,这问题便被急速推入人们的视野,从而促使了变革/革命意识的产生。

中国传统文学发展到清朝后期,在内容、观念、文体、语言等诸方面,都愈来愈落后于时代的需求,愈来愈陈陈相因,生气凋零。既无力发挥组织现代民族国家意识形态的"国民文学"功能,也无力光大中国文学固有的美学风范。从文体类型上看,传统文学的核心是诗文。清朝后期的正统诗文,已经走进了死胡同或者说进入了"衰变期"。明朝以后中国文学里最有成就的实际上是小说戏曲,而小说戏曲却被视为不登大雅之堂的旁门左道。文体类型的"金字塔"等级观念,一方面严重束缚着小说戏曲的蓬勃发展,另一方面也使正统诗文原地踏步,无路突围。无论学唐学宋,正统诗文从总体上看,都远逊前代,乏善可陈。"代圣人立言"的创作观念和盲目推崇考证之学的不良风气,使文学的主体性日益萎缩。以桐城派为代表的"文章规范之学"和遍布天下的八股文教育体系,将中国传统文学鲜活的精华,风干成枯瘦死板的一些教条,文学几乎演变为"破题游戏"。事实上晚清的各种文字游戏——如灯谜、诗钟、酒令——倒的确是精彩空前,仿佛在昭示着古汉语艺术的回光返照。而在真正的文学作品里,这种远离现实口语的文言,却越来越捉襟见肘,词不达意,越来越需要写作者付出长期的艰辛才能运用得体。

面对传统文学的窘境,不乏有识之士呼唤改革并力图突破。从龚自珍的"我劝天公重抖擞,不拘一格降人才",到黄遵宪的"我手写我口,古岂能拘牵",都表现出传统文学"突围"的努力。但是,在传统的内部要进行彻底的变革不但是万分艰难的,而且必然是视野局促的。将"地球"、"火车"这些新名词写进"七律"、"古风"这类传统诗歌,并不能解决传统文学的问题,不但遭致保守势力的嘲骂,连改革者自己也觉得不是正路。太平天国借助特殊的政治背景,曾经颁布《戒浮文巧言喧谕》,指出"文以纪实,浮文所在必删;言贵从心,巧言由来当禁。"要求文字"一一叙明,语语确凿,不得一词娇艳,毋庸半字虚浮。但有虔恭之意,不须古典之言。"洪秀全为此还特意把《字典》改为《字义》。（见《太平天国文书汇编》,中华书局 1979 年

文学如何现代

版)但是太平天国的诗文与清廷的改革派诗文一样,加强了通俗性而减弱了文学性。比如洪秀全的《劝戒鸦片诗》:"烟枪即铳枪,自打自受伤,多少英雄汉,弹死在高床。"这显然不是文学变革的金光大道。

通俗性是现代性的要素之一,但是现代性所要求的通俗,必须是以不牺牲思想性、艺术性为前提的。在传统文学的观念中,雅和俗判若鸿泥,高雅的文学是为雅士服务的,通俗的文学是给"小民"娱乐的。雅士要领导和统治小民,"上智与下愚不移",所以两种人需要有两种不同的读物。而现代性要求全体国民在理论上拥有相同的读物,这读物不是为了确定阅读者个体的社会等级,而是为了使所有读者产生共同的文明图景想像,从而结成民族共同体这样一个"同心集团"。所以,在古代,阅读《三国志》和《三国演义》,是两种境界,两个层次。而在现代,则不过是两种需求,或者是两种工作。因此,传统文学就面临着一场重新整合文体格局和语言功能的"脱胎换骨"的大抉择。

差不多与传统文学意识到自身的变革需求的同时,外国文学就开始了对中国文学的冲击。这种冲击由于不像军舰大炮的物质冲击那般剑拔弩张,来势汹汹,所以在很长时间内不大引人注意。一种是传教士用白话翻译的圣经和用白话写成的宗教读物。由于语言的通俗和思想的"异端",这些读物具有极强的传播力,其传播速度和传播效果大大超过古代传入中国的佛教读物。最有力的结果是,由一个"拜上帝会"组织的一场农民起义竟然建立起一个强大的差点推翻满清统治的太平天国政权。虽然最终以儒家思想为指导的汉族士大夫集团消灭了太平天国,但清朝通过这次"中兴",实际上已经走上了下坡路。

第二种是外国人在中国组织的一些文学活动,比如租界里的戏剧表演,外国侨民的文学阅读等。这些活动的影响范围比较小,但是那种直接组织受众的方式和效果,却给中国的目击者留下了极深的印象。中国最早的现代话剧,就是受此启迪而萌芽的。上海有个著名的外侨剧院——兰心大戏院,中国话剧的早期功臣徐半梅、郑正秋等经常去那里看戏。郑正秋在那里认识到中外戏剧的区别:"他们才是假戏真做,中国人在台上则有假戏假做的表示。"(见徐半梅《话剧创始期回忆录》,中国戏剧出版社1957年版)外国人组织教会学校的中国学生演出宗教剧,则对中国传统戏曲产生了独特的冲击力。早期话剧家汪优游说:"这种穿时装的话剧,既无唱工,又无做工,不必下功夫练习,就能上台去表演,自信无论何等角色都能扮演,对新剧大感兴趣。"(汪优游《我的俳优生活》,《社会月报》第1卷,1934年)戏剧的高雅和普及是可以结合在一起的,这对中国人重新认识戏剧产生了十分重要的启示。

第三种是外国文学作品的大规模翻译。以林纾为代表的小说翻译虽然标榜"古文笔法"，但实际上已经不能不受到外文原著的思想观念和艺术观念的影响。这些"异域奇闻"直接改变了中国人的"外国想像"，也直接改变了中国人对小说地位的看法，也正是在这些小说的巨大影响之下，才发生了清末的"小说界革命"。中国人开始认识到，对小说戏曲地位的贬低，直接导致对民众的贬低并进而导致国家的贫弱。因此，重新为中国文学排序，至关重要。"且闻欧美东瀛，其开化之时，往往得小说之助。"(《国闻报·本馆附印说部缘起》)于是，"故今日欲改良群治，必自小说界革命始；欲新民，必自新小说始。"(梁启超《论小说与群治之关系》)

问题与挑战，促使中国传统文学在观念、语言等各方面认真反省。不变革，不但不能成为"经国之大业，不朽之盛事"，而且连文学自身也前途渺茫。代圣人立言该结束了，为自己说话该开始了。鲁迅说："文艺是国民精神所发的火光，同时也是引导国民精神的前途的灯火。"(《论睁了眼看》)能够隐隐约约地意识到这一点，现代文学发生的必要性就存在了。

（三）现代文学发生的文化背景

现代文学并不是直接顺着传统文学大河汹涌的方向"鲤鱼跳龙门"的。从1840年开始的近代文学，是传统文学和现代文学之间漫长的过渡期。在这半个多世纪的过渡期中，逐渐积累了现代文学发生的各项条件，其中重要的有：报刊业的兴起，新文体的盛行，白话文的倡导。而最直接的社会文化背景则是满清王朝的结束和民国的建立。

报刊作为大众传媒的登场，是现代化社会信息沟通方式的标志。本雅明认为在现代社会中："日常的文学生活是以期刊为中心开展的。"(本雅明《发达资本主义时代的抒情诗人》，三联书店1992年版)报刊不仅是现代文学作品的载体和园地，而且逐渐成为文学创作和文学活动的组织者、策划者乃至领导者。报刊使文学创作真正成为一种"艺术生产"，报刊直接导致了"职业作家"的产生。在传统文学生产时期，单凭文学写作谋生是很难想像的，文学创作一般都是士大夫和官僚的闲情韵事，曹雪芹写出万人景仰的《红楼梦》，他自己竟然"举家食粥"，贫病而死。报刊的出现，改变了作者、出版者和读者的关系，在三者之间建立了稳定的经济逻辑。在清朝后期，中国缓慢地开始了自己的报刊业。综合各种统计资料，可以发现，到洋务运动时期，报刊业开始突飞猛进，全国达到几十种，到20世纪初，已经超过100种，进入民国，则超过了500种。

报刊的发展，直接影响了文体。黄遵宪倡导的"诗界革命"和梁启超倡导的"小说界革命"，是从创作的角度要求革新文体，振兴文学。而报刊的发展则把读者有机地组织进文学生产的流程，报刊文体要求明确、清晰、有

文学如何现代

力。于是就产生了最具代表性的报章文体——梁启超的"新文体"。梁启超本人在《清代学术概论》中自我概括为："务为平易畅达,时杂以俚语韵语及外国语法,纵笔所至不检束,学者竞效之,号新文体。老辈则痛恨,诋为野狐。然其文条理明晰,笔锋常带情感,对于读者,别有一种魔力焉。"

这里梁启超明确地强调"读者",此话透露出现代文学一个重要的特质:重视读者。能够对读者"别有一种魔力"的文字,是现代文学的好文字,而不是像传统文学那样,经史子集,家法森严,不考虑读者的接受反应,只从创作角度对文学进行价值分类。不尊重读者的报刊是无法在现代社会里生存的,因而,孤芳自赏的文学也必定不会是现代文学的主流。梁启超新文体中的几个要素:通俗、自由、明快、热情,后来就成为现代文学的主要文体特色。

白话文的倡导,发轫很早。在洋务运动时期,就有一些学者开始思考书面语和口语相一致的问题。黄遵宪有句著名的话说:"欲令天下之农工商贾妇女幼稚皆能通文字之用,其不得不于此求一简易之法哉!"(《日本国志》)这个"简易之法"一是进行汉语的拼音化探索,二是推行白话文。拼音化的现实基础薄弱,所以发展比较缓慢,而白话文拥有深厚的群众基础和久远的历史积淀,所以发展比较快捷。当时翻译的外国小说,既有文言译本,也有白话译本。1898 年裘廷梁发表了《论白话为维新之本》,旗帜鲜明地提出:"文字者,天下公用之留声器也。"从开启民智的角度要求用白话来普及文字:"有文字为智国,无文字为愚国;识字为智民,不识字为愚民。"封建专制国家采取愚民统治,所以"文与言判然为二",而今要发扬国人的"聪明才力",则应该"崇白话而废文言"。文章列举了白话的八大好处:省目力,除骄气,免枉读,保圣教,便幼学,练心力,少弃才,便贫民。这是新旧双方都可接受的一种号召。

提倡白话文的另外一支重要力量是报刊的编辑者。被誉为"通俗文学之王"的包天笑在维新运动期间就办过一份《苏州白话报》,与《杭州白话报》相呼应。1917 年 1 月,包天笑创办了《小说画报》,在编者例言中指出:"小说以白话为正宗,本杂志全用白话体,取其雅俗共赏,凡闺秀、学生、商界、工人,无不咸宜。"《小说画报》的发刊词曰:

> 鄙人从事于小说界十余寒暑矣,惟检点旧稿,翻译多而撰述少,文言伙而俗语鲜,颇以为病也。盖文学进化之轨道,必由古语之文学,复而为俗话之文学。中国先秦之文,多用俗话,观于楚词墨庄,方言杂出,可为征也。自宋而后,文学界一大革命,即俗话文学之崛然特起,其一为儒家禅家之语录,其二即小说也。念忧时之彦亦以吾国言文之不一致,为种种进化之障碍,引为大戚。若吾乡陈颂年先生等奔走南

北,创国语研究会到处劝导,用心苦矣,然而数千年来语言文字相距愈远,一旦欲沟通之,夫岂易易耶!即如小说一道,近世竟译欧文,而恒出以词章之笔,务为高古,以取悦于文人学子,鄙人即不免坐此病,惟去进化之旨远矣。又以吾国小说家不乏思想敏妙之士,奚必定欲借材异域?求群治之进化,非求诸吾自撰述之小说不可。乃本斯旨,创兹《小说画报》,词取浅显,意取高深,用以杂志体例,以为迟懒之鞭策,读者诸君其有以教诲之乎!天笑生识。

无独有偶,就在同月,新文学的重要提倡者胡适发表了《文学改良刍议》。可见,"小说以白话为正宗",已经是人所共识,大势所趋。

中国的传统文学究竟能不能"自然进化"为现代文学,这是一个很难假设的逆向推断。不过历史的事实是,满清王朝的结束和中华民国的建立,加速了现代文学的诞生。

维新运动之后的清末文学,带有强烈的政治革命色彩,用鲁迅的话说,是"听将令的文学"。这种文学在政治上的目的是宣传民主共和,民族独立,与孙中山的"驱除鞑虏,恢复中华"互为表里。然而辛亥革命的突然成功,大多数国民并没有预期的心理准备。文学迅速失去了意识形态指向,重新沦入游戏娱乐的常态。民国初年的政坛,格局混乱而约束松弛,文化界相对处于"自为"状态。文学的组织化进程突然中断,这就需要一场对辛亥革命的"思想补课"来重新组织文坛。蔡元培的改革北京大学,实际上具有对文化界重新集结和排序的意味。虽然建立了中华民国,但是并没有一种"民主共和国"的文化气象,以致鲁迅多次感叹说仿佛很久已经没有所谓"中华民国"。名义上的民国,骨子里仍然是皇帝国和奴隶国。政治复辟、军阀混战、外侮频仍、民不聊生,这一切都困扰着中国的思想者和创作者。中国需要一种崭新的叙述和抒情,来赋予这个古老的国度以新的历史,新的生命。问题和工具都找到了,队伍也集结完毕,又恰逢政府无力控制文化界的乱世良机,于是,中国现代文学就仿佛是"春来草自青"地发生了。

（四）新文化运动

中国现代文学发生的具体摇篮,是新文化运动。

1915 年 9 月 15 日,中国历史上最著名的一份刊物在上海问世。开始叫做《青年杂志》,从第 2 卷起改名《新青年》。

主编陈独秀在创刊号上发表《敬告青年》一文,指出新陈代谢是宇宙间的普遍规律,"人身遵新陈代谢之道则健康,陈腐朽败之细胞充塞人身则人身死;社会遵新陈代谢之道则隆盛,陈腐朽败之分子充塞社会则社会亡。"由此向青年提出六点希望:

一、自由的而非奴隶的。

二、进步的而非保守的。

三、进取的而非退隐的。

四、世界的而非锁国的。

五、实利的而非虚文的。

六、科学的而非想像的。

这六点希望包含了民主、科学、开放、革新等新文化运动的主要内容。

陈独秀号召 20 世纪的青年，彻底清除做官发财思想，"精神上别构真实新鲜之信仰"。他主张当今的教育方针是：

第一，当了解人生之真相。

第二，当了解国家之意义。

第三，当了解国家与社会经济之关系。

第四，当了解未来责任之艰巨。

陈独秀期望培养出一代"意志顽狠，善斗不屈，体魄强健，力抗自然，信赖本能，不依他为活，顺性率真，不饰伪自文"的新国民。

在《我之爱国主义》一文中，陈独秀指出：

今日之中国，外迫于强敌，内逼于独夫……而所以迫于独夫强敌者，乃民族之公德私德有以召之耳，试观国中现象，若武人之乱政，若府库之空虚，若产业之凋零，若社会之腐败，若人格之堕落，若官吏之贪墨，若游民盗匪之充斥，若水旱疫疠之流行；凡此种种，无一不为国亡种灭之根源。

由此陈独秀提倡"勤、俭、廉、洁、诚、信"几个大字，作为"救国之要道"。

一旦发生了亡国灭种的危机，那么，不论这个文明曾经有过怎样的光荣，都不能不使人深刻反省它的积弊。

从鸦片战争到五四运动将近 80 年的时间里，中国人一方面努力变法图存，另一方面也努力用自己的传统文化去抗击和消解外来的西方文化。然而，洋务运动搞了几十年，中国还是一次接一次地战败。这便使 20 世纪初年的有识之士认识到：对于我们所珍爱的文化传统，必须进行一番认真的清理和变革了。鲁迅说："不能革新的人种，也不能保古的。"

其实，就在五四前后，统治中国人大脑的，还是纲常名教和鬼狐报应之说。辛亥革命驱逐了满族的皇帝，但并未触及中国人大脑中的皇帝。1916年袁世凯要称帝，1917 年张勋要复辟，这些"壮举"并非是毫无民意基础的纯闹剧。拥护帝制的人士中，不乏辛亥革命的功臣。曾经被视为激进党的康有为，此时却大力宣传要把孔教定为国教、列入宪法。在失去了朝廷上的皇帝的人心惶惶中，人们对心中的皇帝的依赖变得更急迫、更虔诚了。

陈独秀在《旧思想与国体问题》一文中说："腐旧思想布满国中,所以我们要诚心巩固共和国国体,非将这班反对共和的伦理文学等等旧思想,完全洗刷得干干净净不可。否则不但共和政治不能进行,就是这块共和招牌,也是挂不住的。"

针对各地兴起的祭孔读经热潮,五四新文化运动集中锋芒加以批判。最早反对把孔子学说定为一尊的文章是易白沙的《孔子平议》,随后更多的人投入进来。

吴虞发表了《家族制度为专制主义根据论》、《儒家主张阶级制度之害》、《辨孟子辟杨墨之非》、《对于祀孔问题之我见》、《吃人与礼教》等文章,对封建旧文化旧礼教进行严厉的批判。他说:

二十四史,徒为帝王之家谱,官吏之行述,陈陈相因,一丘之貉。……知有君主而不知有国家,知有个人而不知有群体,恢张君权,崇阐儒教;于人民权利之得失,社会文化之消长,概非所问。历史即为朝廷所专有,于是舍朝廷之事,别无可记。

呜呼!孔孟之道在六经,六经之精华在满清律例,而满清律例则欧美人所称为代表中国尊卑贵贱阶级制度之野蛮者也。

天下有二大患焉:曰君主之专制,曰教主之专制。君主之专制,钤束人之言论;教主之专制,禁锢人之思想。君主之专制,极于秦始皇之焚书坑儒,汉武帝之罢黜百家;教主之专制,极于孔子之诛少正卯,孟子之拒杨墨。

吴虞犀利地指出了儒教与专制的关系,特别对封建统治者借作护命符的孔子学说进行了勇敢的质疑和批判,打破了封建圣人的偶像,因此被胡适称为"四川省只手打孔家店的英雄"。

中国共产党创始人中的"南陈北李",都是五四新文化运动的主将。李大钊(1889—1927),字守常,河北乐亭人。他发表的《孔子与宪法》、《自然的伦理观与孔子》、《乡愿与大盗》等文,反对把孔教列入宪法,指出儒家"三纲"是"历代帝王专制之护符",是"专制政治之灵魂"。但同时李大钊说明:"余之掊击孔子,非掊击孔子之本身,乃掊击孔子为历代君主所雕塑之偶像也。"

其实这是新文化运动先驱们的共识。他们都认为孔子本人在历史上是圣哲,是伟人。陈独秀曾规劝青年要以孔子、墨子为榜样,吴虞也说过孔子是当时之伟人,李大钊说孔子是其生存时代之圣哲,其学说亦足以代表当时之道德。还说孔子如果活到今天,会创造出新的学说以适应现代社会。可见他们并非全盘否定孔子,而是认为孔子的许多思想不适于今天,并且儒家只是百家中的一家,不能定为一尊,陈独秀、易白沙、吴虞等人都很推崇墨子的思想。在五四新文化先驱的意识里，国学的范围要比孔学的范围大得多。实际上五四新文化运动是由多种思潮组成的，有比较激进的，例如《新青年》，有比较保守的，例如学衡派，但学衡派也是赞成改革的，还有主张兼容并包的，例如蔡元培。他们都主张改革传统文化，但谁也没有完全否定和抛弃传统文化。

陈独秀说："孔教为吾国历史上有力之学说，为吾人精神上无形统一人心之工具，鄙人皆绝对承认之，而不怀丝毫疑义。"

"我们反对孔教，并不是反对孔子个人，也不是说他在古代社会无价值。不过因他不能支配现代人心，适合现代潮流，还有一班人硬要拿他出来压迫现代人心，抵抗现代潮流，成了我们现代进化的最大障碍。"

吴虞也说："我们今日所攻击的乃是礼教，不是礼仪。"

新文化运动猛烈地抨击旧思想旧道德，大力介绍自由平等学说、个性解放思想、社会进化论等各种西方思潮，尤为突出地高举民主与科学两面大旗。根据民主、科学两词的译音（Democracy 和 Science），当时又称为"德先生"与"赛先生"，五四先驱们认为，中华文明所急需输入的新鲜血液非这两位先生莫数。陈独秀在《新青年》六卷一号发表《本志罪案之答辩书》，表示"若因为拥护这两位先生，一切政府的压迫、社会的攻击笑骂，就是断头流血，都不推辞"。

新文化运动发展到高潮，文学革命的要求就出现了。李大钊在他担任总编辑的《晨钟报》创刊号上说：

> 由来新文明之诞生，必有新文艺为之先声，而新文艺之勃兴，尤必赖有一二哲人，犯当世之不韪，发挥其理想，振其自我之权威，为自我觉醒之绝叫，而后当时有众之沉梦，赖以惊破。

文学是思想文化、伦理道德的重要载体，要革新旧文化，就必须革新旧文学。陈独秀说：

> 要拥护那德先生，便不得不反对礼教、礼法、贞节、旧伦理、旧政治。要拥护那赛先生，便不得不反对旧艺术、旧宗教，要拥护德先生，又要拥护赛先生，便不得不反对国粹和旧文学。

于是，一场反对文言、提倡白话，反对旧文学、提倡新文学的文学革命势不可挡地发生了。中国现代文学正式揭开了第一页。

文学革命与白话文学

（一）文学革命的胜利

新文化运动发展到改革思想工具的阶段，就水到渠成地引起了文学革命。

1917 年,两篇重要文章的问世,标志着文学革命的开端。这两篇文章都发表在《新青年》上。一篇是胡适的《文学改良刍议》,一篇是陈独秀的《文学革命论》,这是两篇具有重大历史意义的文献。

胡适在《文学改良刍议》中提出文学改良应从八件事入手,八事者何?曰:

第一,须言之有物;

第二,不模仿古人;

第三,须讲求文法;

第四,不作无病之呻吟;

第五,务去滥调套语;

第六,不用典;

第七,不讲对仗;

第八,不避俗字俗语。

他讲的这八件事都是针对文言文而发,后来修改总结为"八不主义"。胡适的这篇应陈独秀之约所写的文章一般被认为是文学革命的嚆矢。

陈独秀其实是这场革命的总导演,他发表了胡适的文章后,随即发表了更具理论色彩的《文学革命论》,提出了著名的"三大主义":

曰推倒雕琢的阿谀的贵族文学,建设平易的抒情的国民文学。

曰推倒陈腐的铺张的古典文学,建设新鲜的立诚的写实文学。

曰推倒迂晦的艰涩的山林文学,建设明了的通俗的社会文学。

简单地说,三大主义是三个推翻和三个建设:推翻贵族文学,建设国民文学;推翻古典文学,建设写实文学;推翻山林文学,建设社会文学。

胡适的"八不主义"和陈独秀的"三大主义"就成了文学革命的两面旗帜。

当文学革命的主张在社会上激起各种攻击议论时,《新青年》的钱玄同和刘半农在杂志上演出了一场双簧剧。钱玄同化名为王敬轩,把当时反对文学革命的意见集中起来,给《新青年》写了一封信,指责"贵报对于中国文豪,专事丑诋。其尤可骇怪者,于古人,则神圣施耐庵曹雪芹而土苴归震川方望溪,于近人,则崇拜李伯元吴趼人而排斥林琴南陈伯严。甚至用一网打尽之计,目桐城为谬种,选学为妖孽……呜呼,如贵报者,虽欲不谓之小人而无忌惮,盖不可得矣"。然后《新青年》编辑部的刘半农写一封回信《复王敬轩书》,对"王敬轩"的言论进行一一批驳。这种现在媒体很常见的扩大影响的手段,在当时是十分前卫的。

1918 年,《新青年》全部采用白话。1920 年,中国政府规定白话为国语,通令全国学校采用,影响至深且巨。这期间新旧文学之间还有许多斗争,但都无关大局。文学革命已是大势所趋,只等待具体的创作来充实。一个崭新的现代文学时代诞生了。

（二）初期的理论建设

现代文学与传统文学的一个重要区别是,先有理论,后有创作。理论的指导意义对于现代文学是至关重要的。

除了胡适的《文学改良刍议》和陈独秀的《文学革命论》外,文学革命运动中还有一些重要文章,从各个侧面参与了新文学初期的理论建设。

周作人的《人的文学》和《平民文学》,是文学革命中两个内容很具体的指导性文件。陈独秀的"三大主义"题目很大,具体应该建设怎样的文学说得还不够清楚。周作人的这两篇文章就说得很明确,《人的文学》主张要写人的文学,他认为古代文学不是人的文学。他从西方进化论的角度来论述人,认为人有灵和肉两方面,古代文学压抑人的肉欲方面,不能写人的欲望,要"存天理,灭人欲","饿死事小,失节事大"。周作人认为我们应该尊重人,尊重人的动物性、人的欲望,把灵和肉结合起来写,"养成人的道德,实现人的生活"。《平民文学》主张要写平民的文学,"第一,平民文学应以普通的文体,写普遍的思想与事实。我们不必记英雄豪杰的事业,才子佳人的幸福,只应记载世间普通男女的悲欢成败。……第二,平民文学应以真挚的文体,记真挚的思想与事实。"周作人还特别强调平民文学"决不单是通俗文学",也"决不是慈善主义的文学",这对于新文学初期的创作是具有极大的启发意义的。

现代文学从一开始就存在一个矛盾,就是人道主义与个性主义的矛盾。它要表现平民,表现普通百姓的悲欢,那就要讲人道主义,要关心他人,要关心天下。另一方面它主张发扬个性,充分发展个人。这两者之间是存在内部的矛盾的。自我的个性发展多了,是不是就会影响他人的个性? 人道主义讲多了,是不是会压抑个性? 两者不同比例的融合,构成了现代文学复杂的思想性。

新文学初期的理论性文章还有胡适的《建设的文学革命论》,他说:

> 所以我认为我们提倡新文学的人,尽可不必问今日中国有无标准国语。我们尽可努力做白话的文学。我们可尽量采用《水浒传》《西游记》《儒林外史》《红楼梦》的白话;有不合今日之用的,便不用它;有不够用的,便用今日的白话来补助。这样做去,决不愁语言文字不够用,也决不用愁没有标准白话。中国将来的新文学用的白话,就是将来中国的标准国语。创造将来中国白话文学的人,就是制定标准国语的人。

胡适的主张是颇具策略性的。胡适后来解释说："我们当时抬出'国语的文学,文学的国语'的作战口号,做到了两件事:一是把当日那半死不活的国语运动救活了;一是把'白话文学'正名为'国语文学',也减少了一般人对'俗语'、'俚语'的厌恶轻视的成见。"(《中国新文学大系·理论建设集》导言)

新文学初期的理论建设宗旨是"立足",至于新文学自身的理论问题,则要在以后的发展中去深入探讨了。

（三）纷起的文学社团

现代文学与传统文学的区别之一是组织化程度的强弱。中国古代文学史上,也曾存在过形形色色的文学集团和流派,但是,发表正式的宣言,制订正式的章程,设立明确的组织机构,刊行固定的机关刊物,开展系统的话语活动,则是新文学才有的。文学社团的纷起,是新文学初期的重要景观。比较重要的文学社团有新潮社、文学研究会、创造社、湖畔诗社、雨丝社、莽原社、未名社、浅草—沉钟社等。其中影响最大的当推文学研究会和创造社。

文学研究会1921年1月成立于北京,由周作人、郑振铎、沈雁冰、叶绍钧、许地山、王统照等12人发起,以《小说月报》为机关刊物。

在文学研究会的成立宣言中,有一句著名的话:"将文艺当作高兴时的游戏或失意时的消遣的时候,现在已经过去了,我们相信文学是一种工作,而且又是于人生很切要的一种工作。"这句话被视为文学研究会"为人生"宗旨的证明。

在《文学研究会》简章中,第一条是命名,第二条是"本会以研究介绍世界文学、整理中国旧文学、创造新文学为宗旨"。这一宗旨包揽了当时的中国文学事业的全部。另外八条,则分别规定了入会条件和程序、本会事业、会议召集办法、选举制度、费用来源、分会制度、修正办法等。如此严密有序的"简章",在中国文学史上可称亘古未有。

与文学研究会大异其趣的文学社团是创造社。创造社一般被认为是成立于1921年7月,不过直到1921年9月29日,上海《时事新报》刊登的《纯文学季刊〈创造〉出版预告》才正式宣布了这个组织的问世。预告说:

自文化运动发生后,我国新文艺为一二偶像所垄断,以致艺术之新兴气运,渐灭将尽。创造社同人奋然兴起打破社会因袭,主张艺术独立,愿与天下之无名作家共兴起而造成中国未来之国民文学。

预告中所列创造社同仁为:田汉、成仿吾、郁达夫、郭沫若、张资平、郑伯奇、穆木天。

与文学研究会不同的是,创造社的矛头不是直接指向旧文学,而是指

文
学
如
何
现
代

向新文艺。创造社的问世,揭开了新文学内部斗争的序幕。

创造社的文学宗旨既不是"为人生",也不是"为艺术",而是重在"内心的要求和表现"。1925年后,创造社发生了重大的转向,越来越趋向"革命文学",到1929年被政府查封。

1921年9月,在美国波士顿美东中国同学会年会上,美国新人文主义大师白璧德(Babbite)做了题为《中国与西方的人文教育》的演说,认为中国"万不能忽视其伦理的一面,也万不能成为假伦理,而假如贵国对今日西方流行的若干观念不加批评地予以接受的话,就很可能产生这种成为假伦理的结果。明白说来,贵国很可能失去贵国的伟大而文明的过去中的精粹,却并未得到西方的真正文明"。白璧德呼吁建立"人文国际",发扬中西方各自的文化传统,他的几个来自北京清华学堂的学生梅光迪、吴宓、胡先骕深受影响。吴宓发表了《论新文化运动》。三人回国后,聚集到南京东南大学,坚定了反对新文化运动的共同志向,遂于1922年1月创立《学衡》杂志社。《学衡》从1922年1月一创刊,就攻击新文化运动的主要领袖。创刊号上的宗旨曰:"论究学术,阐求真理,昌明国粹,融化新知。以中正之眼光,行批评之职事。无偏无党,不激不随。"学衡派的立场在当时颇受非议,但是到20世纪末,又重新得到重视和研究。

1922年3月,因读了汪静之诗作而与之通信的上海银行职员应修人,到杭州与汪、潘谟华、冯雪峰会晤。四人游山赏湖,谈文品诗,为了纪念这次聚会,他们合出了一本诗集,题名《湖畔》,并由此成立了中国第一个新诗组织——湖畔诗社。

据统计,从1921年到1923年,全国出现大小文学社团四十多个,文艺刊物50多种。而到1925年,社团和刊物都突破了一百。比较著名的还有:在上海有欧阳予倩、沈雁冰、郑振铎发起的民众戏剧社,胡山源等组成的弥洒社,田汉所办的南国社,高长虹等先后活动于京沪两地的狂飙社;在长沙有李青崖等组织的湖光文学社;在武昌有刘大杰等组成、受到郁达夫支持的艺林社;在天津有赵景深、焦菊隐等组织的绿波社;在北京,则有鲁迅、孙伏园、钱玄同、川岛、周作人等组成的语丝社,杨晦、陈炜谟、陈翔鹤、冯至组织的以浅草社为其前身的沉钟社,韦素园、李霁野、台静农等在鲁迅主持下组织的未名社。沈雁冰评论道:"这几年的杂乱而且也好像有点浪费的团体活动和小型刊物的出版,就好比是尼罗河的大泛滥,跟着来的是大群的有希望的青年作家,他们在那迅猛的文学活动的洪水中已经练得一副好身手,他们的出现使得新文学史上第一个'十年'的后半期顿然有声有色!"这是几千年中国文学史上从未有过的繁荣。

（四）早期的文学创作

新文学在创作上最早显露创新实绩的是诗歌。其他文体兴起稍晚，这里主要先介绍新诗。

诗歌这种形式，在各种文学体裁中比较短小，它比较敏感，反映问题比较迅速，在很多历史的转折时期，往往是诗歌首先作出反应，五四文学革命也是一样。五四文学革命一开始是提出一些主张、树立一些旗帜，但是时代要求新文学在创作实践上必须拿出有力的作品来证明自己的主张。最早的突破就是在新诗这里打开的，新诗首先呼应了文学革命。

新诗运动是从诗的解放入手的。关于诗歌改革，晚清曾有过"诗界革命"，黄遵宪提出要"我手写我口"，他们的诗界革命最后没有成功，原因在于当时还不敢打破旧的格律。中国古代诗歌的核心精华之一就是格律。相对严格的格律使诗歌读起来很好听，但是写的时候很费心。后来发展成一种纯形式的东西，变成只有格律而没有诗，甚至像《红楼梦》中贾宝玉说的，"押韵便好"。如果不打破这个格律，就不能进行革命。把"火车、地球"这些新名词装进去，然而还是按照旧的格律，有时就给人不伦不类的感觉。

首先敢于打破这种格律的人是胡适，这是胡适在新文学创作方面的一个贡献。胡适的功绩在于他总结了前人的经验，打破了格律这个枷锁。为了打破旧诗的格律，他把眼光放到外国诗上。其实外国诗也自有其格律，不过在中国人看来自由得多了。通过接触外国诗，很多人，像朱自清、胡适这些人认识到，新诗要现代化，必须先欧化，向欧美的诗歌学习。文学革命早期的许多人，其实并不是诗人，他们是为了时代的要求而尝试写一种新的诗歌，其中最有代表性的就是胡适。他出版了第一个新诗集，叫《尝试集》，其中的一些诗在后人看来是很可笑的，但它毕竟是新文学的第一部诗集。新生事物一开始是难免显得幼稚可笑的。例如著名的《蝴蝶》一诗：

> 两个黄蝴蝶，
> 双双飞上天。
> 不知为什么，
> 一个忽飞还。
> 剩下那一个，
> 孤单怪可怜。
> 也无心上天，
> 天上太孤单。

可能后世的一个小学生也会写得比它好。但是没有这个开始，后人也写不出这种东西。像《蝴蝶》这样的诗，还是很像旧诗的。它一共八句，每句五个字,很整齐,还都押着韵。所不同的是它打破了平仄的格律,而且不避俗语俗字,不用典,不对仗,想怎么说就怎么说,符合胡适自己讲的"八不主义"。这首诗虽然意思很简单,但是也表达了一种很孤独的情绪。胡适除了《蝴蝶》之外,还写了鸽子、老鸦等天上飞的东西,他写这些东西是表达一种又想自由又感到孤独的心情。

随着《尝试集》的出版,早期有很多人来写这种非常简单平实的诗歌,写得多了,到后来就打破了整齐的形式而写成长短不齐的东西。沈尹默有一首叫做《月夜》的诗:

> 霜风呼呼地吹着,
> 明月朗朗地照着。
> 我和一棵树,并肩立着,
> 然而却没有靠着。

这首诗已经颇有深意了。从形式上看,它长短不齐,比较自由;当然还是暗暗押着韵的:"照着、靠着",二、四行押韵。但是这个韵基本上是自然的,比较自然好听;里面又有很多虚词叠字,用"着"结尾,形式上是很自由的。它的思想内容也和五四精神是一致的。"霜风呼呼地吹,明月朗朗地照"是一个比较清新的环境;后两句写树和人二者在宇宙中都是各自独立的,树比人高大,人比树矮小,他强调人没有靠在树上,这是一种独立的不依赖他物的精神意识。

早期新诗担负了各种各样的任务,人们用它来反映时代气息、呼唤改革;用它来表达个性解放,表达人道主义,关心普通劳动者。像刘半农的一些诗,如《相隔一层》,讲严冬季节里,屋子里边的有钱人嫌屋子里边太热要开窗户,窗户外的乞丐冻得要死;屋里屋外只隔一层窗纸。中国诗歌至此走上了一条新的发展道路。

这个时候,很多刊物如《新青年》、《新潮》都发表白话诗。早期写新诗的,除胡适、沈尹默、刘半农之外,还有俞平伯、康白情、刘大白、周作人、朱自清、李大钊、陈独秀、鲁迅等。

早期新诗重实感不重想像,写得很平实,是现实主义的。在具体的写法上,多用白描手法,多用比喻,也用一点象征。后来茅盾先生评价说早期新诗"带有历史文件的性质"。这样的诗歌偏于说理。五四就是一个说理的时代,一个辩论的时代。而这样的诗也就有些散文化。

这个时期的诗以胡适为代表,所以像胡适这样的诗又被称为"胡适之体"。胡适也认识到他自己的诗的这种特点,他说他的诗是继承元(结)白(居易)苏(东坡)辛(弃疾),讲究清楚明白,所以又可以叫做"词化的新诗"。长短不齐,还押韵,很类似于词。胡适比喻说这就像过去缠足的女人,现在刚刚把脚放开一点。这时候的诗就是这样一种情况,处于过渡时期,它不是完全自由的。

"胡适之体"是第一个阶段,新诗刚刚开始,它的历史意义只是解放或者说是破坏。有了它之后,就把旧诗破坏了,推出一种新的东西。接下来的一个阶段,在一批写新诗的人之中,有两个人进一步打破了旧诗的镣铐。他们代表了比较欧化的一面,这两个人就是周氏兄弟——周树人和周作人,他们都不是诗人。他们写的不多的几首新诗比较追求自然的节奏。周作人写的《小河》,当时胡适看了非常高兴,说它是"第一首杰作"。虽然在后人看来,它也是很平淡的,但比起胡适他们写的要好得多了。

《小河》比较长,用一种象征手法,开头就说"一条小河,稳稳地向前流动。经过的地方,两面全是乌黑的土",然后讲"一个农夫背了锄来,在小河中间筑起一道堰",像散文似的写法。他写这个农夫要挡住这条小河,而小河总是向前流,最后没挡住。这是一种非常简单的象征,小河显然象征一种向前的东西,有人要阻止它前进。这种方式被胡适认为是新诗中的第一首杰作。

鲁迅的新诗也是用纯粹的白话来表达现代的思维方式,也是有象征性的,写得比较有深度。如《梦》:

> 很多的梦,趁黄昏起哄。
>
> 前梦才挤却大前梦时,后梦又赶走了前梦。
>
> 去的前梦黑如墨,在后的梦墨一般黑。
>
> 去的在的仿佛都说,"看我真好颜色"。
>
> 颜色许好,梦里不知;
>
> 而且不知道说话的是谁?
>
> 暗里不知,身热头痛。
>
> 你来你来! 明白的梦!

这个"梦",意思比较复杂。梦,一般人们把它当作是理想的代名词,梦是希望。但在鲁迅笔下的这个梦,似乎不好。"很多的梦,趁黄昏起哄",黄昏是一个不明白的时刻、暧昧的时刻。明暗之间有很多梦,一个梦赶着一个梦,后梦赶着前梦。这些梦代表着曾经有过的人生理想、人生追求,这些理想一个赶走了一个。我们要联系鲁迅走过的道路和他成长的时代来看这个问题。他说过他年轻的时候就做过许多梦,比如他要学医来救国,这个梦后来破灭了,他有很多这种梦都破灭了,所以他总结一句说"去的前梦黑如墨,在后的梦墨一般黑"。这些梦都是黑的,不是光明的。鸦片战争后,中国人做了那么多的梦,什么实业救国、教育救国,什么什么救国的,这些梦都破灭了。这些梦当初都觉得很好,后来都不行了,这些梦使诗人身热头痛。鲁迅最后呼唤："你来你来！明白的梦"。这首诗是欧化的，比较有现代性。

鲁迅还有一首诗叫《爱之神》：

> 一个小娃子，展开翅子在空中，
> 一手搭箭，一手张弓，
> 不知怎么一下，一箭射着前胸。
> "小娃子先生，谢你胡乱栽培！
> 但得告诉我，我应该爱谁？"
> 娃子着慌，摇头说，"唉！
> 你是还有心胸的人，竟也说这种话。
> 你应该爱谁，我怎么知道。
> 总之我的箭是放过了！
> 你要是爱谁，便没命的去爱他；
> 你要是谁也不爱，也可以没命的去自己死掉。"

这首诗放到鲁迅的思想体系中来看，是和鲁迅对爱情的看法有关系的。在鲁迅看来，传统的中国诗歌不重视爱情。中国古代很少有真正的爱情诗，为数很少的爱情诗也写得模糊朦胧。五四以后，中国人开始接触现代方式的爱情，但却处于一种尴尬状态：有了爱情却不晓得该爱谁，没有爱的对象。被娃子射中的先生可说是代表中国觉醒了的青年，有了爱情要求的青年，但是黑暗的中国现实没有他们可爱的对象。而爱神只管到处胡乱放箭，把爱情的火苗点燃就走了，他好像是一个启蒙者的形象。你爱谁你应该自己去决定，幸福应该自己去创造，所以最后说"你要是爱谁就没命的去爱他"。把爱情的价值放到很高的位置上是近现代以来的事情，比如鲁迅介绍的裴多菲的诗"生命诚可贵，爱情价更高"。此诗表达了一种投入的积极争取生命独立价值的现代精神。

新诗经过几年的发展，到了1921年，第一个新诗社团成立了，就叫"中国新诗社"，他们出版了第一个新诗刊物《诗》月刊。但是所有这些加起来，还是使人感到不能适应五四时代的要求。和陈独秀提出的"推翻、建立"那样庞大的体系相比，诗的格局气魄还是显得小，还必须进一步解放。

新文学初期的创作平均水准最高的要数散文，因为中国本是散文大国，古典散文蕴积了深厚的艺术经验，一旦加以白话的解放，其美学潜藏就迸发出来。而文言文的压迫，也激励作家们写出优美胜前的高质量散文来。林纾曾说如果运用那些"引车卖浆之徒"所操之语来写文章，"则凡京津之稗贩，均可用为教授矣"（《致蔡鹤卿书》），极力贬抑白话文的美学功效。这就给新文学作家提出了一个课题，必须用白话做出达到乃至胜过文言艺术水准的一批佳作。

新文学的散文首先是以"杂文"面世的。从《新青年》上的"随感录"专栏开始,经过鲁迅等人的大力实践倡导和艰苦探索耕耘,杂文终于成为现代散文中登堂入室的高成就、高产量的重要文体。

随后被加以大力倡导的是"美文",然后现代散文就进入了多姿多彩的百花齐放阶段,出现了鲁迅、周作人、冰心、朱自清等一大批优秀的散文家。报告文学也开始起步。(详见散文一章)

小说是现代文学的核心文体。一部古代文学史删去小说部分仍然可以成立,但是现代文学失去小说就"溃不成军"。中国现代文学得天独厚的是,一开始就出现了一座小说的高峰——鲁迅的《狂人日记》。鲁迅在《呐喊》自序中写道:

> 在我自己,本以为现在是已经并非一个切迫而不能已于言的人了,但或者也还未能忘怀于当日自己的寂寞的悲哀罢,所以有时候仍不免呐喊几声,聊以慰藉那在寂寞里奔驰的猛士,使他不惮于前驱。至于我的喊声是勇猛或是悲哀,是可憎或是可笑,那倒是不暇顾及的……

此后鲁迅"便一发而不可收",写出了后来结集为《呐喊》的一系列现代小说的奠基之作。严家炎论道:"中国现代小说在鲁迅手中开始,又在鲁迅手中成熟"(《鲁迅小说的历史地位》)。应该说,没有鲁迅个人的长期思想准备和艺术积累,新文学小说是不可能在发端期就取得如此之高的成就的。

鲁迅之外,一批青年作家也开始了小说创作。但其他的早期小说尚显幼稚,尤其表现在"问题小说"方面。

五四时代是一个发现问题、提出问题的时代。在中国人面前突然出现了许许多多的问题:宇宙问题、人生问题、社会问题、妇女问题,恋爱、婚姻、家庭、科学、民主、自由、平等……这使五四成了一个理性思考的时代。与这些问题相关联,就出现了一批"问题小说"。这些小说一般都是以故事的形式提出当时人们普遍关心的问题,有些小说还提供了或试图寻找解决问题的方法。当时一些作品的题目就是带着问号的,如叶圣陶的《这也是一个人?》,罗家伦的《是爱情还是痛苦?》等。

1919 年是问题小说达到高峰的一年,有人称之为问题小说年。主要作者有冰心、王统照等。

戏剧文学也是新文学初期的一个亮点。中国戏剧有自己悠久的历史和独特的美学范式。西方的话剧被引入中国后,带来了新的观看和欣赏模式。经过几十年的缓慢萌芽,到 1906 年,才有中国最早的话剧团体"春柳社"在日本东京上演了《黑奴吁天录》。不过这时还没有真正的"戏剧文学",那些被称作"文明戏"的演出一般都是"幕表制",只有演出大纲,没有详细的剧本,由演员自由发挥。这样的文明戏,在辛亥革命前比较兴盛,因为演员的现场演讲使观众很感兴趣,也与传统戏曲中演员观众相互交流的模式相近似。但是辛亥革命以后,宣传革命的内容失去了现实意义,文明戏就开始走下坡路。到了五四新文化运动时,一方面否定传统戏曲的呼声很高,另一方面对文明戏的批判也很尖锐。

为了矫正中国戏剧单纯娱乐的倾向,新文学界引进了挪威戏剧家易卜生的"人生剧",如《玩偶之家》、《国民公敌》、《群鬼》等,这些戏剧被解读为个性解放、妇女解放的文本,在当时发挥了相当大的思想普及作用。易卜生也成了一个颇有几分神圣的名字。受《玩偶之家》女主人公"走出家庭"主题的影响,胡适创作了《终身大事》。但是中国话剧真正成形,还是五四高潮过后,一批戏剧团体建立之后的事情。

到1921年前后,中国的现代文学从理论到创作,都初具规模。中国文学进入了一个崭新的时代。

中国现代散文的建立和发展

中国古代散文有着悠久而辉煌的传统。在新文化运动中横空出世的现代散文,一方面是新思想新道德的载体,另一方面则担负着建立现代文章美学范式的使命。经过二十年左右的艰苦努力,现代散文无论在数量上还是在质量上,都取得了令人振奋的成就,在语法、风格、文体等多方面,为中国现代书面写作奠定了宽阔而坚实的基础。本文立足于散文自身的美学特征,结合整个现代中国文化背景,从以下四个方面略作探讨。

(一)"随感录"所开创的杂文

新文化运动伊始,现代散文就在对"选学妖孽,桐城谬种"的讨伐声中显露出一副生气勃勃的战斗姿态。它使用清楚明白、逻辑严密的白话,借助西方语言的句法、章法和某些概念,不为圣人立言,抒发个人意志,标举科学与民主的旗帜,笔法大胆创新,洋溢着激进批判的青春气息。这种战斗性的文字,为新文学冲荡出一片开阔的战场。随后其他风格的新式散文,也纷纷登场亮相。

1918年4月,《新青年》第4卷第4期,首创了一个"随感录"专栏。后来成为日常词汇的"随感"二字,在当时包含着个性解放的自由意义,它是打破"文以载道"僵化堡垒的炸药包。以"随感录"为代表的同类文章,开启了现代散文的一个大宗——杂文。《新青年》以外,李大钊、陈独秀主持的《每周评论》,李辛白主持的《新生活》,瞿秋白、郑振铎主持的《新社会》,邵力子主持的《民国日报》副刊《觉悟》等,都开辟了"随感录"专栏。其他许多报刊则辟有"杂感"、"评坛"、"乱谈"等栏目,与"随感录"共同成为杂文的摇篮。其中产生了陈独秀、李大钊、鲁迅、周作人、刘半农、钱玄同等一批优秀的杂文家。从《新青年》到《莽原》、《语丝》,再到20世纪30年代以后的《萌芽》、《太白》、《中流》,战斗性的杂文成了现代散文最有力量的组成部分。

陈独秀的杂文,感情充沛,气势磅礴。像《下品的无政府党》、《青年底误会》、《反抗舆论的勇气》等篇,堂堂正正,不容辩难,表现出一种政治家的风采。鲁迅曾赞道:"独秀随感究竟爽快。"李大钊的杂文,在气势上与陈独秀相类似,而运用形象思维更多一些。如《青春》、《今》、《新的! 旧的!》等篇,清新晓畅,脍炙人口。《庶民的胜利》、《Bolshevism的胜利》等篇在语言上将宣传的力度与文辞的优美结合起来。如后一篇中的名句:"由今以后,到处所见的,都是Bolshevism战胜的旗。到处所闻的,都是Bolshevism的凯歌的声。人道的警钟响了! 自由的曙光现了! 试看将来的环球,必是赤旗的世界!"《"中日亲善"》是精彩短论的代表:

> 日本人的吗啡针和中国人的肉皮亲善,日本人的商品和中国人的金钱亲善,日本人的铁棍、手枪和中国人的头颅血肉亲善,日本的侵略主义和中国的土地亲善,日本的军舰和中国的福建亲善,这就叫"中日亲善"。

连用5个"亲善",颠覆了最后一个"亲善",要言不烦,一针见血。

刘半农(1891—1934)的杂文,"一是畅达流利,发挥驳难的气势;二是运用反语,竭尽夸张之能事。无论采取哪一种写法,他都寓庄于谐,以滑稽出之,使读者感到津津有味亲切易懂"。他的名篇有《"作揖主义"》和《复王敬轩书》等,编有《半农杂文》和《半农杂文二集》。钱玄同(1887—1939)的《告遗老》等杂文庄谐杂陈,挥洒自如。他又喜作惊人之语,如说要把京剧"全数扫除,尽情推翻",还提出要废除汉字,以及人过40岁就该枪毙等等。鲁迅评价他的杂文为"颇汪洋,而少含蓄"。

鲁迅、周作人的杂文在当时发挥着主导作用,尤其鲁迅更是杂文的主帅。在他们的影响下,"语丝派"的杂文取得了比较大的成就。

1924年10月,《晨报》副刊的编辑孙伏园因受新月派之排挤而辞职。周氏兄弟鼓励他另起炉灶。于是,1924年11月,《语丝》周刊问世。在发刊词里,周作人写道:

> 我们只觉得现在中国的生活太是枯燥,思想界太是沉闷,感到一种不愉快,想说几句话……我们并没有什么主义要宣传,对于政治经

济问题也没有什么兴趣，我们所想做的只是想冲破一点中国的生活和思想界的浑浊停滞的空气，我们各人的思想尽自不同，但对于一切专断与卑劣之反抗则没有差异。我们这个周刊的主张是提倡自由思想，独立判断和美的生活。

显然，"反抗"，"自由"，"独立"和"美"是《语丝》的宗旨。鲁迅在《语丝》上发表了《论雷峰塔的倒掉》、《看镜有感》、《记念刘和珍君》、《无花的蔷薇》等著名杂文。周作人也发表了《狗抓地毯》、《上下身》、《裸体游行考订》、《日本人的好意》、《关于三月十八日的死者》、《新中国的女子》、《我们的闲话》等战斗篇章。周作人杂文的主要内容是批判复古倒退和崇拜国粹的思潮，剖析国民的劣根性，倡导人道主义，还有一部分是批判日本帝国主义侵华野心的。文章的批判力量和正义气概都与鲁迅有惊人的相似。五四时代的周作人首先是以一个披坚执锐的战士形象出现在读者面前的。

周氏兄弟之外，《语丝》最重要的撰稿人是林语堂（1895—1976）。他在《语丝》上发表了《论士气与思想界之关系》、《悼刘和珍杨德群女士》、《讨狗檄文》、《打狗释疑》、《论骂人之难》等文，揭露军阀政府的倒行逆施，抨击学者名流的丑恶行径，摇旗呐喊，俨然一员闯将。但有时含蓄不够，近于骂人。出版有《剪拂集》。

其他如孙伏园、川岛等，也在"五卅"、女师大风潮、"三一八"、"四一二"等事件上表现出鲜明的战斗风格。这种风格的文章，便被称为"语丝体"。

关于"语丝体"，《语丝》第 54 期的周作人《答伏园论"语丝的文体"》中论道："我们的目的是在让我们可以随便说话。""大家要说什么都是随意，唯一的条件是大胆与诚意。"鲁迅则作了一个几乎成为定论的概括："在不意中显了一种特色，是：任意而谈，无所顾忌，要催促新的产生，对于有害于新的旧物，则竭力加以排击。"

"语丝派"在 20 世纪 20 年代中期经常与"现代评论派"展开论战。现代评论派在杂文方面的主将是陈西滢（1896—1970）。他是《现代评论》杂志"闲话"专栏的作者，文章后来结集为《西滢闲话》，文风颇有特色。他擅长说理议论，但态度比较复杂，常常以冷眼旁观的局外人角度发言，有时未免表里不一，首鼠两端，受到鲁迅等人的鄙视和痛斥。陈西滢有些无所顾忌、直抒胸臆的文字倒是比较精彩。如《民气》的最后一段：

　　其实那高声呼打的已经是好的了，其余的老百姓还在那里睡他们的觉。中国人实在没有什么够得上叫民气，现在有的不过是些学生气。学生固然也是民，可是他们只不过是一千份，一万份里的一份。他们尽管闹他们的，老百姓依然不理会他们的。所以外国的民气好象是雨后山涧，愈流愈激，愈流愈宽，因为它的来源多。中国的民气好像在山顶泼了一盆水,起初倒也"像煞有介事",流不到几尺,便离了目标四散的分驰,一会儿都枯涸在荆棘乱石中间了。

杂文发展到 20 世纪 30 年代,已经成为波涛滚滚的洪流。在所有的左翼刊物如《萌芽月刊》、《前哨》、《北斗》、《十字街头》、《文学》中,杂文都扮演着极为重要的角色。著名的大报《申报》也在"自由谈"栏目中登载了鲁迅等人的大量杂文。杂文在鲁迅等人的手中,成为一种融政论、史论、人论为一体的高级艺术。许多人学习鲁迅的创作风格,一时形成所谓的"鲁迅风"。瞿秋白(1899—1935)就有十几篇杂文长期夹在鲁迅的集子里,令人难以区分。

瞿秋白的政治敏感和文字功底均十分优秀,他的杂文也像鲁迅一样,一方面不拘一格,形式多样;另一方面善于抓典型,画肖像。《王道诗话》、《流氓尼德》、《曲的解放》、《财神的神通》等篇均生动有力,情理交融。后来结集有《乱弹及其他》。

30 年代成长起一批年轻的杂文家。徐懋庸(1910—1977)有《不惊人集》、《打杂集》,唐弢有《推背集》、《海天集》,均有自己的风格。柯灵、巴人、聂绀弩等也比较有名。其他文类的作家也经常兼写杂文。针对日益繁荣的杂文创作,有人批评它不是文学的正宗,指责作者不务正业。鲁迅则说:"我还更乐观于杂文的开展,日见其斑斓。第一是使中国的著作界热闹、活泼;第二是使不是东西之流缩头;第三是使所谓'为艺术而艺术'的作品,在相形之下,立刻显出不死不活相。"将杂文这种文体由凡庸的地位提升到大雅之境,"侵入高尚的文学楼台",不仅表现出鲁迅等人的才华和远见,更昭示着现代文学已经牢固地建立起一种崭新的文学格局。在这种格局中,金字塔式的传统文类主仆关系将演变为远近高低各不同的丰富多彩的现代平等关系。尽管抗战以后杂文创作未再达到二三十年代的繁荣程度,但它作为一种文体在现代文化中的重要性已经是公认无疑了。

(二)周作人与美文的倡导

1921 年 6 月,周作人发表了一篇《美文》,文中说:

> 外国文学里有一种所谓论文,其中大约可以分作两类。一批评的,是学术性的;二记述的,是艺术性的,又称作美文,这里边又可以分出叙事与抒情,但也有很多两者夹杂的。这种美文似乎在英语国民里最为发达……中国古文里的序,记与说等,也可以说是美文的一类。但在现代的国语文学里,还不曾见有这类文章,治新文学的人为什么不去试试呢?……给新文学开辟出一块新的土地来,岂不好么?

周作人这里所说的就是英文里的 Essay,可译作随笔、小品文、絮语散文、家常散文、随笔散文等。鲁迅在《小品文的危机》里说:

文学如何现代

到五四运动的时候，才又来了一个展开，散文小品的成功，几乎在小说戏曲和诗歌之上。这之中，自然含着挣扎和战斗，但因为常常取法于英国的随笔（Essay），所以也带一点幽默与雍容；写法也有漂亮和缜密的，这是为了对于旧文学的示威，在表示旧文学之自以为特长者，白话文学也并非做不到。

幽默、雍容、漂亮、缜密，便是"美文"的主要特点。周作人自己首开风气，写出了许多抒发性情的文字。周作人的所谓"美文"，其实也是含有冷嘲和批判的，但主要以自然平淡的态度出之。如著名的《天足》，第一句便说："我最喜见女人的天足。"文章似破空而起，但接续和收束十分平稳，主题是对缠足恶习的严肃批判，却写得幽默而谦恭，仿佛在自责和检讨，让人在感叹其智慧的同时接受了文章的思想。《初恋》一篇，回忆"引起我没有明了的性之概念的，对于异性的恋慕的第一个人"，结尾写听到那个姑娘"患霍乱死了"后的反应尤其精彩：

> 我那时也很觉得不快，想像她悲惨的死相，但同时却又似乎很是安静，仿佛心里有一块大石头已经放下了。

语气非常平淡，但仔细体会，却于平淡中涌动着某种催人流泪的东西。周作人的"平淡"不是淡而无味，而是"淡"中蕴含着无穷的"浓"，如同一幅立体画，不经意看去，平平无奇，可凝神向深处一看，才发现里面竟有那般奇妙的大千世界。

周作人的美文并不追求文字表面的漂亮和雕琢，而是凭着渊博的学识和恬适淡泊的趣味，把这种文体发展到任心闲话、着手成春的境地。如名篇《谈酒》，开头说："这个年头儿，喝酒倒是很有意思的。"然后叙说家乡做酒、饮酒的习俗，娓娓道来，如对面闲谈。接着谈到自己的酒量、酒趣，不知不觉把话题引到"喝酒的趣味在什么地方"，"照我说来，喝酒的趣味只是在饮的时候，我想悦乐大抵在做的这一刹那，倘若说是陶然那也当是杯在口的一刻罢。"最后却又归到"或者在中国什么运动都未必彻底成功……仍旧能够让我们喝一口非耽溺的酒也未可知。倘若如此，那时喝酒一定另外觉得很有意思了罢？"文章以"意思"始，以"意思"终，寓意深远却又让人浑然不觉，确有大巧若拙之慨。

周作人这种风格的散文带动了一个"闲话风"气候的形成。"如在江村小屋里，靠玻璃窗，烘着白炭火钵，喝清茶，同友人谈闲话，那是颇愉快的事。"这种境界使许多散文作者欣然向往。"随意"，"任心"，也正是五四精神之一种。这其实也是对文以载道的封建传统的"和平瓦解"。周作人在《喝茶》中云："喝茶当于瓦屋纸窗之下，清泉绿茶，用素雅的陶瓷茶具，同二三人共饮，得半日之闲，可抵十年的尘梦。"这里有悠然出世之感。周作人似乎做什么事都有自己的一套"别趣","你坐在船上,应该是游山的态度,看看四周物色,随处可见的山,岸旁的乌桕,河边的红蓼和白萍,渔舍,各式各样的桥,困倦的时候睡在舱中拿出随笔来看,或者冲一碗清茶喝喝。"但这些别趣中,不难品出若干苦味、涩味。读他的文章,感觉他似乎很会饮酒,品茶,欣赏万事万物,很"艺术地生活",但他在实际生活中远没有那么风雅讲究。他所标榜的东西,或许也在表达一种向往和摆脱。这种隐约闪烁着无奈和苦笑的复杂态度,是周作人散文的重要价值所在,同时也预兆和折射着他一生充满矛盾的命运。

散文风格近似周作人的几个年轻作者是俞平伯、钟敬文、废名等。

俞平伯有《杂拌儿》、《燕知草》等集子。他的散文经常示人以一种名士风度,使人于微暖轻醺中有不知身在何世之感。名篇《陶然亭的雪》细描出一个"死样的寂"的雪的世界。《桨声灯影里的秦淮河》是与朱自清同游后的同题之作,朱自清写得简朴舒缓,俞平伯则尽力做出"无所用心"之态,写出一种令人神往的"圆足"的闲适。开头写"我们消受得秦淮河的灯影,当圆月犹皎的仲夏之夜",结尾又对全文所描摹的"当时之感"发出疑惑。重点不在描写秦淮河,而是得意于很多刹那间的感悟,颇有几分"禅"的味道但又略显直露。其实他的闲适也是在幽甜中掺入几丝苦涩。

钟敬文早年的散文集《荔枝小品》依稀有一些周作人的影子。王任叔在给他的信中说:"你的散文是从周作人《自己的园地》里走出来的……不过周作人的散文冲淡而整齐,含义比较深,你的散文,冲淡而轻松,含义比较浅。这怕也是年龄的关系吧。"《花的故事》一篇在语言上颇类周作人,比如开头:"我近来因为谈鸟的故事,竟联想到花的故事,索性也来扯谈一回吧。"下面引用了古今中外一些与花有关的材料,但是并没有表达出什么深意,只留下了一点"闲适"的味道。

废名的散文受到周作人的高度推崇,风格是追求枯涩古怪,表现洗尽烟火气的禅意,有时不容易判断他是真的高深还是故做高深,但其"文体实验"意义无疑是值得肯定的。

用散文表达某种人生意趣和境界的作者在二三十年代还有不少。许地山的《空山灵雨》集子中的散文大都是带一点故事情节的,有点像古代散文,又像是童话、寓言。《落花生》用对话体讲述了一个深入浅出的道理:"人要做有用的人,不要做伟大、体面的人。"在探讨人生苦乐因果得失中,表现出一种自然坚定、无怨无悔的生活态度。沈从文说他是"把基督教的爱欲,佛教的明慧,近代文明与古旧情绪,糅合在一起,毫不牵强地融成一片。"梁遇春(1904—1932)有《春醪集》、《泪与笑》两本散文集,写得机智幽默,充满才情。《"春朝"一刻值千金》提倡"迟起的艺术",因为早早起来把事都做完了,只好呆坐着打呵欠,不如懒在床上享受温馨,还可由于迟起而手忙脚乱,给生活带来刺激。这实际是对中产阶级单调无聊的生活节奏的讽刺。梁遇春常从生活细节中发现某种哲理,又喜作反语,表面看去似乎是标新立异,实质上是一种很成熟的愤世嫉俗。丰子恺(1898—1975)的《缘缘堂随笔》融童心和禅趣为一体,既直率自然,又妙趣横生。夏丏尊(1886—1946)、叶圣陶与丰子恺同为上海立达学园的同事,夏丏尊有一本《平屋杂文》,平实隽永。《钢铁假山》一篇记叙一块炸弹残片的来历,在朴素冷静中深寓着对日本侵略者的愤慨。叶圣陶的文章由于文字平稳流畅和布局严谨有序经常被选入中小学课本,名篇《没有秋虫的地方》、《藕与莼菜》等,具有"天然去雕饰"的清淡之美。

30年代,发生过关于闲适小品的争论。林语堂先后创办了《论语》、《人间世》、《宇宙风》等刊物,提倡"以自我为中心,以闲适为格调",主张"超脱"和"幽默",主张抒写性灵。这与周作人的反对"载道",提倡"言志"是相一致的。鲁迅等人认为这种幽默是"将屠户的凶残,使大家化为一笑","将粗犷的人心,磨得渐渐的平滑"。这实质上是绅士与战士人生姿态选择的不同。"论语派"散文中也有一些比较激烈的批判和辛辣的讽刺。在30年代意识形态对立日趋尖锐明显的文化气氛中,一部分作家试图远离政治漩涡,既是时代的必然,也是文学的所需。闲适的小品与战斗的随笔一道,为现代散文的百花齐放奠定了最重要的两块基石。

(三)朱自清、冰心等人的散文

杂文的本质是战斗,美文的本质是闲适。在战斗与闲适之外,还有相当一批作家致力于表情达意之优美,辞章语言之动人。创造社中的郁达夫,早期的散文纵情挥洒,坦率真挚,表面看去似乎不讲究文字,实际上作者有深厚的古典文学修养,并非仅靠惊世骇俗的宣泄来吸引读者。郁达夫30年代创作了大量的游记,将景色、学识、才情融为一体,充分表现出他驾驭文字的高超功力。郭沫若的散文,抒情性极强,收入小说散文集《橄榄》中的《小品六章》,一方面表现出创造社共有的直抒胸臆的自叙传风格,另一方面又有他个人独特的对于感伤美和悲剧美的追求。如《墓》,写作者为自己戏筑一墓,次日遍寻不见,"啊,死了的我昨日的尸骸哟,哭墓的是你自己的灵魂,我的坟墓究竟往哪儿去了呢?"《白发》一章写因理发而想起远方的姑娘,"啊,你年青的,年青的,远隔河山的姑娘哟,漂泊者自从那回离开你后又漂泊了三年,但是你的慧心替我把青春留住了。"这些文字凄清、空灵,仿佛比闲适散文的大师们还要远离人世,但郭沫若还有另一支粗犷雄壮的笔,写出了《请看今日之蒋介石》等战斗檄文。

朱自清(1898—1948)的散文是公认的现代散文和现代汉语的楷模。

朱自清字佩弦，祖籍浙江绍兴，生于江苏。早年主要写作新诗，后来转向散文创作。其为人为文均表现出中国知识分子正直清白的节操。叶圣陶讲过："论到文体的完美，文字的全写口语，朱先生该是首先被提及的。"白话文究竟能不能达到乃至胜过唐宋八大家之作，朱自清的创作实践是最好的回答。朱自清把古典与现代、文言与口语、情意与哲理、义理与辞章，结合到了近于完美的境地。尽管有"着意为文"，过于精细之嫌，但那既洗尽铅华又雍容华贵的风致，实在是现代散文的骄傲。《匆匆》一篇，简直可说是"一字不易"。它的第一段：

> 燕子去了，有再来的时候；杨柳枯了，有再青的时候；桃花谢了，有再开的时候。但是，聪明的，你告诉我，我们的日子为什么一去不复返呢？——是有人偷了他们罢：那是谁？又藏在何处呢？是他们自己逃走了罢：现在又到了哪里呢？

这是散文，也是诗；是抒情，也是究理。文字间流荡着视觉美和听觉美，可以一遍一遍地诵读，愈读愈觉清新中有醇厚。一个具有普遍意义的时间问题，被干净清爽地剪辑在鸟、树、花的意象中，唤起人充满青春气息的忧伤，仿佛是五四时代的《春江花月夜》。

在朱自清的散文中，汉语的修辞功能被发挥得淋漓尽致而又不觉得炫耀冗赘。他善于集赋、比、兴各种手法，起承转合，手挥目送，既曲尽其意又余韵袅袅。如《绿》中铺写梅雨潭之"绿"的一大段，先用3个"像"，1个"宛然"来比喻那"绿"的姿态、神韵，比喻中配合着通感和拟人，使比喻既准确贴切又活泼跳跃。然后是4个对比，以"太淡"、"太浓"、"太明"、"太暗"来反衬出梅雨潭之绿的恰到好处，不可比拟。这4个比喻和4个对比，写出了被描写对象的"不可描写"性，"一说即不是"，不说又欲说，直抵语言的本质。接着只能以天为喻，只能径直抒情——"那醉人的绿呀！"再加上"醉中"的联想，画龙点睛，最后无以名之，姑以名之：女儿绿。这真堪称是古今中外色彩描写的绝唱，每一字都有节有律，每一句都可赏可叹，动词的传神，形容词的精确，铸词的简练，造句的神奇，处处无懈可击，再不做第二人想。这一段"梅雨潭之绿"，恰好可以用来形容朱自清散文的美学风格：追求不可企及的精美绝伦和恰到好处，清新、明快、典雅、秀丽、悠扬。

作为一位散文大家，朱自清也写过《生命的价格——七毛钱》、《白种人——上帝的骄子！》、《执政府大屠杀记》那样的抒发激愤之情的文章，后期的游记和杂文也被视为更加自然洗练。但那些文章其他人也能写，真正代表朱自清"散文美术师"地位的，可以成为20世纪文章典范而永垂不朽的，无疑要数他的《踪迹》集、《背影》集时代的早期杰作。朱自清对优雅和谐、含蓄节制的美的极致的追求，一方面是中国传统文化精神的延续，另一

文学如何现代

方面也隐含着对中国现实社会景象的逃逸和否定。

冰心以问题小说和小诗成名,但以散文的成就为最高。她自己承认:"我知道我的笔力,宜散文而不宜诗。"但冰心散文之所以有魅力,却在于文中有诗。她不仅在文中引用、化用古典诗词,她自己的语言也追求诗情画意,富丽精工。《往事(二)》第六篇写中秋之夜的乡愁:

> 乡愁麻痹到全身,我撩着头发,发上掠到了乡愁;我捏着指尖,指上捏着了乡愁,是实实在在的躯壳上感着的苦痛,不是灵魂上浮泛流动的悲哀!

冰心最擅长调动各种句式:对偶、排比、错综、反复、层递、顶真、跳脱、倒装……她像一个耽于"组织"积木的乐趣的孩童,在现代散文的乐谱中反复进行着对位和声实验。人们称为"冰心体"的那些文字,用词典雅,着意挑选积淀着深厚文化底蕴的意象,注重色彩搭配的和谐素净。《往事》第三篇中说:"今夜的青山只宜于这些女孩子,这些病中倚枕看月的女孩子!"此话正是"冰心体"的象征,"倚枕看月"是其柔美,"病中"则点出其娇弱。周作人说冰心"在白话的基本上加入古文、方言、欧化种种成分,使引车卖浆之徒的话进而成一种富有表现力的文章,这就是单从文体变迁上讲也是很大的贡献了"。冰心的语言宗旨是:"文体方面我主张'白话文言化','中文西文化',这'化'字大有奥妙,不能道出的,只看作者如何运用罢了!"冰心的努力实际是再造现代中国的书面语,她和朱自清等人一道,用卓绝的成就为 20 世纪中国散文的规范化树立了明亮的灯塔。

富于诗情画意的散文在 30 年代继续得到发展,以文字之美而论,当首推何其芳(1912—1977)出版于 1936 年的《画梦录》。该书次年与曹禺的《日出》,芦焚的《谷》共获《大公报》文艺奖金。何其芳在代序《扇上的烟云》中说自己"喜欢想像着一些辽远的东西,一些不存在的人物和许多在人类的地图上找不出名字的国土"。以下的 16 篇精心营造的散文如同 16 个白日梦。"辽远"一词出现的频率很高。《雨前》写辽远的乡思,表现出一种等待温柔的润泽的饥渴,"然而雨还是没有来"。《黄昏》写对于无所事事的自由,感到痛苦和哀愁。《梦后》写一种自伤自怜的"辽远的想像"。《伐木》描写"远远的地方"的雾中的小世界。《淳于梦》用"辽远的晚霞"写出主人公的厌世思想。《弦》用"辽远的记忆"写出毁弃自由而去寻找掌握自己命运之人的愿望。《静静的日午》写"很远很远的地方"有少女等待长途的旅行人。整部《画梦录》流露出一种难耐孤独的"思妇心态",凄艳伤感,同时隐含着企望摆脱现实的躁动不安。《炉边夜话》一篇中说:"错误的奔逐也是幸福的,因为有希望伴着它"。这种唯美到极致的情怀在 30 年代的知识分子中颇有共鸣,但它很容易转化成对美的迅速放弃。何其芳后来就认为先前"由于孤独，只听见自己的青春的呼声，不曾震惊于辗转在饥寒死亡之中的无边的呻吟"。从《还乡杂记》开始，何其芳的散文"情感粗起来了"，内容多写现实，文字也转为朴素。似乎他已经找到了那"辽远的地方"。

与何其芳、卞之琳合出过诗集《汉园集》的李广田（1906—1968），出版有《画廊集》、《银狐集》、《雀蓑集》等。他喜欢以记叙某种独特人物来表达自己对生活的态度，如老渡船、柳叶桃、问渠君、投荒者、看坡人、山之子等，在这些散发着泥土气息的人物身上，命运的悲苦和对悲苦的抗争构成了一幅幅质朴而忧郁的人生风景。李广田的这种把主观情意寄托在人物描摹上的写法，对以后的同类散文产生了比较大的影响。

常被并提的丽尼（1909—1968）和陆蠡（1908—1942）是 20 世纪 30 年代成名的抒情散文作家。丽尼有散文集《黄昏之献》、《鹰之歌》和《白夜》，格调悲哀而忧伤，虽然多是"个人的眼泪与向着虚空的愤恨"，但却因其真挚与不屈而具有强烈的感染力。陆蠡有散文集《海星》、《竹刀》、《囚绿记》，看似幽婉的文字却表现出一种悲壮美。陆蠡在《囚绿记》的序中说："我没有达到感情和理智的谐和，却身受二者的冲突"。也许就是这冲突构成了上世纪二三十年代许多散文作者的人格魅力，并且进一步构成了抗战以前中国现代散文的摇曳多姿。

（四）报告文学的兴起与演变

报告文学是现代散文的一个重要品种，它是随着近现代报刊业的兴起而逐步发展起来的。五四时期《每周评论》等刊物上关于五四运动的报道，一些出国人员的旅行通信，都已经具有报告文学的性质。瞿秋白的《饿乡纪程》和《赤都心史》中也有一部分文章被视为报告文学。但是，自觉地提倡和创作报告文学，还是左联成立以后的事。20 世纪 30 年代初期，左联执委会通过的两个决议《无产阶级文学运动新的情势及我们的任务》和《中国无产阶级革命文学的新任务》中，明确号召作家"到工厂到农村到战线到社会的下层中去……创造我们的报告文学（Reportage）吧！"当时刊载报告文学的主要刊物有《光明》、《中流》、《文学界》等。"九·一八"和"一·二八"两次日本侵华事变，在客观上促成了报告文学热潮的兴起。捷克作家基希所写的《秘密的中国》和墨西哥人爱密勒所写的《上海——冒险家的乐园》也在中国文坛产生了较大的影响。阿英编有《上海事变与报告文学》，茅盾仿照高尔基的《世界的一日》编有大型报告文学集《中国的一日》，稍后梅雨又编有《上海的一日》。这些报告文学广泛反映了中国社会的复杂面貌，"在这丑恶与圣洁，光明与黑暗交织着的'横断面'上，我们看出了乐观，看出了希望，看出了人民大众的觉醒；因为一面固然是荒淫与无耻，然而又一面是严肃的工作！"早期的报告文学往往停留于新闻事件的表面，文艺性和思想性都比较弱。报告文学的发达是与一个国家的现代化程度——特别是信息化程度紧密相关的，随着中国在现代化道路上的加速，报告文学也日益蓬勃起来。

1936年发表的两篇重要作品，被视为年轻的中国报告文学趋向成熟的标志。一篇是夏衍的《包身工》，揭露上海的日本纱厂残酷压榨包身女工的罪恶行径，猛烈抨击野蛮的包身工制度。作者经过两个月的实地考察，以包身工一天的劳动生活为线索，借用影剧创作手法，将细致的特写镜头与深刻的画外议论相结合，塑造了"芦柴棒"等鲜明生动的人物形象，叙述、描写、议论、抒情皆严密有序，产生了极大的思想和艺术感染力。文中说：

> 在这千万的被饲养的中间，没有光，没有热，没有温情，没有希望……没有法律，没有人道。这儿有的是二十世纪的烂熟了的技术，机械，体制和对这种体制忠实地服役着的十六世纪封建制下的奴隶！

这种对于践踏人权的严正批判具有跨越具体时空的意义。从报告文学必须兼有"报告"和"文学"这两重性质的角度来说，《包身工》的确可称得上是中国报告文学史上的里程碑。

另一篇《一九三六年春在太原》的作者是宋之的。文章以第一人称"我"的见闻为线索，配以其他人物的行踪和若干则报纸上的"新闻剪辑"，揭露了阎锡山大搞白色恐怖所造成的民不聊生、草木皆兵的荒谬而悲惨的景况。"出城，要通行证；到街上去，要好人证"，而且好人证分五类。禁书而不禁鸦片，杀人展览，奖励告发，被轰炸的土匪原来是村民娶亲的队伍，被逮捕的匪探原来是教育考察团……笔调表面是辛辣的讽刺，底层则是深深的愤慨和忧患。文章开头一句是"春被关在城外了"，结尾一句是"我是多么的怀念春啊！"颇为发人深思。茅盾曾经认为从文章的形式和技巧来说，《一九三六年春在太原》比《包身工》更加出色。从文体演变的意义上讲，它们都对此后的创作做出了积极的启示。

一些新闻工作者写报告文学往往更加得心应手。《生活》和《大众生活》的主编邹韬奋（1895—1944）以游访欧洲、前苏联为题材，出版了《萍踪寄语》一至三集和《萍踪忆语》，产生了很大影响。《大公报》记者范长江（1909—1970）出版有《中国的西北角》和《塞上行》，深入报道了西北诸省的政治文化和经济生活。他是在国内报纸上公开如实报道红军二万五千里长征的第一人，留下了许多历史性的珍贵剪影。如《陕北之行》中描写毛泽东：

> 最后到的毛泽东先生，许多人想像他不知是如何的怪杰，谁知他是书生仪表，儒雅温和，走路像诸葛亮"山人"的派头，而谈吐之持重与

音调，又类三家村学究，面目上没有特别"毛"的地方，只是头发稍为长一点。

范长江的文笔具有强烈的时代精神和现实针对性，能够将知识、思想、趣味熔于一炉，深受广大读者喜爱，其作品可称是"中国的《西行漫记》"。另一位《大公报》记者萧乾所写的《流民图》，报道鲁西灾情，选材精当，文浅意深。在揭露当局的救灾不力时，无一贬词，而情伪毕露，具有真诚的良史精神。随着民族解放战争的到来，报告文学这种"轻骑兵"式的文体越来越显露出它的神采和威力。

至此，中国现代散文建立起一个完整而庞大的阵容，充满自信地担负起承载中国现代思想的重任。

激流中的左翼文学

（一）红色年代的先锋旗帜

五四新文化运动是一曲多声部的大合唱，其中既有激进，也有保守；既有革命，也有改良；既有雅，也有俗；既有对现代性的呼唤，也有对现代性的反抗。文研会发起人之一的郑振铎曾在《文学与革命》中提出为了完成文学革命必得有革命文学的出现。自从 1921 年成立了中国共产党，所谓"革命文学"便已露出端倪。中国共产党成立后，就把宣传工作放在首要地位。1922 年 2 月，中国共产党领导的社会主义青年团机关刊物《先驱》增辟了"革命文艺"专栏，发表了一些具有革命鼓动内容的诗歌。1923 年 6 月，中国共产党理论刊物《新青年》季刊创刊宣言指出："现时中国文学思想——资产阶级的'诗思'，往往有颓废派的倾向"，认为中国革命与文学运动，"非劳动阶级为之指导，不能成就"。早期共产党人邓中夏、瞿秋白、肖楚女、恽代英、李求实、沈泽民、蒋光赤等，在许多文章中介绍和宣传马克思主义的文学主张。沈泽民的《文学与革命的文学》一文详细地分析了革命行动与革命艺术的关系：

> 诗人若不是一个革命家，他绝不能凭空创造出革命的文学来。诗人若单是一个有革命思想的人，他亦不能创造革命的文学。因为无论我们怎样夸称天才的创造力，文学始终只是生活的反映。

革命文学的鼓吹到了 1926 年开始进入高潮。郭沫若在《文艺家的觉悟》中很精炼地分析了文艺与革命的关系，说"文艺每每成为革命的前驱，而每个革命时代的革命思潮多半是由于文艺家或者于文艺有素养的人滥觞出来的"。1926 年《创造月刊》创刊后，创造社进入了它的后期，成为一个"革命文学"社团。20 世纪 20 年代后期，国民革命的背景有力地促进了革命文学高潮的兴起,而1927年春夏之际的国共分裂和接踵而来的"白色恐怖",更直接促使一大批共产党人涌入文化战线,在文艺上形成了对国民党意识形态的"反围剿"。

1927年秋后,冯乃超、朱镜我、彭康、李初梨等人从日本归国,成为后期创造社的理论主将。他们在1928年1月创刊的《文化批判》上,对五四文学革命进行了大张旗鼓的清算和批判。《创造月刊》也把重点转向提倡"无产阶级文学"。1927年底,蒋光慈、钱杏邨、孟超等人组成太阳社,并于1928年1月出版了《太阳月刊》,与后期创造社成犄角之势,共同以战斗的姿态,高张无产阶级文学的大旗,锋芒直指五四文学的元老鲁迅、茅盾、叶圣陶、郁达夫等人。由蒋光慈《关于革命文学》、李初梨《怎样地建设革命文学》、成仿吾《从文学革命到革命文学》、钱杏邨《死去了的阿Q时代》、郭沫若《英雄树》等一系列文章,引起了一场革命文学大论争。论争的结果,导致了左联的成立,使中国的左翼文学汇入了整个世界红色文学的大潮。

从世界文学的范围来看,左翼文学是和整个人类文明的现代化进程有着密切关联的。在19世纪马克思主义诞生之后,无产阶级文学就日益发展壮大。20世纪是整个人类的革命世纪,国家要独立,民族要解放,人民要自由,于是文学与革命结合得空前紧密。十月革命以后,苏联成为国际无产阶级文学运动的中心。从"无产阶级文化派",到"拉普"①,提出了一系列革命文学理论,辐射到许多欧美资本主义国家和亚非拉殖民地半殖民地国家。其中日本左翼文学运动中的福本主义和"纳普"②则对中国的左翼文学运动产生了直接的影响。1929年始,整个西方工业世界陷入了严重的经济危机,这种情况加深了人们对于工业文明的反思,因此出现了一个世界范围的"红色的30年代"。艺术与革命,在对现实的不满、反抗、变革等方面,具有许多本质上的天然联系,所以当革命激流汹涌之际,具有革命主题的文学自然容易成为时代的弄潮儿。

1929年,中共中央指示创造社和太阳社停止内部论争和对鲁迅等人的攻击,筹备建立统一的左翼文学组织。1930年3月2日,中国左翼作家联盟成立于上海,简称左联。这是中国文学界规模空前的一次大联合。左联在各地还设有一些分会,文化界其他领域也成立了"剧联"、"影联"、"美联"、"社联"、"记者联"等左翼团体,由中共中央通过"文化总同盟"统一领导。中国共产党对于文化的强有力的领导和组织,与中国国民党对于文化

---

① 即"俄罗斯无产阶级作家联合会"。
② 即"全日本无产者艺术联盟"。

的无能为力形成了鲜明的对照,预示出了中国文化的未来走向。

在左联成立大会上,鲁迅发表了《对于左翼作家联盟的意见》,清醒地提出了一些与众不同的观点。他破题便说"左翼"作家是很容易成为"右翼"作家的。然后指出应该坚持"韧"的战斗,"造出大群的新的战士"。

左联在从1930年成立,到1936年春根据中国共产党的指示自动解散的这几年中,开展了一系列革命文学活动,推动整个现代文学进入一个先锋色彩十分强烈的时期。在理论上,左联建立了马克思主义文艺理论研究会,全面而系统地译介马克思主义经典作家的文艺思想,造成了一种学习文艺论著的浓厚气氛,普遍提高了中国作家的理论修养。在创作上,左翼作家不拘成法,大胆创新,写出了一大批思想锐利、情感激昂,既具有文体形式的先锋性,又具有文学市场轰动效应的作品。先锋性与市场性的结合,极大地加速了马克思主义在中国的传播,同时使中国文学在整体上达到能够与世界对话的现代化水平。1930年,在第二次国际革命作家代表会议上,革命文学国际局更名为国际革命作家联盟,吸收左联为成员之一,并做出《对于中国无产文学的决议案》,提出"用种种方法加紧无产文学对于大众的影响"。从此,中国左翼文学更成为国际共产主义文学运动飘扬在中国的一面先锋旗帜。

左联成立前后有过许多次文艺论争。最主要的有三次:一是迎战新月派;二是批判"民族主义文艺运动";三是"文艺自由论辩"。

1928年3月,《新月》在上海创刊,主要撰稿人为胡适、徐志摩、罗隆基、梁实秋等。从徐志摩执笔的发刊词《〈新月〉的态度》中,流露出新月派所代表的自由主义作家对左翼文学蓬勃兴起的不满和恐慌。他们标举出"健康"和"尊严"两个原则,要"放胆到这嘈杂的市场上去做一番审查和整理的工作",自命为宽容、稳健的新月派毫不讳言他们争夺文学市场的急迫欲望。梁实秋在《文学与革命》中极力肯定"一切的文明,都是极少数的天才的创造","人性是测量文学的唯一的标准",进而总结说"'革命的文学'这个名词实在是没有意义的一句空话"。在《文学是有阶级性的吗?》一文中,梁实秋气势逼人地继续挑战,认为"攻击资产制度,即是反抗文明","要拥护文明,便要拥护资产",说无产阶级是"只会生孩子的阶级",不承认文学有阶级性的差异。针对新月派的汹汹来势,彭康写了《什么是"健康"与"尊严"?》,冯乃超写了《冷静的头脑》,鲁迅写了《新月社批评家的任务》、《"硬译"与"文学的阶级性"》、《"丧家的""资本家的乏走狗"》等文章予以还击。论战的实质并不在于文学阶级性、人性的有无,而在于无产阶级文学之能否成立。梁实秋等人根本否认文学阶级性的客观存在,但自己的文字却表露出明显的阶级意识和阶级偏见,加上对左翼文学理论所知较浅,因此在逻辑和学识上很快处于下风。论战的结果表明"普罗文学"①已经是中国文坛强有力的存在，在与自由主义文学的共同发展中，其影响必将日益扩大。

国民党政权建立后，深感自己在意识形态方面的空虚脆弱，无论是"新生活运动"，还是所谓"三民主义文艺"，都无人喝彩，无疾而终。1930年6月1日，上海国民党一些党政军警部门的干部发起了"民族主义文艺运动"，10月10日出版了《前锋月刊》。在宣言中，矛头直指"那自命左翼的所谓无产阶级的文艺运动"，认为"当前的危机是对于文艺缺乏中心意识"，提出"文艺的最高意义，就是民族主义"。傅彦长的文章《以民族意识为中心的文艺运动》还赤裸裸地提出："思想不问其浅薄深奥，只要是可以利用的，就是好的。我们中国人现在所需要的思想，只不过是可以利用的民族意识！"在创作上，他们推出了黄震遐描写蒋冯阎中原大战的小说《陇海线上》和描写13世纪蒙古人远征俄罗斯的诗剧《黄人之血》及万国安描写1929年中苏之战的《国门之战》等作品。左联文学家对此给予了迎头痛击。瞿秋白在《屠夫文学》中痛斥了这种"鼓吹杀人放火的文学"，指出"你们这班东西是绅商地主高利贷资产阶级的杀人的号筒"。茅盾在《"民族主义文艺"的现形》中一针见血地指出所谓"民族主义文艺运动"，是"国民党对于普罗文艺运动的白色恐怖以外的欺骗麻醉的方案"，指出"他们的宗派和刊物在青年学生群众中间没有一丝一毫的信仰"，将来必定"是滔天的赤浪扫除了这些文艺上是白色的妖魔"。鲁迅则在《"民族主义文学"的任务和运命》中通过分析他们拙劣的作品，指出他们恰恰是帝国主义"最要紧的奴才，有用的鹰犬"：

> 他们将只尽些送丧的任务，永含着恋主的哀愁，须到无产阶级革命的风涛怒吼起来，刷洗山河的时候，这才能脱出这沉滞猥劣和腐烂的运命。

由于自身的粗浅虚妄和在迅猛轰击之下的孤立无援，"民族主义文艺运动"很快土崩瓦解。

真正具有理论交锋色彩的是从1931年底持续到1933年的"文艺自由论辩"。这场论辩的挑起人是自称"自由人"的胡秋原和自称"第三种人"的苏汶。1931年12月，胡秋原在《文化评论》创刊号上发表《阿狗文艺论》，借批判"民族主义文艺运动"这只死老虎，攻击无产阶级文艺运动这只活老虎。文章认为"艺术只有一个目的，那就是生活之表现，认识与批评。"然后说：

> 艺术虽然不是"至上"，然而决不是"至下"的东西。将艺术堕落

---

① 即"普罗列塔利亚"（无产阶级）文学。

到一种政治的留声机，那是艺术的叛徒。艺术家虽然不是神圣，然而也决不是叭儿狗。以不三不四的理论，来强奸文学，是对于艺术尊严不可恕的冒渎。

在《勿侵略文艺》一文中，胡秋原自称"我是一个自由人"，反对"某一种文学把持文坛"，接着在《钱杏邨理论之清算》、《自由人的文化运动》等文章中，以马克思主义正统理论家的态度，批判钱杏邨"实在是一个最庸俗的观念论者"，"抹杀艺术上之条件及其机能，事实上达到艺术之否定。"左翼文坛发表了洛扬《"阿狗文艺"论者的丑脸谱》等文章进行反击，指出"胡秋原在这里不是为了正确的马克思主义的批评而批判了钱杏邨，却是为了反普洛革命文学而攻击了钱杏邨"，"对于他及其一派，现在非加紧暴露和斗争不可。"这时，苏汶以调停人的姿态，代表"作者之群"，批评胡秋原"是一个书呆子马克思主义者"，因为"左翼文坛的一切主张都无非是行动，并且一切行动都是活的"，"妨碍行动这一点就是反马克思主义的"。苏汶以"死抱住文学不肯放手"的口吻说：

> 在"知识阶级的自由人"和"不自由的，有党派的"阶级争着文坛的霸权的时候，最吃苦的，却是这两种人之外的第三种人。这第三种人便是所谓作者之群。①

苏汶实际上是在策应胡秋原。瞿秋白在《文艺的自由和文学家的不自由》中指出，苏汶的文章是一篇"革命与文学不能并存论"，其反对革命文学的手段"比胡秋原先生更加巧妙"。周扬在《到底是谁不要真理，不要文艺?》中指出，苏汶的见解"是对于马克思列宁主义何等恶意的歪曲"，"是要在意识形态上解除无产阶级的武装"。周扬认为"革命不但不妨碍文学，而且提高了文学"。苏汶又写了《"第三种人"的出路》和《论文学上的干涉主义》，承认自己"吐露了说左翼文坛不要文学的意思"，承认"在天罗地网的阶级社会里，谁也摆脱不了阶级的牢笼"，但指出左翼文坛"因为太热忱于目前的某种政治目的这缘故，而把文学的更永久的任务完全忽略了"，还指出左翼文坛拒绝中立，"这种拒人于千里之外的态度，我觉得是认友为敌，是在文艺的战线上使无产阶级成为孤立"。论辩进入比较富于理论深度的阶段，左联的重要理论家几乎全部投入进来。鲁迅在《论"第三种人"》中指出"第三种人"是做不成的：

> 生在有阶级的社会里而要做超阶级的作家，生在战斗的时代而要离开战斗而独立，生在现在而要做给予将来的作品，这样的人，实在也是一个心造的幻影，在现实世界上是没有的。要做这样的人，恰如用

文学如何现代

---

① 苏汶《关于〈文新〉与胡秋原的文艺论辩》。

自己的手拔着头发,要离开地球一样,他离不开,焦躁着,然而并非因为有人摇了摇头,使他不敢拔了的缘故。

冯雪峰的《并非浪费的论争》、《关于"第三种文学"的倾向与理论》等文章带有一定的总结意义。文章郑重申明:"左翼一向以来的态度,是并非不承认自己的错误,也并非要包办文学",文中还提出要纠正左翼理论家在论辩中的"左"的错误,但是胡秋原和苏汶所主张的"文学及其理论,实际上,客观上,往往仍旧帮助着地主资产阶级的",希望他们"抛弃鄙弃群众的观念,多去理解一些群众的革命的斗争和运动,而把自己的力量加入到群众里面去"。

"文艺自由论辩"是左联时期历时最久、规模最大、水平最高的一次文艺论战。胡秋原、苏汶都具有较高的理论素养,他们敏锐地触及到普罗文学中一些教条主义的错误和关门主义的倾向。但在意识形态尖锐对立的时代背景下,论争不可能局限在学术范围内冷静地深入下去,双方都表现出不无偏激的情绪化。通过这次论辩,左翼文坛系统整理了自己的理论,纠正了一些"惟我独尊"的态度,使马克思主义的文艺观进一步深入人心。

随着文学现代化的进程,大众化的问题日益凸显。现代文学的任务之一,就是通过大量扩充读者,完成对社会成员精神生活的组织。从"五四"时期"平民文学"的倡导,到左联时期发展为文艺大众化的三次讨论。第一次在1930年前后,主要是提出"大众化——到工农群众中去"。① 但这基本上只是一个空泛的口号。第二次在1932年前后,涉及作家生活要大众化,采用通俗形式,培养工农作家等较为实际的问题。第三次在1934年,主要是针对文言回潮,围绕文字改革,讨论"大众语"的问题。这几次讨论提高了文学界对于大众化的重视,反思了新文学孤芳自赏的弱点。在当时的环境下,大众化还是一种很时髦的"先锋意识",要把它真正落到实处,尚须政治力量的积极参与。

左翼文学在创作上取得了超出其理论预想的重大成就。除了以鲁迅为代表的杂文,以茅盾为代表的社会剖析小说,以田汉、夏衍为代表的话剧外,本章以下各节重点介绍一些青年左翼作家的创作。这些"青春文学"不仅是时代的旗帜,同时也为后来的文学发展留下了宝贵的艺术经验。

(二)激昂的左翼诗歌

诗歌往往是一种文学创作潮流兴起的前导。新文化运动中的白话诗是这样,革命文学中的"红色诗歌"也是这样。郭沫若《女神》集中的某些篇章已经具有明显的"革命性",到了《前茅》、《恢复》时期,这种革命性越

---

① 冯乃超《左联成立的意义和它的任务》,1930年9月《世界文化》创刊号。

来越染上了无产阶级色彩。早在1923年,中国共产党理论家邓中夏就在《贡献于新诗人之前》一文中,要求新诗人"多做描写社会实际生活的作品,彻底露骨的将黑暗地狱尽情披露,引起人们的不安,暗示人们的希望",在形式上,"文体务求壮伟,气势务求磅礴,造意务求深刻,遣词务求警动"。时代的呼唤,终于产生了无产阶级诗歌的开山鼻祖——蒋光慈。

蒋光慈(1901—1931),又名蒋光赤,曾用名宣恒、侠僧等。在家乡安徽参加过学生运动,后到上海加入社会主义青年团。1921年被中国共产党派往苏俄留学,1924年归国后,与沈泽民等组织革命文学团体"春雷社"。1925年,出版了诗集《新梦》,收入他1921—1924年的诗作。鲜明的革命色彩,使《新梦》到1926年就已出了三版,受到了青年读者的广泛欢迎。第一首《红笑》写于1921年前往莫斯科的途中,"那不是莫斯科么?/多少年梦见的情人!/我快要同你怀抱哩!"带着对世界上第一个社会主义国家的崇拜和幻想,诗人热烈地赞颂莫斯科,赞颂列宁,赞颂十月革命。《莫斯科吟》写道:

> 莫斯科的雪花白,
> 莫斯科的旗帜红;
> 旗帜如鲜艳浓醉的朝霞,
> 雪花把莫斯科装成为水晶宫。
> 我卧在朝霞中,
> 我漫游在水晶宫里,
> 我要歌就高歌,
> 我要梦就长梦。

现实生活中寒冷、贫困的莫斯科,在诗人的笔下却是这般奇幻醉人,可以任意高歌长梦,革命者在这里找到了心灵的圣坛。诗中最后写道:

> 十月革命,
> 如大炮一般,
> 轰隆一声,
> 吓倒了野狼恶虎,
> 惊慌了牛鬼蛇神。
> 十月革命,
> 又如通天火柱一般,
> 后面燃烧着过去的残物,
> 前面照耀着将来的新途径。
> 哎! 十月革命,
> 我将我的心灵贡献给你罢,

人类因你出世而重生。

在辉煌的圣坛面前,革命者产生了如何突破"自我"的问题。《自题小照》开头就思索着:"是我,/非我;非我,/是我;/且把这一副/不像他,/不像你的形容,/当做真我。"在革命的实践中,革命者的自我找到了归宿:

> 前进罢! ——红光遍地,
>
> 后顾啊! ——绝壁重重。
>
> 革命的诗人,
>
> 人类的牧童,
>
> 我啊!
>
> 我啊!
>
> 抛去过去的骸骨,
>
> 爱恋将来的美容。

回国后,蒋光慈于 1924—1926 年写成诗集《哀中国》。恰如闻一多的《发现》一样,祖国的面貌令诗人悲哀而气愤。《哀中国》一诗写道:

> 满国中外邦的旗帜乱飞扬,
>
> 满国中外人的气焰好猖狂!
>
> 旅顺大连不是中国人的土地么?
>
> 可是久已做了外国人的军港;
>
> 法国花园不是中国人的土地么?
>
> 可是不准穿中服的人们游逛。
>
> 哎哟,中国人是奴隶啊!
>
> 为什么这般地自甘屈服?
>
> 为什么这般地萎靡颓唐?

噩梦般的中国现实与圣坛般的俄苏新社会相比,革命的必要性和可能性便都产生了。在"五卅"周年纪念日,蒋光慈写下《血祭》一诗:

> 顶好敌人以机关枪打来,我们也以机关枪打去!
>
> 我们的自由,解放,正义,在与敌人斗争里。
>
> 倘若我们还讲什么和平,守什么秩序,
>
> 可怜的弱者啊,我们将永远地——永远地做奴隶!

蒋光慈的诗歌结合了理想与现实,形象与逻辑,散发着一种激昂雄壮之美。诗中所表现出的感时忧国的精神和对自我灵魂的追问,一直延续在左翼诗歌的发展中。

1931 年 2 月 7 日,5 位左翼青年作家柔石、胡也频、殷夫、李伟森、冯铿和另外 18 位中国共产党党员,被国民党秘密枪杀于上海。这 5 位作家史称"左联五烈士"。其中胡也频和殷夫都有比较优秀的诗作传世。

胡也频(1903—1931),原名胡崇轩,福建福州人。1925 年开始发表诗歌和小说。他的诗歌在内容上充满反抗社会的精神,在形式上则受到李金发所代表的早期象征诗派很大影响。《诗人如弓手》写道:

> 诗人如弓手,
> 语言是其利箭,
> 无休止地向罪恶射击,
> 不计较生命之力的消耗。
>
> 但永远在苦恼中跋涉,
> 未能一践其理想:
> 扑灭残酷之人性,
> 盼春光普照于世界。

这里表现出一个战士复杂的心灵世界,在斗争实践中义无返顾,却又苦恼于理想的遥不可及,但最终并未放弃理想。1927 年 10 月,胡也频在《一个时代》中写道:

> 刀枪因杀人而显贵,
> 法律乃权威之奴隶,
> 净地变了屠场,
> 人尸难与猪羊比价。
> ⋯⋯⋯⋯⋯
> 铁窗之冷狱于是热闹,
> 勇敢的青年成了囚犯,
> 监辛遇这罕有之客,
> 便满足了极酷虐的敲诈。

这分明是对国民党大屠杀的勇敢揭露。李金发式的句子,去除了怪诞和艰涩,因此可以说,"它的历史价值,远远超出了一般象征诗派的局限。胡也频给象征诗派注入了现实的内容和战斗的气息"。[①] 从左翼诗歌的视角来看,胡也频的诗作能够将愤慨的激情意象化,在冷静中透露出蕴藉的力量,表现出"红色诗歌"多样化发展的可能性。

殷夫(1909—1931),本名徐祖华,另有笔名白莽、徐白等,浙江象山人。在他短暂的革命青春中曾三次被捕。早期诗作有与胡也频相近处,于孤寂中蕴藏着浓烈的感情。随着革命斗争的深入,殷夫的诗作越来越

文学如何现代

[①]　孙玉石《中国初期象征派诗歌研究》p. 228,北京大学出版社 1983 年版。

表现出堂堂正正的无产阶级气魄，把"红色抒情诗"创作推向了一个艺术高峰。

在纪念"五卅"的《血字》中，殷夫写道："我是一个叛乱的开始，/我也是历史的长子，/我是海燕，/我是时代的尖刺。"诗人敏锐地觉察到自己在历史大转折时期所担负的光荣使命，因此他的声音充满了雄健的自信：

"五卅"哟！

立起来，在南京路走！

把你血的光芒射到天的尽头，

把你刚强的姿态投映到黄浦江口，

把你的洪钟般的预言震动宇宙！

…………

"五"要成为报复的枷子，

"卅"要成为囚禁仇敌的铁栅，

"五"要分成镰刀和铁锤，

"卅"要成为断铐和炮弹！……

诗人的力量来自于把"自我"投入到一个无边的"大我"之中。在代表作《一九二九年的五月一日》中，殷夫激动人心地写道：

我突入人群，高呼：

"我们……我们……我们……"

白的红的五彩纸片，

在晨曦中翻飞象队鸽群。

呵，响应，响应，响应，

满街上是我们的呼声！

我融入于一个声音的洪流，

我们是伟大的一个心灵。

…………

一个巡捕拿住我的衣领，

但我还狂叫，狂叫，狂叫，

我已不是我，

我的心合着大群燃烧。

这种深刻的亲身体验经过电影特写般的意象化处理，产生了强烈的艺术震撼。无产阶级的意识形态"使渺小的、无力的、有限的个人投入和被结合到伟大的、无限的集体之中。它产生了一个伟大的阶级乌托邦，超越了个人的局限性。在这样一个伟大的阶级乌托邦之中，他不仅和伟大的集体力量结为了一体,而且和浩浩荡荡的历史潮流结为了一体"①。革命文学的最高贵之处在于,它能够创造崭新的人际关系,从而在生命的终极意义上创造崭新的自我。因此殷夫才断然写下那首著名的《别了,哥哥!》:"别了,哥哥,别了,/此后各走前途,/再见的机会是在,/当我们和你隶属着的阶级交了战火。"

左翼诗歌由于凸显斗争意识,容易被先入为主地想像为"艺术粗糙"。殷夫的诗无疑具有粗豪的革命气质,但同时十分注意剪裁意象,锤炼语言,兼具象征主义和未来主义的艺术风格。鲁迅为殷夫诗集《孩儿塔》所作的序中说:"这是东方的微光,是林中的响箭,是冬末的萌芽,是进军的第一步,是对于前驱者的爱的大纛,也是对于摧残者的憎的丰碑。一切所谓圆熟简练,静穆幽远之作,都无须来作比方,因为这诗属于别一世界。"其实殷夫的诗歌成就已超出了鲁迅的评价,其宏伟而不虚泛,先锋而不造作,既具有都市气息的明快节奏,又保持平民色彩的淳朴清新,给以后的左翼诗歌留下了值得认真回味的启迪。

殷夫牺牲后,代表左翼诗歌发展方向的是左联领导下的中国诗歌会。该会于 1932 年 9 月由穆木天、杨骚、任钧、蒲风等人发起,于次年 2 月创办《新诗歌》。《发刊诗》中写道:"我们要捉住现实,/歌唱新世纪的意识。/…………/我们要使我们的诗歌成为大众歌调,/我们自己也成为大众中的一个。"中国诗歌会的主要成就在于全面推进了诗歌的大众化,他们出版"歌谣专号"、"创作专号",进行广泛实验。在题材上,前期以表现工农民众的苦难生活为主,后期则大力倡导"国防诗歌",宣传抗日救亡。在形式上,有意加强了叙事诗的创作,并进行了"大众合唱诗"、新诗朗诵运动等多方面的尝试。其中最有代表性的诗人是蒲风(1911—1942),他继承了郭沫若的狂热、蒋光慈的激昂和殷夫的勇猛,并把这些用更加通俗化的语言加以呈现。《茫茫夜》采用戏剧化手法,通过母亲思念参加"穷人军"的儿子,写出中国农村的"暗夜风声"和"晓鸡啼音"。《我迎着风狂和雨暴》发出抗日救国的浩然怒吼:"我不问被残杀了多少东北同胞,/我要问热血的中国男儿还有多少。"中国诗歌会在北平、广州、青岛、厦门及日本东京等地设有分会,影响较大的诗人还有王亚平、温流等。作为一种大规模的创作趋向,中国诗歌会对于抗战以后诗歌大众化局面的形成起到了先驱的作用。左翼诗歌至此不但初步完成了从先锋到大众的过渡,而且以它的坚定不屈的姿态成为时代的最强音。

文学如何现代

---

① 旷新年《1928:革命文学》p.120,山东教育出版社 1998 年 5 月。

(三)浪漫化的革命小说

革命与浪漫是天然的近邻,初期的革命小说普遍洋溢着浪漫的精神。蒋光慈说:"我自己便是浪漫派,凡是革命家也都是浪漫派,不浪漫谁个来革命呢?"①正是蒋光慈本人,成为早期"普罗小说"的代表性作家。

1926年,蒋光慈出版了中篇小说《少年漂泊者》,通过主人公汪中痛苦漂泊的短暂一生,展现了从"五四"到"五卅"广阔的社会风云,表达了对黑暗社会的强烈反抗。汪中由一个贫苦孤儿成长为一个战死沙场的革命英雄的经历,感动了无数青年读者。陶铸和胡耀邦都曾回忆他们是读了《少年漂泊者》才去投身革命的。同期的短篇小说集《鸭绿江上》中的作品也同样表现出反抗黑暗的激愤。1927年4月,上海工人第三次武装起义后不到半个月,蒋光慈迅速写出了反映上海工人第二到第三次武装起义的中篇小说《短裤党》,将重大题材的时事效应与饱满的革命热情相结合,为左翼文坛所提倡的"报告小说"(Roman reportage)做出了一份先驱的实验。

1927年下半年后,蒋光慈的小说创作进入了高峰。他的《野祭》、《菊芬》、《最后的微笑》、《丽莎的哀怨》、《冲出云围的月亮》等作品像一颗颗炸弹在充满白色恐怖的中国炸响。文学出版界卷进了一个"蒋光慈时代",以蒋光慈为代表的革命出版物成为供不应求的畅销书,不仅蒋光慈的作品被大量再版、盗版,而且有一些其他人的作品被署上蒋光慈的名字发售。蒋光慈以"新兴文学"大师的感召力创造了先锋与流行融为一体的新文学奇迹。

蒋光慈小说带动了"革命加恋爱"叙事模式的流行。《野祭》中的革命者陈季侠面对两个女性,最终将心灵祭献给了为革命牺牲的那一个,这被看成是"革命加恋爱"模式的滥觞。②《冲出云围的月亮》则把这一模式的叙事功能发挥到极致。女主人公王曼英在大革命激流中与男友柳遇秋热诚相爱,对追求她的李尚志只保持一般友谊。大革命失败后,王曼英颓丧堕落,明明过着出卖肉体的生活,却自欺欺人地以为是在用肉体报复和毁灭敌人。而李尚志却坚定不移地继续从事革命工作,他的坚毅和真诚唤醒了痛苦迷茫的王曼英,王曼英痛斥了卖身投靠的柳遇秋,决心彻底洗净自己的身心,重新投入革命洪流。小说结尾王曼英拥抱着李尚志说:"尚志,你看!这月亮曾一度被阴云所遮掩住了,现在它冲出了重围,仍是这般的皎洁,仍是这般的明亮!……"小说中的革命,对于恋爱的结局和性质具有决定意义,它给一般流行的恋爱小说带来了崭新的格局和激情,创造出一

---

① 见郭沫若《创造十年续篇》。

② 见钱杏邨《野祭》,1928年2月《太阳月刊》2月号。

种"小资情调"的普罗艺术。

　　属于"革命加恋爱"模式的还有洪灵菲的《流亡》三部曲,孟超的《冲突》,华汉(阳翰笙)的《两个女性》、《地泉》,胡也频的《到莫斯科去》、《光明在我们前面》等一批作品,这些小说中的恋爱因素越来越让位给革命因素,从"革命陪衬着恋爱",到"革命决定了恋爱",再到"革命产生了恋爱"。① 它们给经过五四个性解放以后"梦醒了无路可走"的一代知识青年指出了一条既能实现个体生命的价值,又能体验到人生浪漫乐趣的五彩斑斓的道路,叙事抒情的巨大成功掩盖了修辞结构等方面的粗陋幼稚,而这恰恰体现出"无产阶级"的美学特征。

　　除了恋爱所赋予的浪漫色彩之外,革命斗争本身的描写也是浪漫的。蒋光慈最后一部长篇小说《咆哮了的土地》本来是要克服浪漫倾向,转向客观实际的工农斗争描写,但小说的叙述节奏沉闷,人物形象呆板,一号主人公矿工张进德的面貌比较模糊,倒是二号主人公——地主少爷出身的革命者李杰写得比较生动。他曾与贫农女儿兰姑相恋,但因父母阻挠而失败,已经怀孕的兰姑含愤自尽。李杰怀着托尔斯泰《复活》中涅赫留道夫般的负罪感,从革命军中回到家乡开展农民运动,不料兰姑的妹妹毛姑又爱上了他,还有当年被他拒绝过提亲的富绅女儿何小姐也同时爱上了他。小说戏剧性的高潮是李杰命令农民自卫队烧掉了自家的屋楼——里面还有他生病的母亲和年幼的妹妹,以此表示他与自己的阶级彻底决裂。在恋爱上,他选择了毛姑,而何小姐最后选择了张进德——他们都背叛了自己的阶级,从而获得新生。小说结尾,李杰在战斗中牺牲,张进德率领队伍去投奔"金刚山",何小姐"在张进德的怀抱里开始了新生活的梦……"作者仍然不得不依靠浪漫化的手段来冲淡十分概念化的阶级斗争描写。这一特征以华汉的《地泉》三部曲最为显著,小说只是三部曲的名字——《深入》《转换》《复兴》"三个名词的故事体的讲解",②不但革命被描写成按图操作那样容易,而且"把本来很落后的中国农民,写得那样的神圣"③。1932 年该书重版时,瞿秋白、茅盾、郑伯奇、钱杏邨和华汉自己,同时为该书作序,这五篇序言一方面批评了《地泉》图解政治概念的公式化倾向,另一方面对早期左翼文学进行了比较全面的总结和检讨。瞿秋白把这类作品概括为"革命的罗曼蒂克"。革命罗曼蒂克的小说试图超越五四模式的"客观写实"和身边琐事,重视文学"组织生活"的社会实践功能,但未免将这种功

---

① 　见茅盾《"革命"与"恋爱"的公式》,《茅盾全集》第 20 卷,人民文学出版社 1990 年版。

② 　茅盾《地泉》序。

③ 　阳翰笙《谈谈我的创作经验》。

能夸大到极端,以致出现了观念大于形象的艺术失衡。左翼小说经过异军突起的初期轰动以后,进入了下一个冷静扎实的发展阶段。

　　早期革命小说家比较著名的还有柔石、戴平万、楼建南、李守章、刘一梦等。柔石(1901—1931),原名赵平复,早期有短篇小说集《疯人》,中篇小说《三姊妹》,长篇小说《旧时代之死》等,善于描写青年的爱情苦闷,富于浪漫气息。后期的中篇小说《二月》和短篇小说《为奴隶的母亲》可称力作。《二月》的主人公萧涧秋为躲避浊世风波而来到芙蓉镇,不料仍然满目悲苦烦恼,自身也陷入感情的困境和流言蜚语的纠缠中,最后是怅惘而来又怅惘而去。小说生动地展现出被“五四”精神唤醒的一代知识青年在中国现实社会里的走投无路。如果不经过一场革命的洗礼,所谓个性解放和人道主义都只能是镜花水月。《为奴隶的母亲》以“典妻”为题材,无论开掘深度还是语言的力度,都超越了20年代乡土小说中同类题材的作品。作者以被典之妻春宝娘为主人公,深刻揭示了她被两个家庭,两个男人,两个亲生骨肉所“撕裂”的灵魂上遭受的损害和侮辱。柔石的小说能够把清醒的阶级观念与复杂的人性体验结合到一种深沉的抒情笔调中,本来是应该具有较大的发展前景的。戴平万有小说集《出路》、《都市之夜》、《陆阿六》。楼建南有小说集《挣扎》、《病与梦》、《第三时期》。李守章的《跋涉的人们》和刘一梦的《失业以后》两本集子曾与柔石的作品一道被鲁迅称为“总还是优秀之作”①。

(四)转向写实的左翼小说

　　浪漫化的革命小说迅速地席卷现代文坛之后,以一种完成了历史使命的姿态又迅速落潮。它促使现代文学关注火热的现实斗争与复杂的社会变迁,推动现代文学进入一个大规模描写中国社会的叙事时代。然而这项浩大的工程是“革命的罗曼蒂克”本身所不能胜任的。时代要求左翼小说以巨大的写实成就来表明自己是这个时代的主人。转向写实的趋势在左联成立前后就已经开始,到1933年茅盾的《子夜》出版,达到高峰。除了茅盾等社会剖析派的小说家外,后期左翼小说的中坚力量是一批新生代的青年作家,主要有丁玲、张天翼、叶紫、周文等。

　　丁玲(1904—1986),原名蒋冰之,湖南临澧人。幼年丧父,由思想开明的母亲抚养成人。求学时代与杨开慧、王剑虹等同学共同追求进步,1924年在北京结识胡也频、沈从文,开始文学创作。1927年12月,发表处女作《梦珂》,写一个孤独忧郁的女青年在各种世俗诱惑中的徘徊烦闷和挣扎疲倦,小说以其真挚细腻引起了文坛的普遍关注。1928年初,发表成名作《莎菲女士的日记》,震动了整个文艺界,从此成为最受重视的女作家。这篇小

----

　　① 鲁迅《二心集·我们要批评家》。

说由主人公一个冬天里的30多段日记组成。莎菲是一个外表"狷傲"、"怪僻",内心充满狂热幻想的现代女性,她孤身在北京的公寓里养病,寂寞无聊。虽然有朋友们的照顾,还有一个苦苦追求她的苇弟,但他们都不了解莎菲的内心。莎菲希望"有那么一个人能了解得我清清楚楚的,如若不懂得我,我要那些爱,那些体贴做什么?"这时出现了一个风仪俊美的新加坡华侨凌吉士,令莎菲对他产生了狂热的情欲渴望。莎菲想方设法接近他,"我要占有他,我要他无条件的献上他的心"。后来莎菲发现这个凌吉士的爱情观不过是"拿金钱在妓院中,去挥霍而得来的一时肉感的享受","那使我爱慕的一个高贵的美型里,是安置着如此的一个卑劣的灵魂",但莎菲一面鄙视凌吉士,另一面却摆脱不了情欲的癫狂,最后在承受了凌吉士的一吻后,"更陷到极深的悲境里去",她决计离开北京,"在无人认识的地方,浪费我生命的余剩"。小说对人物心灵的大胆剖露,产生了惊世骇俗的阅读震撼,被看作是"女性的《沉沦》"。但莎菲的灵与肉的冲突比《沉沦》的主人公更加具有鲜明的时代感。这是一个拥有自由选择的权利却丧失了选择对象和选择意义的时代寓言,莎菲巨大的生命热情显然迫切需要一个巨大的事业来消耗。"莎菲生活在世界上,所要人们了解她体会她的心太恳切了,所以长久地沉溺在失望的苦恼中",可以说,谁掌握了这一代青年的心,谁就掌握了时代。丁玲于1933年曾发表《莎菲日记第二部》,叙述莎菲没有浪费生命,她与一位文学青年同居生子,当她读着爱人的新作《光明在我们面前》时,爱人却已被秘密枪决了。丁玲把"自叙传"小说带入了革命小说的新轨道,把冷静的心理分析与热切的时代呼唤相结合,形成了自己独特的艺术风格。

丁玲1930年发表了中篇小说《韦护》和《一九三〇年春上海》(之一和之二),这3篇小说的题材都是"革命加恋爱",特色在于把握过渡时代知识分子的心灵世界比较准确真实。同时丁玲开始创作一些具有写实倾向的作品,如《阿毛姑娘》、《庆云里中》、《田家冲》等,在对下层生活的描写中仍保持着敏锐的心理洞察力。1931年,丁玲发表了以当年16省水灾为题材的中篇小说《水》,又一次震动了文坛。小说最大的特色在于"不是一个或两个的主人公,而是一大群的大众,不是个人的心理的分析,而是集体的行动的开展"[①],因此被认为是普罗文学的重大突破。塑造群像是20世纪二三十年代小说创作的国际性潮流,从苏联绥拉菲摩维奇的《铁流》到美国约翰·杜司·帕索斯(John dos Passos)的《曼哈顿中转站》,都曾风靡一时。《水》中的农民群像实际上还比较概念化,但这种先锋气魄对于促使左翼小说转向写实具有强烈的启示。从《水》的发表,到1932年蒋光慈《咆哮了的土地》改名

文学如何现代

① 冯雪峰《关于新的小说的诞生》,《北斗》二卷一期。

《田野的风》出版,以及5位左翼理论家为《地泉》作序,左翼小说逐步完成了由浪漫向写实的整体移动。

丁玲随后还创作了《某夜》、《消息》、《夜会》、《法网》等,写实笔法趋于圆熟。1932年以自己母亲为模特创作长篇小说《母亲》,计划比较庞大,但完成第一卷后,丁玲便于1933年被捕了。1935年逃往延安后,丁玲的创作进入了另一个仍然是毁誉交加的时期。

张天翼(1906—1985),原名张元定,生于南京,原籍湖南湘乡。早年的漂泊经历使他对现实社会了解得既深又广。文学生涯始于在鸳鸯蝴蝶派刊物上发表滑稽小说和侦探小说,这使他练就了扎实的文字功底,并奠定了幽默讽刺的风格和敏锐的文体意识。1928年在《奔流》上发表《三天半的梦》,从此成为新文学作家。1931年写出《三太爷与桂生》、《二十一个》,开始形成独特的艺术风格。前者以看似轻松糊涂的口吻,写出地主豪绅活埋革命农民的残忍。后者以士兵的口吻,写军阀混战的野蛮血腥和下层士兵在死亡面前被唤醒的初步的阶级意识。此后的创作一直善于运用不同的叙述视角,表现下层人民的血泪。《团圆》通过孩子的视角写被迫卖淫的母亲,故事安排在父亲归家的时刻,其现实开掘深度远远超过了王统照的《湖畔儿语》。《脊背与奶子》中的长太爷利用族规欺侮佃户的妻子,《笑》中的九爷仗势欺侮反抗农民的妻子,都在漫画式的轻松叙述中,蕴含着强烈的阶级义愤。张天翼的讽刺经常带一点"油滑",这种"油滑"并不是无聊肤浅,而是因为对讽刺的对象怀着严肃的愤怒而故意采取的一种丑化手段。《呈报》写勘灾员彭鹤年亲眼看见农民颗粒无收,农民倾家荡产对他酒肉款待,希望他如实呈报。他在良心与私利之间反复徘徊,最后在地主的50块大洋贿赂和县长的压力下,他竟然谎报收成为七成到九成五。张天翼一般很少正面描摹弱者的苦痛,而着重写出那苦痛的根源,让人在对恶势力的笑骂中联想到它们所造成的灾难。除了讽刺地主恶霸之外,张天翼在讽刺小市民和其他愚弱的劳动者方面继承了鲁迅的批判国民性精神。著名的《包氏父子》深刻展现了代代相传的奴性。门房老包当牛做马,幻想儿子小包能爬进统治者的圈子,而小包在那些有钱子弟的队伍里,最好的前景不过是做稳了走狗而已。父子两代生活态度似乎不同,但精神实质却是一样。张天翼在题材广阔的写作中,形成了尖锐、明快并富于浓厚生活气息的讽刺风格。速写式的人物,特写般的场景,写实的口语,巧妙的叙事距离,组成了张天翼独具一格的文体。抗战以后,张天翼的创作还有发展。此外,张天翼还是著名的儿童文学作家,从30年代的《大林和小林》、《秃秃大王》,到50年代的《罗文应的故事》、《宝葫芦的秘密》,都是现当代儿童文学的经典之作。

叶紫（1912—1939）[1]，原名余昭明，学名俞鹤林，还曾用过余繁，汤宠，叶子等名，湖南益阳人。他短短不到30岁的生命，"却抵得太平天下的顺民的一世纪的经历"[2]。少年时代便与全家人一起投身于大革命的浪潮，家族中多人为革命献身。叶紫在流亡生涯中积累了丰富的社会观察力和巨大的革命热情，他的投身左翼创作，完全是因为"我的对于客观现实的愤怒的火焰，已经快要把我的整个的灵魂燃烧殆毙了！"[3]1933年，发表成名作《丰收》，在以"丰收成灾"为题材的同类作品中，不但场面广阔，结构精心，而且描写了尖锐的阶级对立，揭示出灾难的"人祸"根源。续篇《火》写到觉醒的农民抛弃幻想，奋起反抗。《电网外》、《山村一夜》等篇与《丰收》一样，均以塑造老一辈农民见长。《山村一夜》中带着儿子去向统治者自首的老汉，结果是把儿子送入死地，给读者留下了深刻的印象。叶紫小说的阶级矛盾是以他扎实的生活功底用血和泪写出来的，因此让人感到厚重。他善于在父子冲突中刻画两代农民的形象，即使在悲伤的叙述中，也蕴含着一种昂扬的雄壮之美，鲁迅称这是"对于压迫者的答复：文学是战斗的！"[4]如果不是在贫病交加中英年早逝，叶紫在文学上应会有更大的突破。

周文（1907—1952），原名何稻玉，笔名何谷天等，四川荥经人。早年在四川的军阀部队当文书，30年代投身革命，曾任左联组织部部长。1933年发表成名作《雪地》，不但写出了活生生的军阀部队景况，而且写出了"康藏高原"的雪域风光。他在30年代被称为多产作家，最有特色的还是"军阀加雪原"一类的作品，如中篇小说《在白森镇》，长篇小说《烟苗季》等。周文注重写实的精确，气氛的渲染，具有"批判现实主义"的艺术特征。他所选择的创作题材在现代小说中显得独具魅力。

除了上述作家外，左翼小说家还有欧阳山、草明、葛琴、丘东平、罗淑等，共同组成了一支实力雄厚的艺术"铁流"。这支铁流不但把现代小说提高到一个稳定的成熟阶段，而且为抗战以后的小说走向提供了坚实的美学借鉴。

左翼小说的文学史价值

左翼小说，是20世纪20年代后期出现并延续到30年代后期的一个重要小说流派和文学现象。在现代文学的研究史上，对它的评价一直是忽高忽低

---

① 叶紫生年有多种说法，当以周葱秀《叶紫评传》之说最为确凿。
② 鲁迅《叶紫作〈丰收〉序》。
③ 叶紫《我怎样与文学发生关系》，收入上海生活书店《我与文学》1934年版。
④ 同②。

的,原因就在于它的"革命性"。在评价高的时候,看重的是它的"革命内容",而更多的时候是评价比较低。过去的批评是因为它的"革命性"不够正统,有小资情调,左倾冒进等等。说它"在思想意识上流露出小资产阶级的狂热性和感伤情绪,在艺术方法上则带有公式化、概念化的弱点。"①现在则由于改良思潮和伪自由主义的泛滥,仅仅因为它是革命的,就理所当然地将它排斥在文学史的边缘甚至之外。有的教师在上现代文学史课时甚至忽略不讲。这些拔高也好,贬低也好,都只是看到了它的革命性,而相对忽视了它作为一种小说的文学性。我认为,左翼小说除去它在革命史上的意义以外,在现代文学史上,在现代小说发展史上,具有相当重要的阶段性意义。

（一）左翼小说开拓了中国现代小说的叙事视野,使小说与产生它的世界彼此呼应

捷克作家米兰·昆德拉说:"小说是这个世界的形象和模特。"②左翼小说出现之前的新文学小说,借用茅盾的话,所表现的是"老中国的暗陬的乡村,以及生活在这些暗陬的老中国的儿女们,但是没有都市,没有都市中青年人的心的跳动。"③具体说来,鲁迅所写的主要是"铁屋子",问题小说所写的主要是"问题"而不是"小说",乡土小说所写的主要是中国的"被遗忘的角落",自叙传小说所写的主要是个人的哀伤。这些小说所构成的世界基本上是单纯的,狭小的,节奏慢的,情绪低的。这是决定支撑这些小说的"五四文艺观"的。五四文艺观在小说上的表现是呐喊,是倾诉,是充分揭露旧中国的丑恶,因而还无暇顾及展示更全面的现实和更广大的世界。

左翼小说的文艺观不仅要揭露旧中国的丑恶,更重视对现实中国的批判。因此,它的时代性得到了极大的突出。它写出"铁屋子"之外并不是花好月圆的一片净土,而是遍布着泥坑和监牢。它写出除了"爱与美"的问题之外,还有"血与火"的问题,还有"生与死"的问题,它写出都市中青年人的心的跳动以及整个都市的跳动,整个时代的跳动,写出了当时中国的全景。即以人物描写来说,郁达夫在《现代小说所经历的路程》一文中写道:"目下的小说又在转换方向了,于解剖个人的心理之外,还须写出集团的心理;在描写日常的琐事之中,要说出它们的对大众、对社会的重大的意义。"④左翼小说的主人公经常不是固定在一个地方,而是各处游走,比如蒋光慈《少年漂泊者》里的汪中,洪灵菲《流亡》里的沈之菲,茅盾《虹》里的梅行

① 唐弢主编《中国现代文学史》第二册 244 页,人民文学出版社 1979 年版。
② 米兰·昆德拉《小说的艺术》。
③ 茅盾《读〈倪焕之〉》。
④ 见《现代》第 1 卷第 2 期,1932 年 6 月。

素。通过主人公的游历、流浪、逃难，展现出复杂而生动的社会。与左翼小说并存的京派小说、新感觉派小说，只能在单一的向度上各自以一种不平衡的心态表现眼前的这个社会，而只有左翼小说，信心十足地展开它宏大的历史叙事。左翼小说因此成为那个时代不可分割的一个重要组成部分。

（二）左翼小说加强了叙述性，使小说的核心功能得到应有的发挥

五四时代的新文学小说，叙述性是相对淡化的。小说的重点不在于故事的展开和呈现，而在于故事的"意义"和对故事的感喟。郁达夫的小说号称"自叙传"，但他并不是为自己立传，而是要"赤裸裸地把我的心境写出来"①。鲁迅的小说很重视场面，也即是重视"横断面"，而对于纵剖面的线条进展不大关注。叶绍钧的小说是比较重视故事的，这与他早年经常在鸳鸯派的刊物上发表作品有很大关系，但是叶绍钧的故事讲得过于清晰单纯，缺乏引人入胜的魅力。"五四"时代最爱讲故事的小说家当推许地山，他的故事既浪漫又具有异域情调，但问题一是距离现实社会较远，真实性值得怀疑，二是故事背后的宗教气息过强，带有"讲经"的味道。五四时代是一个理性和抒情并重的时代，而对于叙述则比较轻视，新文学界对于鸳鸯蝴蝶派的声讨，原因之一即是后者的叙述性比较强，新文学界有意无意地将叙述性和娱乐性相联系，从而在自己的创作中不自觉地回避叙述。

而发轫于20世纪20年代后期的左翼小说，从一开始就显露出强烈的叙述性。左翼小说绝大多数是有故事的，这些故事不像五四小说那样是经过提炼选择的，而是保持着故事"本事"的原生态，甚至带有新闻纪实的特点。叙述者仿佛有满肚子的故事要告诉读者，告诉世人。左翼小说的缺点不是故事不好，而是由于故事太多，又急于讲述，因而往往泥沙俱下。左翼小说很快意识到这个缺点，在大革命失败的低潮期过去后，左翼小说普遍加强了叙述技巧，这一点在茅盾的创作中得到了最卓越的表现。从五四时期的沈雁冰，到左联时期的茅盾，象征着新文学由冷静的理性思索转向了积极的艺术叙述。左翼小说家普遍具有讲故事的才华，茅盾、丁玲、蒋光慈、张天翼、周文、沙汀、艾芜都是讲故事的能手。

左翼小说的叙述技巧是极为丰富的。视角变换，文体交叉，都是常用手段。左翼小说的节奏一般比较快，有时还采用电影的叙述手段，甚至把真实的文件、新闻报道、流行歌曲都直接列入文本，因此，左翼小说既是流行的，又是先锋的。左翼小说在叙述学方面的探索大大丰富了新文学的表

文学如何现代

---

① 郁达夫《写完了〈茑萝集〉的最后一篇》，《郁达夫文集》第7卷155页，花城出版社1983年版。

现能力,使新文学小说本已淡漠的叙述力又得到了恢复。比之五四小说,左翼小说更为全面地吸收了西方 19 世纪以来小说的叙述技巧,从左翼小说以后,中国读者对于绝大部分西方小说的叙述方式不再感到陌生。而且,左翼小说家大都形成了各自不同的叙述风格,如充满激情的蒋光慈和洪灵菲,擅长心理描摹的茅盾和丁玲,惯于冷嘲的吴组缃和沙汀,喜欢热讽的张天翼,偏爱抒情的萧红和端木蕻良,中国现代小说艺术正是在这一代作家的手中成熟的。

（三）左翼小说表现出高度的现代意识,如探讨人的生存意义,文学与生活关系,以及对工业文明的批判等

左翼小说大力表现现代社会和都市文明,但并不是不假思索地赞美和拥抱现代社会和都市文明,这是左翼小说与同样是以上海为大本营的鸳鸯蝴蝶派小说的本质区别。鸳蝴派小说对于现代都市文明基本上采取合作态度,宣扬个人奋斗,津津乐道流行的娱乐方式,相信法律,表现出对于物质的欲望和依赖。而左翼小说经常对现代社会采取批判态度,将畸形发展的都市视为罪恶的渊薮,经常描写个人奋斗的失败和苦闷,如丁玲的《莎菲女士的日记》。左翼小说还常常揭露法律的虚伪,写出物质欲望对人的损害,写出娱乐背后的血和泪。左翼小说重视文学对生活的反作用,是"干涉生活"派,他们强调文学"组织生活"的功能,非常自觉地超越传统的自然主义和"现实主义"。因此,简单地用现实主义的艺术标准去批评左翼小说往往是隔靴搔痒的。左翼小说具有比较强烈的可读性,但这种可读性只是它的手段而不是目的,它的目的是要通过精彩的故事改造读者的精神世界。

左翼小说把作为个体的人置于现代生活的风浪中进行"灵魂的拷问",从而在一个相当高的角度上探讨了人的生存意义。蒋光慈的小说里经常出现具有病态心理的人物,如《少年漂泊者》里的汪中,《冲出云围的月亮》里的王曼英等。他说:"我近来颇觉得受了点陀思妥耶夫斯基的技术的影响,老是偏向于心理方面的描写。"①茅盾笔下的"时代女性"和资本家,都超越了其具体的时代特质而焕发出一种普遍人性的光韵。在 30 年代的大浪淘沙的岁月里,寻找人生的价值,追寻人生的意义,是青年的一个普遍问题,左翼小说展现了一种极富魅力的生存方式,成为灰色的都市生活中的指路灯塔。正如旷新年先生指出的:革命"作为一种最高、最后的唯一能指,作为崇高的象征与乌托邦,为 30 年代追求理想而苦闷颓废的青年提供了伟大的抚慰、承诺和肯定,为迷途的灵魂提供了温暖的辉煌的归宿。"②

---

① 见《蒋光慈文集》第二卷,第 453 页,上海文艺出版社 1983 年版。
② 旷新年《1928：文学革命》,第 103 – 104 页,山东教育出版社 1998 年 5 月。

左翼小说即使对"右翼"读者也能产生极大的吸引力,原因就在于它最大范围地覆盖了人的精神世界。

（四）左翼小说为新文学赢得了广大的读者,为现代小说在三十年代的繁荣创造了条件

新文学从一开始就宣称要建设"平民文学","通俗文学"。但五四文学实在是既不平民也不通俗的。新文学小说的阅读圈子很小,而且由于语言的欧化,叙述的淡化,加大了与普通读者的距离,实际上创造了一种"新文言"。而通俗文学的称号却落到旧派小说的头上,并成为一个含有贬义的概念。综观整个现代文学世界,新文学只是盘踞在几个孤岛上,在它周围汪洋汹涌着的却是通俗文学的大海。因此,五四文学实际上是很寂寞的,很脆弱的,这种情况直到左翼小说出现才得到了有效的改观。

左翼小说首先在题材上具有吸引力。鲁迅的《呐喊》曾被他的母亲说成是"有什么意思",鲁迅的母亲觉得不如读张恨水和程瞻庐,原因是小说的内容是鲁迅母亲这样的普通读者司空见惯的,而小说的"思想意义"又过于深奥。五四小说喜欢在普普通通的事件中"挖掘"意义,就像在"狂人"里挖掘出"战士",在仁义道德里挖掘出"吃人"。而左翼小说由于视野开阔,其故事内容有许多不是一般读者所能亲身经历的,如革命,战争,充满激情的恋爱,都市里的各种秘密,读者在这里满足了他们的"求知欲"和"历险欲"。题材的吸引力进而又影响到许多读者对于生活道路的选择。

其次,左翼小说讲究叙述技巧,把本来就富于吸引力的题材叙述得引人入胜,这是一种对读者的尊重,是在写作态度上的"走入民间",使读者在阅读时产生平等的亲切感。这样,新文学就从通俗文学那里夺取了大量的读者,扩大了新文学的影响。近年的文学史研究已经注意到老舍为新文学争取了大量市民读者,而实际上,左翼小说由于比老舍的小说更具有都市性,它所争取到的读者是绝不少于老舍的。可读性问题一直是新文学小说的一个"软肋",左翼小说在先锋性与可读性的协调上所进行的探索,对于20世纪后半期的小说是不无启迪意义的。

当然,左翼小说在小说艺术上也是存在一些不足之处的,这在以往的研究中均已被不无夸大地指出了。但那些不足之处有的是左翼小说有意为之的,比如图解生活,过度的情绪夸张等等,实际上作者是知道这些"高于生活"的纸上楼阁的虚幻的,他们是为了一种幼稚的政治需要而有意"篡改"了真实。这对于实际的革命工作来说是十分有害的,但对于小说来说,对于普通读者来说,也算不上多么了不得的罪过,甚至可以说,这样的描写是迎合了当时青年读者的心理需要的。这些艺术教训和那些艺术经验一道,都成为后来新文学小说走向成熟的必要阶梯。

三、语文改革乱弹

本辑皆为近年发表的语文问题的文字，被转载和连载于多家媒体。

怎样学语文

中学生朋友，总是有人不分羊年马年地命令我，跟他们谈谈怎样学语文，这对我来说，实在是个苦差事，仿佛是叫一个老叛徒给青年人讲讲革命道理。我的语文的确学得满好，不敢说打遍天下无敌手，反正从小学到大学各种语文考试永远第一，到高中阶段就已经基本不用听语文课了，闭着眼睛也能得 90 分以上。可是我的语文本事主要不是从教科书上得来的，而是"功夫在书外"。所以我很怕跟我学歪了，我只好把我个人的体会半真半假地谈谈，希望别当真，凡事还是听老师的没错。

要说怎样学语文，就必须明确你学语文干什么。如果你学语文是为了语文考试成绩好，那我没什么可说的，你们老师已经说得够好够多的了。我说的也还是那一套。我基本上不反对老师们说的那些，我自己也是按照那些经验一直保持语文考试的高成绩的。但如果你学语文不是为了考试成绩好，或者不仅仅是为了考试成绩好，那我可能会有几句另类的话要说。当然，这二者并不一定是矛盾的，现在有矛盾，这是我们当前的教学机制和教育体制的僵化所造成的。我学语文那时候，老师和课本，都比现在要实在和善良多了。

首先，我唱个高调，学习不是为了考试。你要跟我抬杠，我也不理你。反正我告诉你，专门为了考试而学习的人，考试成绩大都不好。少数考试成绩好了，以后也没出息。因为在只为了考试的千百次训练中，他已经把人格训练坏了,他专门投其所好,没有独立思考。他的一生都可能只是个投机取巧的坏人,他对社会只有破坏,没有创造。而不为了考试,也不一定就能考好。就好像专门想当叛徒的人,人家不一定稀罕要你;立志不当叛徒的人,人家也不一定非得抓你。所以,这是一个人格的选择,不是方法的选择。

第二,你要明白语文是什么。语文不是跟数学物理化学历史地理政治并列的一个学科,你要那样看待它,那你就一定学不好。要知道,语文是一切,覆盖一切,穿透一切。语文所训练的是人对一切文明符号的理解力和创新力。语文学好了,干什么都摧枯拉朽,势如破竹。语文学不好,干什么都愚昧弱智。你看我们古人一天到晚不就是学"语文"吗? 学完了就什么都能干,判案子,修水利,打鬼子,搞经济,堂堂五千年中华文明不都建立在"语文"上吗? 一切其他学科,不都是用语文表达出来的吗? 离开语文,就如同虎毛离开虎皮,一风吹散,啥价值也没有。所以,你必须以对待整个人生的态度来对待语文,才能学好语文。

第三,语文教学体系所教给你的"语文",是一群中国的弱智人为了他们的饭碗而强加给你们和你们的老师的。他们自己的语文水平很差,没有几个思想有水平说话有水平或者写文章有水平的,没有几个敢无耻地站出来跟批评他们的好汉比一比。你们每所学校里的语文尖子、作文尖子都比他们强。我这样说不是贬低他们,我也理解他们工作的辛苦,他们也不是故意毁你们,他们是没办法,只能躲在阴暗的角落里用一颗"善良"的心拼命做野蛮的事。这样怎么办呢? 这就需要你自己救自己。你就不要总跟他们过不去了,要尊重他们的劳动,体谅他们的辛苦。好比武松拜了宋江做武术指导,怎么办呢? 造反是不对的,只好自己另起炉灶吧。这回就该明白,语文乃是在"语文书"以外了。

第四,其实,学好语文很容易。随手教你几招,不怕你扩散,就怕你做不到。一、每天写日记,要写那种不给任何人看的日记,每天就写100字,不多不少。写到一千回,下笔如有神。二、大搞文字游戏,开玩笑,猜谜语,写对联,填诗词,给所有老师起外号。嬉笑怒骂,激扬文字,把语言玩得山穷水尽。到那时,看语文书上的课文如同老叟戏顽童,老牛吃嫩草,什么语文考试,作文竞赛,简直不堪一击。三、进行背字词、背诗文比赛。电脑里存盘的资料多,可调用的东西就多。同理,你多背些古今中外死人活人的东西,不用思索,"语文"就顺口而出了。不要死记硬背,要边背边用,活背活用,急背急用,立竿见影。以肚子里东西多为荣,君子耻一物之不知,连说一百个成语不重样,假装深沉是蠢驴……明白了吗?

语文就是思想,语文就是生活,语文就是你这个人。学习语文,就是在

语文改革乱弹

塑造自己的灵魂。你要明白了这个道理,语文很快就学好了,也就是说,很快就进化到人了。不明白,我再写十万字,你还是个猴子。

摸 不 着 门

2001 年全国高考语文试卷现代文阅读部分有一道 18 分的题,阅读一篇题目为《门》的文章后完成四个小题。这道题在阅卷人员中间几乎成了当年缺乏热点的语文试题中唯一的热点。不但阅卷领导小组事前为研究此题的给分原则大伤脑筋,而且在具体阅卷过程中也由于"出格"答案的层出不穷而引起一些讨论和"花絮"。我想,简单分析一下该题的出、答、阅之间的"互动",对今后的现代文阅读考试,或许不乏意义。

《门》是一篇美国作家克·莫利所写的哲理散文。这类散文的特点是以文学性语言抒发比较含蓄的哲理,一般不使用比较严密的逻辑推理,而大多采用象征和比喻的手段,从具体事物入手借题发挥,所欲表达的哲理往往具有很强的个人性和主观性,并且大多不一定直说出来,而是让读者自己去体会和想像,甚至作者自身也不一定能说得清那个哲理,他只是感觉到并指出了"此中有真意"而已,你若当真向他追问,他则可能"欲辩已无言"了。

《门》就是这样一篇文章。从阅读的角度说,这是一篇轻松有趣,形象感和哲理度均把握得很到位的"美文",虽然稍有点故弄玄虚,但基本上平和自如,没有明显的败笔,在西方社会中,很适合中产阶级和小资产阶级人士的"高级精神消遣"。但是,将这样一篇最适宜于"欣赏"的文章,而且是译文,用来考察学生对现代汉语白话文的阅读水平,是不是合适,恐怕有待思索和商榷。

这道题目的四个小题,都包含着"根据文意"的要求。然而问题恰恰出在"什么是文意"? 有过类似写作经验的人会明白,我们写作这样的"机巧型"文章时,不一定有确定的文意。有时候只是围绕一个有趣的话题卖力地"抖机灵",但并没有什么"中心思想",好像我们遇见一个美女,不自觉地跟她东拉西扯,但并不一定有什么"明确的想法"。况且在写作过程中已有的"文意"还会不断发散和改变。试题删去了原文的一些段落和句子,居然不大影响文章的完整性,就恰好证明了这一点。

试题参考答案所理解的文意可能是比较接近"真理"或者说比较准确的。但是这既缺乏可以清晰展示的证明,又无法排除其他"平行真理"的存在。比如 21 题所问开门和关门的含义,在原文中就存在着扩散性,考生可以在好几个自然段中得到启示。能够答出"标准答案"的,只能说是具有普通鉴赏力的学生，而真正经常阅读文学作品的"才子考生"，可能会想得更远，他们不会相信"标准答案"会是那么"弱智"。23题要求的文字表述，几乎就没有得满6分的。关于"人不是在一起牧放的马群"，考生完全可能从"一起"或者"牧放"展开思路，由"一起"便会联想到"单独"，由"牧放"便会联想到"约束"。而这两个词恰恰是翻译所造成的。所以一定要有"独立天地"、"独立空间"、"隐秘需求"字样才算对，可能恰恰是对"文意"的窄化。24题的五段话，几乎每个选择都可以"狡辩"一番。A中说的"消极的不可知的神秘色彩"是可以从原文中嗅出些微味道的，如果在20世纪80年代以前翻译这篇文章，编者完全可能提醒读者注意这一点。B当然是对的，因为说的都是"正确的废话"。C则不一定对，首先"聪明人"开门时不一定"总是"谦逊和容忍的，其次即使面对水龙头和女厨那样的事情，他也不一定谦逊和容忍。这句话与下文的"内在联系"（也是昏昏昭昭的一个概念）倒可能更多些。D中说的"不同层面"也是不能否定的，当然这一段说的不完全是"层面"，但"侍者"、"书商"、"小贩"、"仆役"、"大人物"、"牙医"、"女助手"、"护士"，代表和暗示的正是"层面"，在这里，"层面"是与"场景"和"方式"共存共生的。E的观点也不能说不对，因为"畏惧"和"悲伤"都是感觉和体验，他不一定要出现在字面上，读者要那样理解，专家也无可奈何。

　　这样，就给我们阅卷者造成了被动。我们为了保证高考的公平原则，必须制定强行的可操作的评分标准。这必然是一个选择"庸人"的标准，它在淘汰差劣的同时也无情地淘汰了精英。笔者本人高中时代是全省的语文尖子，高二以后的语文课基本不听（配合老师教学观摩除外），以我当年的语文水平来做这道题，自忖只能得10—12分，即刚刚及格。这次阅卷中经手8千多份考卷，该题得了满分18分和17分的，加起来竟不到千分之一。有相当多的考生空白不答，可以想见当时他们"摸不着门"的茫然心境。

　　本人当过几年高中语文教师，也曾在多所高考辅导班讲课押题，近年参与过出题和编写教材等一系列关于高考语文改革的活动，我很理解出题者的意图是想突出试题的文学性和灵活性，这一出发点无疑是值得鼓励和坚持的，但高考改革是一项艰巨复杂的系统工程，出题者与阅卷者必须互相照应。从出题的角度必须想到答案的丰富性和阅卷的可操纵性。我的意见是，这样的文章不是不可以出题，但活题就应活出，而不能捧着活生生的蒙娜丽莎画像，却出"蒙娜丽莎的左手美还是右手美"的题目。《门》这样的文章可以出成发散性的题目，否则就应更换其他文章，比如钱钟书的《窗》，要胜过此文十倍。其实汉语言文学中优秀的哲理散文俯拾即是，这篇《门》在西方号称名作，翻译成汉语后，感觉并不太出色。试出一个以"门"为题的征文，全国的中学生能够写到这个水平的，我肯定不下一百。我自己教过的学生，就有三五个达到这一水准的。

我对当年语文试卷的整体格局没有大的意见，只是根据阅卷时的感受，略谈一点酷暑中的昏见。站着说话不腰疼，摸不着门也不一定就是门安错了，敬请方家批评指正。

有疑无疑

——漫议高考语文全国卷和北京卷

古人论读书云："无疑处须要有疑，有疑处却要无疑。"试观2002年全国高考语文试卷和北京高考语文试卷，似乎也颇有些可疑可不疑之处，我们不妨假装雾里看花，也来有疑无疑一番。

第一个有疑之处是，既然北京等地区单独命题，那么所命之题的"单独"处何在？从试题的指导思想、试卷的结构、题型的分布直到评分标准，都大同小异，而且大半仍是往年命题思维的延续，那为什么还要"一块红薯分两半，半瓢剩饭二人餐"，另费一路人马搞一套"重复建设"？北京题没有表现出"北京性"，而全国题却出了一道极富北京特色的"沙尘暴"。这是否说明我们对为什么要打破全国大一统的命题方式理解不够。社会上传说大城市单独命题是为了掩盖大城市考分低的尴尬，八旗子弟这回不跟湘军淮军太平军们一块玩命了，人家自己跟自己练。二德子对常四爷说："甭说打洋人不打，我先管教管教你！"而首善之区的人民并不认同这种见解，他们还是相信自家的子弟兵弓马娴熟武艺精湛，我们有大刀王五和李连杰啊！于是，今年北京的语文试卷，冒着使北京考生分数更低的风险，愣是比全国的难出一大截。或许这就是北京试卷的"北京性"，于无意中透出一股"精英气"。我在预评时指出第一道注音题中的"发胶"一词是老少边穷地区的考生不熟悉的，但既然是北京试卷，想想也就罢了。要考出北京味来，出个什么"发小"、"发糕"或者"桂发祥"来，也都有道理。由于今年北京试卷的主观题部分比去年增加了15分，这不仅直接导致考生用时紧张（许多考生作文只有40分钟或为保证作文时间而放弃最末一道知识题），而且给阅卷者增加了很大的工作量和鉴别难度。阅卷过程中"有疑"甚多，大约要人均耗费脑细胞0.28千克才能达到"无疑"。所以套用北京卷中一道题的说法：二者较之，北京为难。

第二个有疑之处是，当北京、上海、天津乃至以后越来越多的省市脱离全国统考，宣布独立或者实行"联省自治"，全国试卷的"全国性"何在？假如有二十个省市"藩镇割据"了,那剩下的十几个省市还能代表全国吗？今年的全国语文试卷在难度上是明显低于北京卷的。当然,我们不能说难度越大题就越好。除了难度,还有一个隐藏在试卷字里行间的"命题美学风格"的问题。读一份试卷,如同读一本书,我们可以从中读出命题者的学识、情趣、品位乃至人格。全国卷和北京卷由于结构相似,在几道题上都颇有可比之处。一是古诗赏析题,全国卷出的李白《春夜洛城闻笛》,诗是好诗,但要求赏析"折柳"一词是否为全诗的"关键",未免有点死板,好比面对维纳斯,非要人回答她的肚脐是否恰好位于黄金分割点上。而北京卷要求在两首《登鹳雀楼》之间进行比较鉴赏,就显得境界开阔,不论考生水平如何,都既能充分发挥,同时也激发了考生的情趣。现代文阅读部分,北京卷的原文是东山魁夷的《一片树叶》,尽管有的老师觉得用日本人的作品来考中国学生的现代文阅读不大合适,但东山魁夷的文章本身毕竟是好文章。命题者的审美眼光和对原文的删改都是非常专业和恰当的。而全国卷所选的《话说知音》一篇,表面看上去很有文采,但文章的情感和思考都缺乏深度。知音的可贵就在于难觅,一旦觅得,生命便已完成。倘若知音多多益善,那所知之音一定不是高雅的曲调,而是驴鸣犬吠,百兽率舞。该文对知音典故的翻案写法,立意并非全无道理,但文脉和文气皆过于自信,尚不足以完成文意本身。其实散文专家林非先生另有许多佳作,单选了这一篇年轻气盛之作,透露出命题者的心态过于乐观昂扬了。

全国卷和北京卷都有仿作一题。北京卷的冰心的原作是著名的精品,仿起来也饶有意趣。而全国卷的原作貌似浪漫的"朦胧诗",细读则什么也没说,逻辑也不通。既然"海是水的一部字典",那鱼虾和海鸥怎么"是海的文字"呢？格调是汪国真式的,而内容是"山里有座庙"式的,这道题与其说是诗歌仿写,不如说是修辞练习。

作文部分也可看出类似的问题。都是给材料作文,北京卷出的"规则",信手拈来,朴素大方,考生可以结合实际,也可天马行空。而全国卷精心挑选的材料出自广西漓江出版社的一本小资情调的书。该书年轻的女编辑得知书中的一段文字成了高考作文题后,激动得夜不能寐,遥望北京,感慨万千。不料第二天指责这段文字不合科学常识、虚伪做作的电话就打爆了全国数不清的媒体。人在高山暴风雪中不但不能脱下手套,而且也不能为冻僵者按摩。倘说为他人按摩就能够暖和自己的身心,那自己一路走下去的运动量更能保证不死。这类"心灵鸡汤"的文字目前充斥着千万本白领粉领杂志,它们出于对"农夫和蛇"那类真正教育青少年直面人生的作品的恐惧,不惜大量编造农夫救蛇、蛇再变成美女报答农夫的爱的谎言。所出作文话题"心灵的选择",其实让考生没多少选择。只能写舍己救人,最后也救了自己;只能写选择了道德,同时也获得了实惠;只能写董存瑞舍身炸碉堡,顺便也炸掉了自己的六指;只能写黄继光奋勇堵枪眼,恰好敌人打光了子弹;只能写阿拉伯人民把石油都采出来免费奉献给美国,因此避免了一场十六级的大地震。所给材料在事理和情理上的虚矫,难免会影响到整体作文的水平与风格。假如考生的文章中有不合事理情理之处,那阅卷者凭什么给他们减等扣分呢? 作文题,是全部考试中的最亮点。古代的科举考试,题目往往是通学大儒拟定的,一个题目,可以使人身价百倍,也可使人丢官罢职掉脑袋。出什么样的题,怎么出,这可真是"心灵的选择"啊!

第三个有疑之处是,不论全国卷还是北京卷,出题者好像商量好了似的立志要让考生弄不明白题目的要求。记得余杰有篇文章叫《与考生为敌》,我不大同意他直率的判断,我倒是觉得命题者在太大的程度上"与考生为友"了。只有非常亲密的朋友,才能明白对方含糊不清的话语。比如什么叫"解释"? 把"少陵"解释为地名行不行? 严格地说,是行的。例如画家张三自号"北京野老",你让考生单独解释"北京",他说北京是地名,这有什么不行? 而出题者显然是要求答出张三的。那么,题干用"解释"一词就是不妥的。这就叫以其昏昏,使人昭昭,这就叫自作平易近人,以考生为友。这一类问题甚多,就不再列举了。

另一个问题是,试卷中许多原文都经过删节和重新组合,命题者应该仔细推敲脱离了原来语境的一段文字是否能够包含原语境中所具有的全部信息。比如北京卷所选《史记》中管鲍之交的那段,熟悉该故事者都知道是管仲使鲍叔更加"穷困",但只从试卷提供的几行文字里,不一定足以得出这个结论,说是管仲"穷困",也不妨碍下面的"鲍叔不以我为愚"。还有黄彻的《溪诗话》那段轩轾杜甫白居易的议论,只看这几行,似乎作者更推崇杜甫,而实际上这句只是"或谓",一个句群并未完结,下面作者紧接着就说了白居易的境界才是更难达到的。所以,少数考生把少陵误答成白居易,除了说明文学常识不扎实外,恐怕也是受了残文断简的误导。命题者以考生为友,以为考生跟自己一样会推崇杜甫,哪知考生思想深刻,看出了白居易身居高官还能同情下层人民是"更不容易"的,竟因此一念之差,把少陵野老的桂冠转赠给了白大人。真是本来无疑处,偏生有疑云了。

反复玩味两份试卷,有疑无疑处其实还很多。比如"象"是错别字还是异体字还是不规范字? "信手拈来"真的不能带宾语吗? "道听途说"是指一个人在路上听来消息又由他本人去"传说"吗? "会谈"就是"多人"商谈吗? "多少"只能表示数量不能表示程度吗? 什么叫"暗换主语"? 老虎表演跟兔子成为小孩宠物的差别何在? 李广这类出滥了的题目还要再出吗?

考背诵是要求考生填"安得广厦千万间"有意义还是要求考生填"何时眼前突兀见此屋"有意义等等。在我看来,做学问须向有疑处下刀,而出考题则应在无疑处落笔。需要说明的是,当年语文试卷有疑无疑之处的增多,并不是说命题者的水平和责任心下降了,而恰恰相反,这表现了命题者在全国上下呼吁进一步改革和完善高考制度的氛围中的一种急于进取的心态。套一句官话说,这是"前进中的问题"。命题者想拉近与考生的距离,可能无意中就忽略了试卷的格调和要求的明确性;命题者想考出学生的"素质",可能无意中就忽略了衡量素质的形式和标准。作为一个参加过高考、高考监考、高考命题和高考阅卷的"高考发烧友",我希望高考的命题者和阅卷者既不是"与考生为敌",也不必"与考生为友",更不要把考生当成"上帝",我们就把考生当成学生,当成一个个正在成长的孩子,这还不够吗?

曾经大面积无疑的高考,如今有了很多疑,这不是坏事。经过继续不断的探索、改革和失误以至牺牲后,相信会走向一个更高层次的"无疑"。这,也算是一个"规则"吧!

标答的产生

——2003 年北京高考语文阅卷随想

十几年前我当中学语文教师的时候,有一位新调来的同事,每次阅卷都口必称"标答"、"标答"。我问她何谓"标答",她眉峰一扬说:"标答你都不知道,标准答案哪!"她把"标准"二字咬得特别标准。我私下里给她取了个外号:"标答"。

"标答"为人处世,极为严肃认真。尤其讲题和阅卷,一是必有"标答",二是对标答赤胆忠心,誓死捍卫。我说这话不是调侃,她多次由于标答跟学生、同事发生严重争吵,甚至"汪然出涕者"。我也曾企图劝导之:"那标答不也是人制定的嘛,就不兴有个错儿? 您也太愚忠愚孝啦!""标答"凛然道:"小孔,那可是标、答呀! 为什么叫标、答呢? 要像你们这样,想改就改,那还叫标、答吗? 那考试的严肃性又何在? 小孔,您是北大毕业,我想听听您的高论,——您说,那国家的法律,能说谁想改就改吗?"

我很敬佩"标答"的执着与赤诚,我想倘若真的事事有标答,我们只要勇敢无畏地维护这个标答林立的世界就可以河清海晏,百兽率舞,那该是何其幸福,何其标答啊!

然而世界偏偏不是如此。从周口店到伊甸园,都没有结扎停当、真空包装的现成标答等着我们"开袋即食"。标答是有生产过程的,也是有消费期限的。所以就连高考权力中心所发布的《试题答案汇编》,也不敢妄称"标准答案",而是清清楚楚地印着:参考答案。

正如教师讲课不必与"教参"保持一致,有了"参考"二字,阅卷部门自然也可以另起炉灶,自定"标答"。不过,由于"参答"已经包含了命题人员的宝贵心血,一般来说,大部分还会最终成为"标答"。只是这标答的最终产生是否经过了"参"和"考",其间的差距是不可以道理计的。

如同往年一样,经过"详参"和"长考",今年的阅卷部门制定了内容丰富而琐细的"参考答案补充细则",其中所付出的苦思和辛劳,是社会各界不大知晓的。我试举数例如下:

26题作文《转折》,四类评分标准的第一条都是考察作文内容与"题意"的疏密度。那么"转折"一词的"题意"包括哪些,其中是否存在高下之别呢? 写"转变"行不行? "转化"行不行? "转移"行不行? 写"挫折"行不行? "曲折"行不行? "夭折"行不行? 写"转折与选择"行不行? "转折与创新"行不行? "转折与痛苦"行不行? "非典"是转折还是抗击"非典"是转折? ……这都是需要阅卷者根据实际情况去自己判断,命题者不可能也不必要一一开列出来的。但是假如在作文题目之前给出对"转折"一词的简要解释,是否有助于考生减少构思误区,也有助于阅卷者笔下少"斩"冤魂呢?

25题"嵌词写话"的第二段要求有思想、有感悟。假如考生的思想感悟部分没有嵌入规定的词语,比如把第一段的内容缩写一下然后发两句感慨,该如何处理呢? 这是正式阅卷开始后发现的问题。

24题仿写出得很好。对"无异于"一词理解的准确程度,区分开了考生的水平。但是评分标准中"符合所要求的句式"一语带有一定的模糊性。因为原句有三处画线,对题干加以再提醒,所以绝大多数考生都能"搭建"起一个类似结构的句子。问题在于是不是达到这一点就至少给1分。如果使用了画线词语,符合了"句式",但前后驴唇不对马嘴,比如说"一首歌若只因为是美女唱的就去听,无异于喝下杀人犯的毒药。"——这种情况还是否给分。在实际阅卷过程中,出现了各种程度和向度的仿写质量差异,如何将这些差异分置到3分到0分的等级中去,阅卷人员可以说是煞费苦心。

23题括写的要点有4个。其中第二个"在辽宁"是否为要点,是值得商榷的。分值为3分,很可能诱导考生以为要点只有三处。从世界角度来看,知道发现于中国即可,具体到辽宁还是新疆,其重要性未必超过消息来源——《自然》杂志和"顾氏小盗龙"的命名等。

第四大题、第五大题,均存在要求模糊与标答严格的矛盾。比如什么叫体裁、内容、写法？七言绝句是绝句当然也同时是七言。而"内容"与"写法"不但有相互重复之处，更重要的是所提供的赏析项正是从内容和写法的角度入手的。考生如果对赏析项判断正确，借此来就可得分；如果判断不正确，则可能再次失分。意即17小题的①和②存在着"一能多考"。这使阅卷者在判断"内容"和"写法"时几番踌躇。

19题的A项对20题的①存在着一定的干扰。既然已经认为"开头"是对比作者与教授，引出题旨，那么考生可能会从另外的角度去杜撰"富有的雅士"与文题的联系。

综合上述题例和我历年来的思考，我觉得"标答"的产生过程是十分复杂、艰辛而且充满流变性的。我们只能在"答"的波涛中去驾驭和改进"标"这条船，我们无法造出一根放之四海人莫予毒的定海神针。而要把握好"标答"之舵，我觉得有几个环节是命题者和阅卷者不可不慎的。

一、不可迷信原文。文章的生产过程是没有一定之规的，不能因为一篇文章的阅读效果很好就认为该文章处处充满匠心，处处都有道理。《静夜思》为什么要以"床前明月光"开头，可以说出一百个"理由"，但用其中的一个理由作为标答来考试，是荒唐的，这是由我们的语文教学体制中的"文章崇拜"意识所导致的。

二、反复质疑设难。对于已有的初步参考答案，不论命题者还是阅卷者都应本着严谨的学术精神去反复核查，决不放过一处疑点。要把所出题目放到原文所在的整个文本系统中，尽可能地参考和依据学术界已有的成果来进行由局部到整体、再由整体到局部的循环论证。今年所出文言文，发生了命题者把"书信"的书，误解成"书籍"的书的硬伤，而且由于电脑阅卷，造成了无法弥补的整体遗憾。其实这本来是不难避免的。一是学术界早有多个注本明确指出"分"字乃"介"字之误；二是原文的后文中还有"以书还崧"和"解不致书之意"，都可证明书是"书信"；三是按书籍讲，原文明显不通，不合情理；四是原文开头几处作"学"解的"书"都颇不常见；五是秦汉以后由于书面语和口语的差异进一步加剧，文言文已经很不"标准"，后世学者对其整理校勘的力度明显不如前代，本来就是充满陷阱的考试"雷区"。所以，有疑者不出题，似应作为今后命题的一个原则。而看似无疑者，也一定要反复质疑，鸡蛋里挑骨头，才可确保万无一失。

三、题干要精雕细刻。题干的准确度直接影响着"标答"的宽严性。应该说近年来题干的文字质量有了明显进步，比如问"哪两个字"是诗意产生的关键和"阐述了哪两种美"，准确严密，显示出命题者大巧若拙的功夫。相比之下，"对原文的叙述"略显不通，而"内容和写法上的相同或相似之处"则过于宽泛了。题干撰写首先是对命题者的一场考试。

四、从考卷实际出发。事先制定的参考答案，无论多么审慎周密，都只是一种预想。众多考生的实际答案不但会超出我们的预想，甚至会根本颠覆原题。正如医院不可能限定天下的病种，医学要根据不断发现的"非典型性病例"来丰富和完善自己的体系一样，我们也必须以大量的"非典试卷"为正己之镜鉴。不但修正今年的"参答"，而且指导明年的"参答"。这就要求命题者与阅卷者进一步加强协作，条件许可时，最好在考试中心统筹下，建立平行的监督和测评小组，以保证"标答"具有更高的权威性。

套句俗话，标答的产生，是一个"系统工程"，也是一个"可持续发展"工程。国家的法律，当然不能"说改就改"，但其实从来就没有中断过大改小改斗批改。现在同性恋不再是"流氓罪"，老师殴打学生要负法律责任。法律是人制定的，要为人服务。标答更是人制定的，也要为人服务。以辩证的态度看待标答，才会使高考和整个教育体制进一步摆脱僵化，充满生机。

2003 年全国高考语文试卷分析研究

本人应邀，对 2003 年普通高等学校招生全国统一考试（新课程卷）的语文试卷进行分析研究。首先需要声明，本人所作的分析，是学术性和经验性兼而有之，不敢妄称任何意义上的权威性。本人悬揣之所以被选中参与此项勾当的因由，大抵有以下六点：

1. 本人从小到大，语文成绩一路比较优秀，卒赖其助，考入天下语文垓心——北京大学中文系。于是就仿佛古代小说中误入敌阵的草莽英雄一般——左冲右突，最终还是被困在了垓心。

2. 本人在北大中文系混得硕士学位后，曾先后在北京两所著名的重点中学——北京二中和首都师范大学附中担任过语文教师。虽然这已经是十年前的老新闻，但据说对于本人终生甚至对于整个中国语文发展事业，都产生了很坏的消极影响。

3. 本人蒙北大含泪招回，继而又赐予博士学位头衔之后，不思专心报效，竟乃越俎代庖，大肆干涉语文改革大业。编有《审视中学语文教育》一书，先被领导指定为高考命题必读之学习材料，后又遭九路围攻十二次清剿，以致世人多目我为改革激进派。

4. 本人又尾随钱理群、温儒敏等导师，参与编撰《新语文读本》等中学语文读物和《高等语文》等大学语文读物。在此过程中坚决反对用欧美式、港台式的殖民、被殖民思想改造我中华民族的语文景观，主张"批评要尖锐，改革要谨慎"的渐进式路线，因此又被视为改革的稳健派或者是保守派。

5. 近年来多次参与高考语文命题和阅卷事宜，对语文试卷多有臧否，流毒渐广，合当择时以捧棒二术杀之。

6. 以文学研究者身份，鼓吹文学跟语言一家亲，在各种媒体上叫嚣"文学危急！汉语危急！中华民族危急！"妄图以语文卫道士的螳臂，阻挡 English 和 Internet 全球化的历史车轮，其结果必然是日落西山红霞飞，徒唤奈何把营归。

因此，本人以下所作分析，便可心安理得地归类于"一家之言"，不必背着"常青指路"的重担，误了青年男女的前程。嘻，何其轻松乎哉么哥！正是：分析之前假撇清，强盗先礼而后兵。

第 I 卷（选择题共 45 分）

分析：现在的语文试卷是 150 分满分。分为"客观题"和"主观题"两部分。其中"客观题"部分全部是选择题，由电脑判卷——不是"阅卷"。其实，这类题一点也不"客观"。试想，由那畜生不如的电脑来一刀切地判定谁是谁非，这是"客观"吗？这不恰恰是"主观"吗？电脑是最典型的教条主义者，最不会根据客观情况的千差万别来"具体问题具体分析"，抓住姓左的就是共产党，一男一女在一起准没好事——这是何等的"主意正"啊，这是何等的"有主见"啊。这个"主"已经"主"到了奴隶主望尘莫及的地步，还要自诩是"客观题"，真是没有俺们下人的活路了。这类题如果命题上发生错误，考生连个鸣屈喊冤的机会也没有，命题者连个亡羊补牢的机会也没有，阅卷者连个拨乱反正的机会也没有。而且一旦有了争议，方方面面讳莫如深、官官相护、文过饰非、良心丧尽。便如那窦娥同学所唱的："地也，你不分好歹何为地？天也，你错堪贤愚枉做天！哎，只落得两泪涟涟。"

所幸的是，这类题只有 45 分，占总分的 3/10，不到 1/3。要是随着科技进步的浪潮，有朝一日上升到 105 分，占了总分的 7/10，甚至百分之百，那恐怕就是中华文明的彻底崩溃之日。这种野蛮的题目，本来就是欧美式僵化思维的糟粕，其鉴别功能主要是区分"大傻子"和"二傻子"的。在我们的教育目标转移到以培养"打工奴才"为主的当今，适当引进这类试题类型是大势所趋，有助于在考试领域"与国际接轨"。只是我们心里一定要明白，我们是用这玩意儿糊弄洋鬼子的，可千万别先把自己给糊弄了。将一切问题都裁剪成 ABCD 四种答案，只看答案不顾其余，这连数理化领域的老师都觉得实在过分，何况是深蕴着"大学之道"的语文呢。这类题考多了,考成主流了,势必会助长学生投机取巧、趋炎附势等等实用主义的道德取向,抽空语文教学的人文血脉。从语文的工具性角度说,也无助于学生"纯语文"水平的提高。君不见,考试中"客观题"越多,中文系学生的素质就越差,报纸上的病句就越嚣张。

语文150分,我没意见。将来膨胀到1000分,我也没意见——只要你每1分都设置得有理有据。但一部考试史证明,150分时代似乎未超过120分时代,120分时代似乎未超过100分时代,100分时代似乎未超过5分时代,5分时代似乎未超过无分时代。我们只知道颜回、曾晳、子路、冉有都是孔子的学生,不知道他们的名次和录取分数段。这样说并非是九斤老太一代不如一代的意思,不能否认现代社会需要现代的考试形式。只是想提醒一句,语文这东西跟分数,就如同美女跟"三围"数据一样,没那么牢不可破的关系。选择题占30分行不行? 占15分行不行? 人家上海人民干脆不考这劳什子选择题了,一律真刀真枪地实干,咋样? 人家的说话和写作能力不还是呱呱叫吗?

顺便说一句,批评归批评,我们还是约定俗成,还是把这类选择题叫做"客观题"吧。正像贪官污吏永远把自己的劣迹归结为"客观原因",人心都是肉长的,得饶人处且饶人吧!

一、(18分,每小题3分)

分析:这第一大题永远是考基础字词知识的,这是语文的根本。题型和分数配置是经过多年磨合逐渐稳固下来的,其中凝聚着许多专家的心血。这些题远不如阅读题、作文题那样受重视,但是内行会知道,这些题其实最见功夫。出一道基础知识类的小题,精力损耗绝不亚于出一道作文题。如果我个人的经验和见解您还都不信,那么我举一个张恨水的例子。现代小说大师张恨水,壮年时给报纸写连载小说,一段五六百字的故事半个钟头就刷刷写完了,而要给一段故事配一联对仗工整的回目,却往往要花费两个小时。作文题出得好,全国称赞,而基础知识题的好坏,却少人评说。我个人由于知道其中甘苦,往往是更欣赏"小题上见学问"的。让我们对那些"小题大师"表示出应有的敬意吧!

1. 下列词语中加点的字的读音完全相同的一组是(　　　)

A. 宦官　　豢养　　盥洗　　患得患失　　风云变幻
B. 莅临　　乖戾　　官吏　　呕心沥血　　不寒而栗
C. 翌日　　对弈　　肄业　　苦心孤诣　　雄关险隘
D. 羡慕　　汗腺　　霰弹　　谄媚阿谀　　借花献佛

分析:语文的第一小题永远是考字音。中国是音韵学大国,中国人学外语,在发音上的成绩也一贯是最好的。中国人对于语音上的微小差别在一千多年前就研究得非常仔细,所以中国人能够享受到天下最美妙的音响——当然不是说每一个中国人,更不是说当今那些认为英语是最优美的语言的假洋鬼子。

按说在以普通话为标准语音的现代,北方学生字音题的成绩应该绝对优于南方——按我个人的私见,北方人就不应该丢分——然而这好像不是事实。这应该感谢命题者,他们绕开了方言中跟普通话不容易辨析的区域,着重于考察学生的"识字"能力。这使得北方南方的学生获得了一种"起跑线上的平等"。不过,这样做的负面效果是把方言问题推到了大学。有很多南方的大学生——特别是男生,直到大学毕业也坚持不说普通话。而大学是没有促使学生说普通话的义务,也没有相应的鼓励和约束机制的。

这道题既然要求判断"下列词语中加点的字的读音完全相同的一组",就说明:1.四组中只有一组的加点的五个字的读音是完全相同的。2.其他三组至少有一个字的读音与其他加点字不同——命题者为"淆乱视听",一般也只设置一个。3.考生如果只有 1 个字的读音搞不清,就很可能丢掉这 3 分。4.考生只要正确组的五个加点字读音准确,即使其他 15 个字都不认识,也能够得到这 3 分。……

这道题的答题方式应该是逐字在心中默读,以确定不疑的字去衡量可疑的字。

A 组的五个字中四个都读 huan,只有"盥"字读 guan。这是个不大常用的字,尤其对农村考生很不利。这组中的"豢"字也不大常用,也就是说考生如果把"盥"读错了,也可能由于对"豢"的怀疑而排除这一组。

B 组的五个字都读 li,这是正确组。这一组设置得很精心,前两个词"莅临"、"乖戾",都具有一定的迷惑性。"莅临"报纸上常见,但却有领导自己读成 wei-lin 的。"乖戾"的"戾",有些地方的人会读成 la,这大概是受了古音的影响。

C 组的五个字前四个都读 yi,最后一个"隘"字读 ai。命题者想用"形声字"的障眼法来迷惑考生。但问题是有的考生可能真的读了半边字,把"隘"读成了 yi,但是前边的"肄业",很多人是读成 si-ye 的(我中学时的一位教导主任和大学时的一位同学便如此)。这样,则会出现一个考生明明在这一组中就读错了两个字,却反而因此正确地判断出这一组不是标准答案的情况。这应该说是命题时考虑欠周。

D 组的五个字四个读 xian,只有"谄媚"的"谄"读 chan。这一组设置得很好,因为很多人是分不清"谄媚"跟"献媚"的。这也是该小题最能够让考生长知识的地方。

总之,第1小题出得基本成功,很下功夫,知识点、干扰项和难度都掌握得比较到位。在次要问题上有考虑欠周之处。字音题出得尽善尽美十分不容易,能够这样,已经可以说是高水平了。

　　2.下列词语中没有错别字的一组是(　　　　)

　　　A.部署　备受青睐　恰如其分　可望而不可即
　　　B.报道　伶牙利齿　群贤毕至　一年之计在于春
　　　C.揣度　共商国是　唾手可得　冒天下之大不违
　　　D.通谍　猝不及防　大相径庭　盛名之下其实难副

　　分析:第1小题是考字音,第2小题是考字形,由听觉到视觉,由"语"到"文"。中国的语文,处处都蕴涵着逻辑,处处都蕴涵着美感。只论"字形美学"这一条,就不是那单纯表音文字之国所能望其项背的。

　　这道小题的逻辑跟第1小题是一样的,只是逐字细看的功夫。所谓错别字,也不必细加论辩什么是"错字"什么是"别字",反正就是"不正确"的字。一组中发现一个,这一组就 pass 了。假如每组都有,再将最可疑者进行对比,"两害相权取其轻"是也。

　　A 组中没有错别字,是正确组。这一组可能造成迷惑的,一个是"备受青睐",或许有人认死理,以为非是"倍受"不可。再一个是"可望而不可即",有人会以为应该是"可望而不可及"。按说两种也都讲得通,但是起码原文没有错别字。认为原文错了,那是真的基础知识不牢。所以说这一组设置得很好。把正确组放在开头,从心理学上讲也是很妙的。

　　B 组的错别字是"伶牙俐齿"写成了"利齿"。这一组的"报道"使人想到"报导","一年之计在于春"也会迷惑一些"一年之际"的糊涂虫。问题在于"伶牙俐齿"是否一定不能写成"利齿"。现在我们为了视觉美观,把"伶俐"和"牙齿"两对鸳鸯分别搭配,这固然是"最佳选择"。但是写成"伶牙利齿",一是不影响语音和语意,二是也不违语言史实。元曲《杀狗劝夫》中就明明写的是"一任你百样儿伶牙利齿"。从字意上说,"俐"显然是后起字,是"利"的意项太多之后发明的取代其中一个意项的字。也就是说,"俐"不能随便代替"利",而"利"代替"俐",虽有些"包办过宽",但总还是在其职权范围。所以一定说这是错别字,恐怕是会有点争议的。

　　C 组的错别字是"冒天下之大不韪"写成了"不违",幸好还没写成"吕不韦"的"韦"。这个字考得好,这是要求考生把"不韪"和"不违"都得吃透。不过这组有个"唾手可得",很可能有的考生认为应该是"垂手可得",于是就 pass 了这组,结果因祸得福了。

　　D 组的错别字是"通牒"写成了"通谍"。这是考一点文字学意识的,如果知道"通牒"是一种文书、文件的话,就会想到应该是"牒"。这稍微有点难,因为现在有的电脑词库里居然都有"通谍"这个现成的词,以后假词取代真词也说不定。所以这个考点就更有意义。这一组的"猝不及防"也有点迷惑作用。

第2小题比第1小题出得更好。这样看上去只有3分的题,其实考察了十几个字词知识,而命题者则可能是从上百个、几百个素材中确定样题的。考生做这样的题,不论对错,都可由此增长或巩固十几个字词知识。这样的题目考虑周全难,但正因为如此,才要精益求精啊!

3.依次填入下列各句横线处的词语,最恰当的一组是(　　)

　①报载孙中山的孙女孙穗芳女士近年多次_____北京大学,为推动孙中山研究做出了贡献。

　②北京市政府对城市建设布局做出了_____,在2008年前将每年增加800万平方米的绿地。

　③邓亚萍现在留给大家的印象,_____日渐成熟的仪表风度,_____依然保留的拼搏精神。

A. 莅临　　计划　　不仅是/而且是

B. 莅临　　规划　　不是/而是

C. 亲临　　规划　　不仅是/而且是

D. 亲临　　计划　　不是/而是

分析:这是考"词义"的题。在汉语字词的音、形、意三者中,词意是要比音、形问题更复杂、更难准确把握的。用填空的方式考词义,是着重考察学生的实际遣词能力,避免枯燥地死抠词典教条的一种好方法。但这同时也就给命题增加了难度。题干中要求确定"最恰当"的一组填法,此中含有不妥因素。"最恰当"暗示所有填法都是"恰当"的,而要在都达到"恰当"者中比较出谁是"最恰当"的,这似乎不是"语文"问题,而是"美学"问题。首先看句①,主语既然是"孙中山的孙女孙穗芳女士",她不是领导,似乎就不能用"莅临",而只能用"亲临",于是马上就可排除 AB 两项。但是谁规定只有领导才能用"莅临"的? 这只是浅薄的报章文体习惯给我们造成的幻觉而已。"莅"就是"到场"的意思,"莅临"作为书面语,可以用于一切贵宾。说"孙中山的孙女孙穗芳女士""莅临",没有什么"不够恰当"的问题,跟"亲临"相比,实在难分伯仲。

退一步,就按照近年报章造成的粗暴用词习惯,我们排除了 AB 两项,就在 CD 两项中选择。这时看句②,按照报章习惯,既然是"城市建设布局",那动词当然就得是"规划"不能是计划了,而这其实是由语法决定的,因为不能说"计划布局",考生不用去思虑"规划"和"计划"的词义。于是,到此就可以确定标准答案是 C,根本不用再看句③了。句①和句②已经在结构上自足,那句③不是白出了吗? 此题还有一个小问题,即"莅临"一词已经在第1小题出过,虽然是从语音的角度,但如果不知词义者,恐怕也不会知道它的读音。于是这两道小题就存在着"互相提醒"的功能。由此看来,这第3小题不能不说是失败的。题干有问题,选材有问题,结构有问题,对词义本身的理解也是粗枝大叶,未能细究到底。更令人忧虑的是,这样的题或许会因为阅卷结果的所谓"区分度"好,统计曲线合乎"技术美观"而被认为是好题,从而掩盖了实际存在的诸多问题。面对高考试题,我们只有立足于"语文"本学科的专业分析,才能够真正得出科学的结论,从而对得起考生,对得起国家和人民。

4. 下列各句中加点的成语使用不恰当的一句是( )

A. 滥挖天山雪莲现象日益猖獗的原因之一是,违法者众多且分布广泛,而管理部门人手不足,因此执法时往往捉襟见肘。

B. 今年头场雪后城市主干道上都没有发生车辆拥堵现象,在这种秩序井然的背后,包含着交通部门未雨绸缪的辛劳。

C. 一项社会调查显示,如果丈夫的收入低于妻子,一部分男性难免会感到自惭形秽,甚至无端地对自己进行心理折磨。

D. 老王家的橱柜里摆满了他多年收藏的各种老旧钟表,每当他向慕名来访的参观者介绍这些宝贝时,总是如数家珍。

分析:成语在语意考察中是具有特殊性的。因为是"成语",其意义已经是大体固定的了,在一定的语境中虽可以适当活用,但绝对不能远离甚至背离其约定俗成的意义。另外,对成语中的每一个字都要明白其具体意义。现在很多广告词喜欢"歪用成语"或"戏用成语",那属于特殊的"广告语言艺术",它不能改变成语本来的属性。在一般的日常语境中,一个成语能用就是能用,不能用就是不能用。所以,第4小题的题干写得非常清楚,要求找出"加点的成语使用不恰当的一句",而不是找出"最不恰当的一句",这样考答双方就拥有了共同的逻辑前提。

A 句中的"捉襟见肘"是形容"人手不足"的,这边有人管了,那边就没人管了,所以是"捉襟见肘",用得很恰当,没问题。

B 句中的"未雨绸缪"的使用略显别扭,但仔细推究也不能说不可以。大概是命题者设置的"疑冢"。不过,一般"未雨绸缪"还是做动词性使用,"未雨绸缪的辛劳"是不大和谐的搭配,再看上句"这种秩序井然的背后",也很笨拙,好像是个三流记者的文笔。

C 句中的"自惭形秽"从语意上看是恰当的。但整个句子却有点问题。一是"自惭形秽"在这里是充当"感到"的宾语,这就犯了叠床架屋之病,因为"自惭形秽"里的"惭"字已经包括了"感到"的意思。二是"如果丈夫的收入低于妻子,一部分男性难免会感到自惭形秽",这里的"一部分男性"是"收入低于妻子的丈夫"中的呢,还是"兔死狐悲",指向所有的男人呢?显然,这也是报纸上常见的似通非通的三流记者的"妙语"。如果命题者要把此句当作正确项,那就应该精密推敲,使之不出现考察点之外的疑点。相信很多语感比较好的考生,看到这一句,都会把它列为重点疑犯的。

D句是经过反复比较才能确定的真正"罪犯"。这一句应该说是出得颇有水平的,真正考到了考生对成语的理解深度。"如数家珍"既然有个"如"字,那"数"的就一定不是"家珍"。否则就犯了喻体跟本体"合掌"的毛病。而这句里老王"多年收藏的各种老旧钟表"确实是他的"家珍",所以形容他"介绍这些宝贝"时,是绝对不能用"如数家珍"的。

命题者一般在答案项上会煞费苦心,显示功力,若能在非答案项上也同样尽心,二者必会相得益彰,整体效果更佳。——我这成语用得还恰当吧。

5. 下列各句中没有语病的一句是(　　　　)

    A. 当时全校不止有一个文学社团,我们的"海风社"是最大的,参加的学生纵跨三个年级,并出版了最漂亮的文学刊物《贝壳》。

    B. 参加这次探险活动前他已写下遗嘱,万一若在探险中遇到不测,四个子女都能从他的巨额遗产中按月领取固定数额的生活费。

    C. 针对国际原油价格步步攀升,美国、印度等国家纷纷建立或增加了石油储备,我国也必须尽快建立国家的石油战略储备体系。

    D. 这一歌唱组合独立创作的高品质词曲以及演唱中表现出的音乐天分和文化素养,很难让人相信这是平均年龄仅20岁的作品。

分析:改病句是非常麻烦非常复杂的文字操练,近年来已经很少再考。因为命题者认为病在腠里,而考生可能认为病在膏肓。病态容易判断,而病症、病源、病根,却可能见仁见智。治病的方术,更是五花八门。所以现在一般只要求发现病句即可。这第5小题问的是"各句中没有语病的一句",其实你必须确定哪几句有病,才能答出哪一句没病。而命题者一定会把那他认为没病的一句弄得好似有病,以乱人心。可是天有不测风云,疑似病例是很容易转为临床病例的,所以出病句的题,真是满危险的,弄不好就会翻船。

先看A句,有些可疑,一是"不止有",这跟"不只有"一样吗?反正这句别扭。如果说"文学社团不止一个",就没问题了。二是"纵跨",也显得不伦不类。好,这句姑且存疑。次看B句,三个分句内部似乎都没问题,只是"万一若在探险中遇到不测"的主语到底是"他"还是"四个子女",在字面上没有标清。这也很可疑。再看C句,肯定是病句。"石油储备"可以

"增加",但不能"建立",何况后边还有个"建立……储备体系"在内部提醒呢。另外"针对"的后边没有中心词,读着很生硬。这句肯定完蛋了。最后看 D 句,前一半冗长复杂,但是没有问题,后边露出狐狸尾巴了,"平均年龄仅 20 岁的作品",典型的搭配不当,枪毙。

这样,就在 AB 两句中选择吧。A 可疑,但是无法定性,好比看一个人气色不佳,但各项体检还都勉强过关了。B 看着挺通顺流畅,但仔细一查是耳朵喘气鼻子说话。所以断定 B 也是病人。于是答案有了,就是 A,山中无老虎,猴子称大王,就算他是个没病的吧。

6.下列新闻标题中语意明确的一句是(   )
　　A.政府有关部门明令禁止取缔药品交易市场
　　B.真正优秀的教师无一不是道德修养的模范
　　C.独联体国家看不上 2002 年世界杯足球赛
　　D.警方对报案人称围观者坐视不管表示愤慨

分析:第 6 小题是扩展到一个句子的范围内来判断语意,而且不是判断对错,要求判断的是"语意明确"。这是一道能够考出学生素质的好题。新闻标题经常出现语意不明确的原因在于一是经常多句合并为一句,杂糅导致的"一个马俩脑袋",二是企图耸人听闻,喜用绝对性判断。所以这道题也是具有现实生活的指导意义的。

A 句考的是"双重否定"的概念。"禁止取缔",如果理解为动宾结构,就是不取缔;如果理解为并列结构,就是又禁止,又取缔。所以只看这个标题,不能知晓政府对药品交易市场的态度。这句话不但不明确,而且根本就是个病句。因为"市场"不能做"禁止"的宾语。

B 句首先是个全称判断,挺吓人。断言"真正优秀的教师无一不是道德修养的模范",这是一个无法证明也无法证伪的"主观真理",因为什么叫"真正优秀"是由发言者说了算的。根据多数人的经验,优秀教师很多,但不一定都是道德上的好人。所以,这句话在内容上是颇有些站不住的。然而,人家没有问你内容啊,人家问的是语意明确不明确。那么这句话的语意可以说是再明确不过了,明确得都过了头了,明确得都那般武断了。所以,这应该是语意明确的候选人。

C 句的关键在"看不上",是因为电视转播的时间或频道问题导致独联体国家的观众没有办法看到世界杯足球赛呢,还是独联体国家的人民认为世界杯足球赛档次和水平太低而看不起、不屑于看呢? 很明显,这是语意不明确的一句。

D 句是涉及"兼语式"的一句。其实这句仔细分析是可以明白的。但是由于在多重兼语的情况下又使用了"对"字结构,导致字面意思混杂,到底是谁"称"？谁"表示愤慨"？到底是对什么表示愤慨？是对围观者坐视不管这种现象表示愤慨，还是对报案人叙述了这种现象表示不满？所以，这是最让人一读之下头昏脑涨的一句。这样看来，标准答案当然是 B 了。

第一大题全面反映了当前我们对青年学生语文基础知识方面的要求和期望，同时也显露出这方面的思想混杂和思虑不周。基础知识的考试题型没有必要经常花样翻新，重点应该放在命题者自身首先要有一流的基础知识素质，要以咬碎每一个字的态度把这部分题出得字字珠玑。

二、(12 分，每小题 3 分)

分析：第二大题一般是一道科普类的说明文阅读题，考的是学生能够把最普通的文章"看明白"的能力。现在这种能力应该说是普遍下降的，不但"看"的能力下降，连"写"的能力也在下降。吹牛的文字多了，老老实实介绍一个事物的文字少了。以我三十多年的语文功力，经常看不懂一份普通的产品说明书。我家里买的每一件电器，那说明书都够我研究好几天的。等研究明白了，又不禁哑然失笑，原来是可以说得非常简单的话，竟然被写得如同天书。特别是自然科学方面的文字，真是每况愈下。像李四光、华罗庚那样的贯通文理的科学家越来越少了，所以我觉得自然科学水平也没有以前那么高了。比如电脑，就永远亦步亦趋地跟在外国后面，因为光是那些电脑术语，就足够费去学习者一半精力的。有位北大文科教授，第一次用电脑写文章，写完后要关闭，这时屏幕上出来一个对话框，上边写："是否保存对文章的修改？"教授心想，我是一气写完，没有修改过文章啊，是电脑自作多情帮我修改了？不，不能修改。于是他就点击了"否"，结果他的文章就没有了。这个悲剧的造成，完全是因为那句问话是句狗屁不通的"洋泾帮"汉语，中国人没这么说话的。其实应该这样问："是否保存文章现在的状态？"这就小葱拌豆腐——一清二楚了。由于目前全国上下都极度缺乏优秀的说明文，所以这道题在选材上有些难度。能够做到科学知识无误，基本道理清楚，就算是谢天谢地了。

阅读下面的文字，完成 7—10 题。

人类正面临着全球变暖的挑战。联合国的一份报告向我们描述了气候变化产生的灾难性后果：森林消失和沙漠扩大，将使非洲成为受影响最广的地区；热带流行的疟疾和寄生虫病将向北蔓延，使欧洲出现流行病；地中海地区由于严重缺水会半沙漠化，滑雪运动在欧洲将荡然无存；在英国，肆虐的冬季风暴将变得司空见惯，东部的某些地方可能变得过于干旱而无法种植各类作物。另外，一些河流水量将大大减少甚至干涸，饮用水源遭到破坏；昔日绕道而行的台风将频频袭击日本，致使短时间内大量降水，洪水泛滥，城市淹没，山体滑坡，交通中断。而最为严重的影响，将是地球上数以百万计的人由于海岸线受侵蚀、海岸被淹没和农业生产遭破坏而被迫离开家园。

最新的一项研究表明,到本世纪末,地球平均气温将比现在升高3℃。这一预测是以近年来地球气温升高的现象和温室效应为依据的。温室效应,在物理学上是指透射阳光的密闭空间由于与外界缺乏对流等热交换而产生的保温效应。大气层中的二氧化碳是主要的温室气体,它可以减少地表热量向空间散失,使大气层保持一定的热能。二氧化碳在大气层中的含量直接影响着地表气温,当大气层中的二氧化碳增加时,地表气温就相应升高。科学家认为,大气中的二氧化碳在地球环境的演化中起了极其重要的作用,如果没有大气层的保温作用,全球气温将为–40℃,而现在全球平均气温为16℃。科学家们预言,人类如不采取果断和必要的措施,到2030年,大气中的二氧化碳的含量将比1850年工业革命时增加一倍。

导致大气层中二氧化碳含量上升的原因是显而易见的。工业革命开始以后,化石燃料(煤炭、石油、天然气)的燃烧量越来越大,使大气中二氧化碳的浓度不断增加。同时,雷击、虫害、砍伐造成的森林火灾、草地衰退和森林破坏也使能够吸收二氧化碳的绿色植物遭到破坏。所以,要控制全球变暖,必须改变能源结构,大力植树造林。有科学家指出,只有以核燃料代替化石燃料,才能从根本上防止温室效应的加剧。

气候是人类赖以生存的条件,全球气候变暖是人类自身活动所造成的灾难。我们必须树立全球共同性的大气环境观念,为自身的生存和发展,爱护头顶的这片蓝天。

分析:这是一段很普通的"环保文字",主要讲的是全球气候变暖的问题。第一段讲的是一些具体的灾难性后果。第二段讲的是温室效应,第三段讲的是大气中二氧化碳含量上升的原因。第四段是个空洞的结论,属于"环保口号"之类。

这段文字选得比较适中。环保是全社会目前持续关注的热点,话题虽然比较俗,但是作为说明文考试,主要应考虑话题的普遍性。要是考"买车"问题、"装修"问题或者"减肥"问题,则未免考偏了。

这段文字本身有一些写作上的问题,似乎不是中国人的手笔。第一段讲灾难性后果时没有提到亚洲,国家也只提及英国和日本,排列顺序也很随便。最后一段断言"全球气候变暖是人类自身活动所造成的灾难"缺乏足够的科学依据,是一句随波逐流的媚俗之语。有些科学家认为气候变暖是地球外部因素造成的,还有的科学家认为气候变暖是周期性的。人类的疯狂掠取地球资源,只是加剧了气候的变暖而已。不能全面地、辩证地考虑问题,是科普文章的通病,也是中国科普和科幻水平上不去的重要原因。

像《梦溪笔谈》那样的说明文精品是找不到了,只能用这样的"假洋鬼子"文字来考学生,我们这些当老师的人,只有苦笑。

7. 下列对"温室效应"这一概念的理解,准确的一项是(　　)

    A. 指由于与外界缺乏对流等热交换,能够接受阳光的一定的密闭空间中所产生的一种保温效应。

    B. 指二氧化碳等温室气体剧增以后,又与外界缺乏对流等热交换,从而使地表气温相应升高的效应。

    C. 指在接受阳光的密闭空间中能够影响地表气温的二氧化碳含量增加,使地表气温相应升高的效应。

    D. 指大气层中主要的温室气体,通过减少地表热量向空间散失,在特定的密闭空间中产生的保温效应。

分析:温室效应是个固定的科学术语。假如学生在理化或地理课上已经学过,那这道题就很简单。没有学过,则死抠原文字句即可。原文的中心词是"保温效应",所以 BC 两句说成"使地表气温相应升高的效应"显然是不对的,准确项应该在 AD 中间。而 D 句的主语是"温室气体",与原文主语"密闭空间"不同,所以准确项应该是 A。遇到这样的题,如果对于自然科学的概念掌握得不好,那么语法知识则大有用武之地了。

8. 根据原文,全球气候变暖带来的影响最严重的一项是(　　)

    A. 河流水量减少甚至干涸,饮用水源遭到破坏,导致不少地区沙漠扩大,疾病流行。

    B. 肆虐的冬季风暴将变得司空见惯,一些地区会因为过于干旱而无法种植各类作物。

    C. 数以百万计的人因海岸线受侵蚀、海岸被淹没和农业生产遭破坏而被迫离开家园。

    D. 台风频频袭击,致使短时间内大量降水,洪水泛滥,城市淹没,山体滑坡,交通中断。

分析:考试中很重要的一条是仔细审题,特别是对于"根据原文"这类限制性状语,一定不要忽略。不管你认为全球气候变暖带来的最严重影响是什么,一定要答出原文的"认为"来。因为这是考语文,不是考科学。所以假如原文错了,就算你是李四光再生,也要恭拜原文。既然依照原文,那么原文说得很清楚,第一段的最后一句就是专讲"最为严重的影响"的,所以正确项应该是 C,这是秃子头上的虱子——明摆着的,基本是送分的题。这道题谁若答错了,那么他的语文总成绩一定很糟糕,人生总成绩也要警惕了。

9. 下列对"全球气候变暖是人类自身活动所造成的灾难"这句话的理

解,不正确的一项是(   )

A. 世界各国迟迟不采取果断和必要的措施,不改变能源结构和大力植树造林,以致大气层的温室效应越来越严重。

B. 1850年工业革命以来,大量开采和燃烧煤炭、石油、天然气等化石燃料的结果,大大增加了大气层中温室气体的含量。

C. 由于人类无限制地破坏,地球上大片森林和草地急剧消失,沙漠进一步扩大,使得地表气温也随之不断升高。

D. 因雷击和虫害而造成的森林火灾、草地衰退,导致能够吸收二氧化碳的植被日益减少,而人类对此却束手无策。

分析:此题的题干有些叫人费解,什么叫"理解"本来就容易发生争议,而下面的四句话其实不完全合乎"理解",而是"联系"和"推论"。这里最容易发生思维混乱,此时还是应该紧紧扣住原文,对于超出原文的内容一定要谨慎并加以质疑。A句就是这样,原文里没有"世界各国不采取措施"的内容,而根据常识,世界各国已经采取了很多措施,只是不能大见成效而已。所以这句很像是"不正确的一项"。B句可在原文中找到明显依据,是正确项。C句也是如此。D句表面上看似乎在原文中有依据,但是雷击和虫害却不属于"人类自身活动所造成的灾难",这就是"理解"的陷阱。经过比较,A句虽然跟生活现实有距离,但是属于"人类自身活动",所以,错误的就只能是D了。

10. 根据原文所提供的信息,以下推断不正确的一项是(   )

A. 非洲是受全球变暖影响最广的地区,人类如果能从根本上防止温室效应的加剧,那么非洲因此而受益的面积也将最广。

B. 一旦人类能够控制大气层中二氧化碳的含量,从根本上防止温室效应加剧,那么滑雪运动在欧洲将能继续,台风将远离日本。

C. 为避免增加大气层中二氧化碳的含量,一些科学家主张用核燃料代替化石燃料,可见使用核燃料不会产生二氧化碳。

D. 假如大气层中二氧化碳的浓度持续降低,全球气温就有可能持续降低,人类也许将面临另一场全球变冷的挑战。

分析:此题题干意义明确,一是根据原文所提供的信息,二是判断"推断"是否正确。这是能够考出水平、考出区分度的好题。

先看A,既然原文说非洲是气候变暖受害最广的地区,那么反过来,如果能够防止气候变暖,则非洲当然是受益最广的地区了,所以A是正确的。

次看B,原文说台风本来是"绕道而行",并没有说"远离日本",这是不正确的。

再看C,说"使用核燃料不会产生二氧化碳",在原文中没有根据。只能断定没有化石原料那么多。

最后看 D,也是反向推断,在逻辑上基本可以成立。比较 BC,B 明显更不合理,所以应该选 B。

这篇说明文虽然不太规范,但题目出得有一定水平,基本上能够考出学生对于科普说明文的阅读素质来。

三、(15 分,每小题 3 分)

分析:第三大题与第四大题,考的是文言文阅读。其中第三大题是"客观题",一般考的是字词语法等基本知识,分为 5 道小题。现代青年学生应该掌握一定的文言文知识,具备阅读浅近文言文的能力,这是当今社会的共识。问题在于我们要求学生掌握什么样的文言文知识,通过什么方法使学生提高文言文阅读能力。古人学习古文的方法跟今天根本不同,但是他们的水平是今人万难望其项背的。今天用古人的学习方法还行不行?一部分学校行,所有的学校行不行?这是需要认真探讨的。应该认识到的是,我们所讲授的所谓文言文"语法",是古人所不知道的。好比我们说月亮的"阴晴圆缺",是月亮闻所未闻的,闻了也必然哈哈大笑的,因为从月亮自己来看,何曾有过什么"阴晴圆缺"?我们动辄说什么"这里省略了一个代词,那里省略了一个介词",其实古人何曾省略?正如我们不能因为只看到"半个月亮爬上来",就胡说另外半个月亮被省略了一样。用历史的眼光看待历史,这种态度是学术界普遍赞赏和肯定的。那么,用古人的态度去学习古文,会不会避免许多胶柱鼓瑟、闭门造车的荒唐之举呢?且不急于下结论,让我们慢慢思索,反正古人已经摇头叹气了不止一袋烟的工夫了。

阅读下面一段文言文,完成 11—15 题。

裴矩字弘大,河东闻喜人,襁褓而孤,为伯父让之所鞠。及长,博学,早知名。隋文帝为定州总管,召补记室,甚亲敬之。文帝继位,累迁吏部侍郎。大业初,西域诸番款①张掖塞与中国互市,炀帝遣矩监其事。矩乃访西域风俗及山川险易、君长姓族、物产服章,入朝奏之。帝大悦,每日引至御座,顾问西方之事。帝幸东都,矩以蛮夷朝贡者多,讽帝大征四方奇技,作鱼龙曼延、角骶②于洛邑,以夸诸戎狄,终月而罢。又令三市店肆皆设帷帐,盛酒食,遣掌番率蛮夷与人贸易,所至处悉令邀延就座,醉饱而散。夷人有识者,咸私哂其矫饰焉。帝称矩至诚,曰:"裴矩大识朕意,凡所陈奏,皆朕之成算,朕未发顷,矩辄以闻。自非奉国用心,孰能若是?"矩后从幸江都。及义兵入关,帝问矩方略,矩曰:"太原有变,京畿不静,遥为处分,恐失事

---

① 款:至,到。

② 鱼龙曼延、角骶:均为古代杂戏名。

机。唯銮舆早还,方可平定。"矩见天下将乱,恐为身祸,每遇人尽礼,虽至胥吏,皆得其欢心。是时,帝既昏侈逾甚,矩无所谏诤,但悦媚取容而已。太宗初即位,务止奸吏,或闻诸曹案典,多有受赂者,乃遣人以财物试之。有司门令史受馈绢一匹,太宗怒,将杀之,矩进谏曰:"此人受赂,诚合重诛。但陛下以物试之,即行极法,所谓陷人以罪,恐非导德齐礼之义。"太宗纳其言,因召百僚谓曰:"裴矩遂能廷折,不肯面从。每事如此,天下何忧不治!"贞观元年卒,赠绛州刺史,谥曰敬。(节选自《旧唐书·裴矩传》)

臣光曰:"古人有言:君明臣直。裴矩佞于隋而忠于唐,非其性之有变也。君恶闻其过,则忠化为佞;君乐闻直言,则佞化为忠。是知君者表①也,臣者景也,表动则景随矣。"(《资治通鉴·唐纪八》)

分析:这段文言文材料出得很有意思。它由两部分文字组成,一部分是《旧唐书》中的《裴矩传》,一部分是《资治通鉴》里司马光由裴矩的事迹而生的感慨。这首先说明命题者是下了很精心的功夫的,自己充分吃透了材料,然后精心构建了题目。在这方面,2003年高考的北京语文试卷的文言文题目就出得明显不够认真,命题者没有吃透材料,只从出题的技术考虑出发,结果发生了完全不能自圆其说的重大谬误,并且不肯坦白谢罪,卒成士林一笑。

前一段文字为何取自《旧唐书》?我想这是因为考虑到要把裴矩的事迹叙述明白。《旧唐书》本名《唐书》,后来有了个《新唐书》,导致后人在《唐书》前加一"旧"字。曾有很长时间人们以为《新唐书》超越了《旧唐书》,直到清中叶,《旧唐书》才重新得到公正评价。唐史专家黄永年先生认为:"《旧唐书》列传这部分从史料角度来看是写得比较充实的,是很有价值的。不足之处同样是后期的不如前期、中期的详细。再是记事还往往有所讳饰……"(见北京燕山出版社《经史说略》)裴矩是《旧唐书》中的前期人物,这段节选基本讲清了他一生的重要事迹,可以作为评价人物和事件的参考。而后一段文字取自《资治通鉴》,这当然是由于世人皆知的《资治通鉴》最善于或者说最喜欢通过评价历史上的人事来为统治者提供镜鉴的缘故了。高考出题在选择材料上能够如此用心权衡,即使是受了其他因素的启发所致,也不能不说是一种高境界、高追求。科举时代的命题者,往往不肯随便从四书里剜下一句话就胡考童生,而是要"跨书出题",这并非是故意显示自己的才高过人,而是为了防止学生预有准备或老生常谈,努力要考出学生的素质来。这种精神还是值得褒扬和提倡的。

不过,这段文言文的几个注释略有问题。

---

① 表:测量日影以计时的标杆。

注①解释"款"为"至,到",其实"款塞"、"款关"的"款"的本义应是"敲、叩",可以理解为"至,到",但不能简单地直接解释为"至,到",否则就是传递了不大正确的知识。这里命题者的意图是担心考生因为不明白这个"款"的意思而影响理解全文,那其实可以多说几个字这样注解——款:敲,叩,这里的意思是有所企图而至。

注②解释"鱼龙曼延、角觝"说"均为古代杂戏名",这也值得考虑。其实不如解释为"古代杂戏"即可,因为到底是不是古代杂戏的"戏名",缺乏确证。正像不能说"话剧"是"当代戏剧名",不能说"相声"是"当代曲艺名"一样,"角觝"之类其实只是古代的"戏种",而非戏名。

注③解释"表"为"测量日影以计时的标杆",这也是直接讲出了引申意,还是应该先说"表"的意思是"标准",然后再引申为好。

这几个注解没有什么大错误,只是有些粗心,可能也不是命题者自己解释的,而是直接采用了某个版本上的说法。我们应该在这个问题上格外重视一下。凡认真的学者,一定不要轻信任何一种版本,一定要经过自己的质疑,而后达到无疑的才可放它过去。否则一旦发生了问题,岂可以"某某版本是这样说的"为借口不去直面真理? 在科学的领域里,有所怀疑的"错",要比无所用心的"对",正确一万倍。

11.对下列句子中加点的词语的解释,不正确的一项是(　　　)

　A.讽帝大征四方奇技　　　讽:劝告

　B.咸私哂其矫饰焉　　　　哂:讥笑

　C.恐为身祸,每遇人尽礼　遇:优待

　D.太宗初即位,务止奸吏　务:致力

分析:文言文的第一小题,是考学生对文言基本实词的掌握和理解。这是语文的重要的基本功,因为很多实词不仅古代用,现在也用。我们没有把握说古文不好的人今文一定不好,但我们可以说古文优秀的人一定今文也大受其益。

这道题问的是"不正确的一项",那就看哪句的解释不通就可以了。

A句"讽"解释为"劝告",这是"讽"的基本意义,就是"不直接说",而是"随风潜入夜",看看字形,"风言"嘛,没错。放到句子里,也讲得通。这句,正确。

B句"哂"解释为"讥笑",也是常用意。我们现在送给别人自己写的书或文章,经常题写上"某某人一哂",表示谦虚。我自己有一段时间经常这样写,北京大学的韩毓海博士就调侃我,故意读成"一西",后来我就不经常写"一哂",而改写"某某人拿去"或"某某人拜读"了。这个"哂"本义是"微笑",但一般引申为"讥笑",在这句里就是如此。这一句基本是送分的。我认为一张试卷,必须有送分的部分。机械地强调每道题都要"难易适中",都要考出"区分度",那恰恰是不懂考试心理学和考试美学的笨伯,结果必然是"咸私哂其矫饰焉"。

C句"遇"解释为"优待",骗人骗得很巧,因为整个这一句的确有点"优待"的意思。但如果真是"优待",那"尽礼"就略显多余了。所以这里的"遇"应该是中性的,这里的"遇人"就是"待人"的意思。这句,不正确。

D句"务"解释为"致力",也很常见。包括我们现在常说的"不务正业",也是这个意思。

所以,第11小题的答案是C。这基本是一道送分题,作为文言文的见面礼,这样做,既得体,又大气,是大家出题的风度。

12.下列各组句子中,加点的词的意义和用法不相同的一组是(　　)

A. { 为伯父让之所鞠
      身死国灭,为天下笑

B. { 以夸诸戎狄,终月而罢
      还军霸上,以待大王来

C. { 咸私哂其矫饰焉
      犹且从师而问焉

D. { 太宗纳其言,因召百僚谓曰
      府吏闻此变,因求假暂归

分析:文言文的第二道小题,一般是考虚词。本题的"因"似乎也有点实词的味道,但还是"虚多实少"。现在一般不考对虚词的直接解释,而是通过对比,用"同异法"来考察学生是否真的理解了虚词的意义和用法。不过,这种考法给命题者也设置了很高的难度。虚词向来是文言文的核心堡垒,解释上经常有争论,而且多种解释可以并存的情况很多。因此这类题往往是"出得有道理,答得也有道理,怀疑得也有道理"。

本题是从上文材料中选了包含虚词的四句,分别与另外四句已经学过的文言文进行对比。这种出题法很扎实,不玩花活,但是也比较难。

A组的两个"为"字都是"被"的意思,因此这是相同的一组。

B组的两个"以"字都是用在两个动词性结构之间的连词,都含有"用来"的意思,也有人说是"省略了一个'之'字",这也是相同的一组。

C组的两个"焉"字则略有不同。"咸私哂其矫饰焉"的"焉"讲成语气助词即可,而"犹且从师而问焉"的"焉"则一般讲成代词或兼词,这里是"问他"或"向他问"的意思。所以这一组是不相同的组。不过我以为古人未必分得这么细,所谓代词、兼词的意思其实是暗含着,那样讲不能算错,或者说比较容易明白,但未必就是绝对真理。这种情况下仍然讲成语气助词,无损于对全句的理解。所以关于"焉"字的这个问题,还是不考为好。《千字文》的最后一句明确告诉孩子们,"谓语助者,焉哉乎也",一言以蔽之地讲这些都是语助词,这是古人延续千载的理解,我们今天可以琢磨得更细,但是考得很细,则不太必要。

D 组的两个"因"字,都可以讲成"于是就"的意思,都是用在两个动词性结构之间,表示后一个动作是前一个动作的发展的意思。其实细讲,仍然还有区别。有的两个动作之间有因果关系,有的则没有。所以考"意义和用法"的异同,一定要相对理解。严格地说,天下没有两句相同的话,"人不能两次踏进同一条河流",一个词只要在不同的句子中,意义和用法就肯定是不相同的。但是我们考的是一种对文言文的"静态理解",差异度小的就算是"相同"了,相比之下,哪个差异度大,哪个就是"不相同"的了。所以,这道题的答案是 C。此题比第 11 小题略难一点。

13. 下列各组句子中,分别表明裴矩"佞于隋"和"忠于唐"的一组是
（　　）

A. {令三市店肆皆设帷帐,盛酒食
此人受赂,诚合重诛

B. {凡所陈奏,……矩辄以闻
陛下……恐非导德齐礼之义

C. {每遇人尽礼,……皆得其欢心
裴矩遂能廷折,不肯面从

D. {矩无所谏净,但悦媚取容而已
每事如此,天下何忧不治

分析:考过了实词虚词,就该考句子了。本题的考问角度也设置得很好,四组句子,等于考了对八个句子的理解,合起来,就基本把裴矩的事迹概括一遍了。而且两个侧重方面"佞于隋"和"忠于唐"也起到了纲举目张之效。考生如果不能准确理解每个句子,要想蒙混过关,是相当难的。前面送过了分,这里要真本事了。所谓区分度,是要显露在关键题目上的。用喂驴喂马的知识来考奥运会马赛选手,并将成绩带入总分,那无疑是一种荒唐的"区分度"思维。

这道题的题干表明,下面四组句子中,只有一组的前一句是表明"佞于隋"而后一句是表明"忠于唐"的。所以逐句看去,只要前一句不是"佞于隋",就赶快 pass;前一句是了,再看后一句是不是"忠于唐"。不过,到底什么算是"佞",什么算是"忠",这其间倒是大有伸缩的。

A 组前一句"令三市店肆皆设帷帐,盛酒食",这谈不到什么"佞不佞",因为"佞"的意思是"巧言谄媚"。并非所有对国家不利的事情都可以

称为"佞"的。这句话所表明的,只是"铺张矫饰"而已,不能说是"佞"。所以后一句也不用看了,其实后一句也谈不上"忠",因为这里没有表达裴矩的观点,只是说了半句话。所以 A 组是"不佞不忠",不是答案组。

B 组前一句"凡所陈奏,……矩辄以闻",这是隋炀帝对裴矩的夸赞,客观上表明了裴矩善于揣摩君王心理并加以迎合的习惯,所以这里表现了裴矩的"佞于隋"。后一句"陛下……恐非导德齐礼之义",是虽然礼貌但却很不客气的批评唐太宗的话,是为了原则问题不怕触怒帝王的忠心之言,所以这里可以说是表现了"忠于唐"的一面。因此 B 组"前佞后忠",是可选项。为了保险,再看下两组。

C 组前一句"每遇人尽礼,……皆得其欢心",这是广交朋友,为自己留后路,谈不上忠佞问题。后一句"裴矩遂能廷折,不肯面从",这是唐太宗表扬裴矩的话,表明了裴矩的"忠于唐",所以 C 组是"前不佞而后忠",不是答案。

D 组前一句"矩无所谏诤,但悦媚取容而已",明明白白地表明了裴矩的"佞于隋"。但后一句"每事如此,天下何忧不治",虽然与裴矩沾边,但这是唐太宗借题发挥,希望大臣们都能够直言进谏,而并不是表扬裴矩的忠心的。所以这一组是"前佞而后不忠",也不是答案。至此,可以确定答案应是 B。

14. 下列对原文有关内容的分析和概括,不正确的一项是(　　)

A. 裴矩自幼而孤,在伯父身边长大,由于博学而很早知名。隋文帝、炀帝都十分赏识他,委以要职;炀帝更因他熟悉西域风土民情,经常向他咨询西方之事。

B. 裴矩工于心计,投炀帝之所好,为向戎狄夸耀强盛,建议作奇技、杂技于洛邑,又热情款待以笼络其心;尽管"夷人有识者"对此不以为然,但深得炀帝欢心。

C. 义兵入关之后,裴矩向炀帝献计,主张当即平定,以免错失良机;又见天下将乱,为全身远祸计,对人尽皆礼遇,对炀帝更是"无所谏诤","但悦媚取容而已"。

D. 唐太宗是开明的君王,但难免有失误,他先以行贿试探,后又欲诛受贿之人;裴矩直言谏劝,认为是陷人以罪,不合礼义,使太宗收回成命,并受到高度赞扬。

分析:考过了句子,就要考对于全文的理解了。这样的题肯定是真话、假话搀和在一起,往往在堂堂正正的大道理之间暗伏陷阱,引人上钩,所以,做这种题,一定要有"怀疑一切"的精神,反复质问"是吗?""真的吗?"问的是"不正确的一项",这就说明有三项是完全正确的,而那一项不正确的,也不是处处都错,而是只错在一处。倘在多项中发现疑点,就要反复比较衡量了。

先看A,基本是原文的翻译,没有什么问题。只是"西方"不等于"西域",这属于翻译上的枝节问题,不能说"分析和概括"不正确。除非后面几项再找不到更大的疑点,那时再杀回来不迟。

次看B,是对原文的很精炼的概括,没有什么疑点。

再看C,似乎说得也都对,但就在一片"平和的正确"中,暗藏着杀机。中间有一句不大引人注目的"主张当即平定",便是陷阱。原文说的是"遥为处分,恐失事机。唯銮舆早还,方可平定。"这是劝隋炀帝早点回到首都处理混乱的局面,至于怎么处理,是"当即平定"还是"诱敌深入",裴矩并没有说。这是代替裴矩做主张了,所以,这是不正确的。这个不正确虽然也不太大,但是已经关系到裴矩对隋末农民大起义的态度。倘若裴矩对于李渊、李世民父子的起义主张"当即平定",那他以后未必会那么"忠于唐"啊。所以说这是答案项。

最后看D,跟B一样,没有问题。所以可以再次确定,答案就是C。

15. 联系全文看,下列对文末司马光一段话的认识,不正确的一项是
（　　　）

　A. 以史家的眼光,评价唐太宗能够从善如流,隋炀帝则爱好阿谀逢迎。

　B. 强调"表动而景随",裴矩由隋入唐后,其品性也由卑下而趋于高尚。

　C. 借用裴矩"佞于隋而忠于唐"的事例,说明君王表率作用的重要性。

　D. 启示后世君王,治国时应当注意从裴矩的变化过程中吸取经验教训。

分析: 这道题不仅是考对文意的理解,而且是对"认识"的认识。司马光的史才是一流的,他对历史人物和事件的评价,历来是具有高度的权威性的。能够正确理解司马光的认识,不仅有助于阅读《资治通鉴》这样的历史著作,而且也有助于提高自己的"史家眼光"。至于怎样发现"不正确的一项",那跟上一题一样,还是要老老实实,逐字逐句地去推敲质疑。

先看A,对比评价唐太宗和隋炀帝,正是原文的意旨,也正是两个帝王的根本区别之一,没错。

次看B,要注意"其品性也由卑下而趋于高尚"一句,原文明明说了"裴矩佞于隋而忠于唐,非其性之有变也。"所以,即使是你或者是大多数人认为裴矩原来品性卑下,那也不是司马光的认识。正是由于裴矩前后行为方

式的变化，导致很多人以为他的品格"提高了"、"进步了"，所以，如果不是一丝不苟地认真阅读原文，就很容易认同这一判断。而且，司马光的认识也未必就是真理，说裴矩在隋朝品性卑下未必就没有道理，甚至说裴矩在唐朝也不大高尚，也未必不能成立。这些"干扰"往往会使人忘记题干中问的是"对司马光一段话的认识"，所以说这一项设置得很好，很有价值，客观上可以使人意识到"尊重历史"、"尊重他人"的重要性。B是不正确的。

再看C，这句话有点可疑。司马光的确说了"表动而景随"，说了君王的重要性。但是这不等于说了"君王表率的重要性"。因为君王自己不存在"忠佞"的问题，不是因为隋炀帝"佞"裴矩才"佞"，唐太宗"忠"裴矩才"忠"，而是因为一个喜欢佞，一个赞赏忠。所以，这里的"表率"用词不当，应该说是君王的"民主作风"或"价值取向"之类的重要性才对。只是这个用词不当的错误小于上面一句对于裴矩品性判断的错误，所以，还是应该选B。然而倘若真有人要来纠缠，毕竟这是个绕不过去的疏忽。应该说，这个"表率"成了这道文言文好题的"白璧微瑕"。

最后看D，这是一句空话，"启示后世君王从裴矩的变化过程中吸取经验教训"，什么经验教训也没有说，所以没有错误。

总之，第三大题从选材到设问，都扎实老到，颇具匠心。其中略有小的疏漏，不影响整体，可以原谅。

选择题部分45分到此结束。凡ABCD四个选择答案的题目，随机胡乱填涂，正确率为25%，加上一定的命题者送分和答题者的最基本素质起点，个体的实际正确率应该在50%以上。这样，整体的实际正确率应该在60%以上才算出题成功。也就是说，选择题部分的平均分应该在27分以上才比较合适。而我们经常发现，选择题的实际正确率只有50%甚至不到50%，这是需要认真探讨一下原因的。

第Ⅱ卷（共105分）

分析：高考语文试卷的第二部分由人工阅卷，占全部分数的7/10，俗称"主观题"。关于主观题、客观题称谓的不准确问题，在第一部分已经论述过，这里不再赘述。总之，这部分不能由电脑决定分数的题目，一般被视为语文试卷的更重要的部分。我在理论上不反对这种看法，因为语文最讲究"运用之妙，存乎一心"，根据答卷的具体情况来具体地给定分数，显然在理论上是更符合语文考试的实情的。但是，当理论转化为实际的时候，却不一定有我们所预期的效果。因为阅卷是由具体的人来进行的，如果阅卷者思维比较僵化，或者自身语文水平就比较低，那是不能达到从人文精神的动机出发所期望的目的的。这时候不但不能区别优劣,反而时常会颠倒优劣。还有,如果题目的"标准答案"制订过死,没有预料到可能出现的复杂情况,那也会忽视甚至埋没了考生中真正的语文优秀者。所以说,有时候"主观题"还不如"客观题"公正,成了地地道道的"主观专制题"。

这部分虽然是 105 分,但其中作文占了 60 分,其余题目占 45 分,跟前边的选择题持平。其实也可以这样看,即整个语文试卷是由三部分构成的,由电脑阅卷的基础知识选择题部分 45 分,由人工阅卷的阅读能力部分 45 分,最后由人工阅卷的作文部分 60 分。这一划分比例在当前具有一定的合理性,尽可能地综合考虑了语文教学、语文实践和语文能力的层次性、多样性。当今的语文高考,如果像一些激进者主张的那样,只考一篇作文,那就会掩盖许多问题,滋生许多矛盾,搞乱语文教学。当然,高考的方式不一定其他考试也要遵循。比如某报社招聘记者,也许只考一篇作文就可以了。

四、(15 分)

分析:第四大题是文言文部分的继续,一般包括文言文今译、古代诗文鉴赏和默写等几个部分。这些都不适宜由电脑阅卷,因此放置在第二部分。一共 15 分,连同前面选择题部分的 15 分,文言文部分一共占了 30 分,是整个试卷的 1/5,是作文以外试题的 1/3,这个比例是比较合适的,也是不可再少的。如果少于 30 分,恐怕是越过了底线,如果多于 45 分,则又过于"厚古薄今"了。

第二部分的一开始就是文言文,考生会觉得进入了一个更高的层次,有助于"抖擞精神",为后面的作文兴奋点的到来"预热"。

16. 把文言文阅读材料中画横线的句子翻译成现代汉语。(5 分)

分析:第二部分的第 1 小题是古文今译,而要求翻译的句子则取自第一部分的文言文材料。这使得一、二两部分之间保持了紧密的关系,多年来已经成为语文高考的惯例。由于翻译是一种包含主体创造性的工作,连翻译理论在各国也不能统一,所以,不可能有一字不能增减的标准答案。翻译问题涉及到人类语言思维的最基本奥秘,必须由活生生的人来判断其正误优劣。本来这一部分应该占不止 5 分,但是由于担心理解能力之外的因素导致译文不佳,不想让考生在一个小题里分数负担过重,所以也就限定为 5 分。虽然小题里还有分值为 6 分者,但那往往是一题多问。而文言文翻译的"采分点"则大都多于 5 个,一般都是采取"扣分原则"。考生不是翻译对了一处就得 1 分,而是"动辄得咎",错一处就挨一刀,直到"全歼"。所以,这 5 分得起来,是颇不容易的。

(1)裴矩遂能廷折,不肯面从。

分析：阅卷参考答案是"裴矩竟然能够当廷辩驳，不肯当面顺从。"（2分）并注明：译出大意给1分；"廷折"、"面从"两处，全都译对给1分。

这标准够严格吧。这句最难点是"廷折"，必须对上下文揣摩透彻，才能准确译出。"当廷"也可译成"在廷上"，"在朝廷上"，"在殿上"，不能译成"挺"的意思，例如"挺直腰杆"。"折"也可以译成"折我的面子"，不能译成"选择"或"析"的通假字。"面从"容易一些，"顺从"也可译成"从众"、"阿附"、"俯首帖耳"之类。其实还有一个难点是"遂"，考生没有翻译成"竟然"，而是翻译成"能够"、"就"等，只要句子通顺，大意正确，就算是对。这一句选择得很合适。

（2）君恶闻其过，则忠化为佞；君乐闻其言，则佞化为忠。

分析：阅卷参考答案是"国君厌恶听到自己的过错，那么忠诚就会变为奸伪；国君喜爱听到正直的言论，那么奸伪就会变为忠诚。"（3分）并注明：译出大意给1分；"恶闻其过"、"佞"两处，译对一处给1分。

与上一句一样，先看大意，再确定一个语词重点。这样能够做到有点有面。但是这样的要求也带来了不大严格的问题。首先，什么算是"译出大意"，这就需要阅卷者自己制订标准。如果两处重点都译对了，但是"大意"有问题，如何给分？如果两处重点不对，一般大意也不可能对，但是其他部分都对了，是不是1分不给？其实一个语词译错，就可能导致大意不对。比如，把"君"翻译成"您"。还有可能因为是断句的错误导致翻译的错误，比如断成"君恶，闻其过……君乐，闻其言……"这里还要注意，两个"其"字，意思是不同的。前一个指"君"，后一个指"臣"，理解不同，也会导致翻译的"大意"不对。

这里的"佞"也可翻译成"奸邪"，"奸诈"，"谄媚"，"爱进谗言"等，能够翻译成"奸伪"的恐怕很少。如果翻译成"不忠"，给不给分？这是制订参考答案时应该想到的。出翻译题，必须尽可能地想到最多的可能性。比如，"过"翻译成"拜访"，算不算"大意"错？"化"翻译成"转化"、"变化"肯定是算对了，但是如果翻译成"伪装"算不算对？假如有这样翻译的考生，那一定是对原文理解更深入者。翻译当然有一定之规，但也永远没有"终极译本"。如何区别"笨伯"与"才子"，老老实实的对应直译与深刻理解后的传神意译，究竟孰优孰劣？小试题中实有大学问存焉。

这两句翻译得得基本得体，参考答案的考虑不够周密，是一种普遍情况。阅卷人员一般都要再根据试卷具体情况制订出补充细则，但因为时间和人事等，还是不能完全避免"牛奶路"得了满分，而"银河"1分不得的遗憾。现在全国的翻译水平，与如火如荼的英语热是成反比的，译笔出众的翻译家几乎是凤毛麟角。这与都按着字典来翻译是有关系的，与翻译考试所培养的"标答"思维也是有关系的。

17. 阅读下面一首唐诗,然后回答问题。(6分)

分析:前边的文言文试题,都是以同一段文字为对象,占了 20 分。中国自古是诗文大国,不能只考文,不考诗。但诗歌不好出题,近年来的古诗鉴赏不失为一种有益的探索。鉴赏是没有标准答案的,但是,一定有正误、有优劣、有高下。考鉴赏,首先是对命题者的考验,没有一定的文学史修养和文艺美学素养,只去照抄某篇鉴赏文章,往往要弄巧成拙,未长一智,先吃一堑的。古诗鉴赏题的分值在 5 分或 6 分,若能与其他题目结合来考,分值自然可以更多。

过香积寺

王维

不知香积寺,数里入云峰。古木无人径,深山何处钟。

泉声咽危石,日色冷青松。薄暮空潭曲,安禅①制毒龙②。

分析:这是"诗佛"王维后期的诗作,刻意摹写远离现实生活的寂寥意境。技巧上很有特色,但是,有时佛家思想过于明显,未免有融化不够的感觉。此诗的最后一句"安禅制毒龙",就是直接运用佛教术语,缺乏诗歌意象,颇受论者讥评的。这句如果不加注解,今天的普通青年是读不懂的,还以为是潭水里生活着什么与周处齐名的毒龙呢。离开意象去直接说理,是一般唐诗所忌讳的,特别是律诗绝句,这样写恐怕被认为是诗才不够。到了宋代,说理议论入诗,才成了风气。不过除了这一句,这首《过香积寺》整体上还是写得非常棒的,意境如画,摄人心脾,既有中国古代绘画的"散点透视"效果,又仿佛欧洲印象派绘画,能够抓住人的最直接的感官素材。如果最后一句也以含蓄的画面结束,就是完美的艺术品了。可惜就像当今的电视广告,前边不管拍摄得多么美,最后一定要图穷匕首见,说出他的产品名称不可。我们就当王维是个香积寺的"托儿"吧,只要那里真的这么美,安禅就安禅吧。

古人评诗时常用"诗眼"的说法,所谓"诗眼"往往是指一句诗中最精练传神的一个字。你认为这首诗第三联两句中的"诗眼"分别是哪一个字?为什么?请结合全诗简要赏析。

分析:首先要知道第三联是哪两句,应该是"泉声咽危石,日色冷青松"。这是律诗的基本知识,倘若搞错了,那真是活该,这人的整个语文水平肯定是很低的。

---

① 安禅,佛家语,指闭目静坐,不生杂念。

② 毒龙,指世俗欲念。

这道题的参考答案是:"诗眼"分别是"咽"、"冷"。山中的流泉由于岩石的阻拦,发出低吟,仿佛鸣咽之声。照在青松上的日色,由于山林幽暗,似乎显得阴冷。"咽"、"冷"两字绘声绘色、精练传神地显示出山中幽静孤寂的景象(意境)。

第一问2分,每答出一个"诗眼"给1分。

第二问4分。如只写"这两个字精练传神"之类的话,而没有具体分析,不给分;如只具体分析两个字的传神之处,给3分;如又能结合全诗点出幽静孤寂的意境,语言通顺,给4分。

如从字的活用、句式的倒装或修辞的角度、心理的角度来对"诗眼"进行赏析,只要言之成理,都可给分。

这个参考答案在给分上是比较宽的,这也是鉴赏题所应该的。首先,如果第三联是哪两句没有搞错,那判断出诗眼是很容易的。题干已经提示了诗眼是"最精练传神的一个字",而这两句都是"二一二"结构,那诗眼是中间的那个动词,几乎人人都能看出。所以,这2分是白送的。鉴赏题送上1/3的分,是合乎风雅精神的。区分度要靠后面的4分。赏析能力是语文教学的弱项,我们很多教师自己就缺乏独立赏析能力,如果不集体备课,就不会讲课,或者认为一切课文都是优秀文章,好文章必然处处都写得有某种神秘的道理。所以很多学生只能说出好,而说不出为什么好。一位语文老师描绘道:好比站在雄伟的绝顶或美丽的江边,只能高喊"大自然啊,你真他妈的美啊!"所以参考答案里注明,只写空话,没有具体分析,不给分。而只要具体分析了,无论从语法、修辞、心理或美学的角度进行,便大都可得3分。参考答案中的赏析未必是最佳的。比如到底是什么"咽",什么"冷",恐怕有更好的解释。

总之,这道题出得不错,但是,北京卷的两首古诗对比鉴赏,似乎更胜一筹。

18.补写出下列各句名篇中的空缺部分。(任选两小题)(4分)

分析:这是考"背功"的题。现在的人,眼睛里的东西多,肚子里的东西少。特别是能够背下来的古诗文,比英语单词少多了。肚子里没货,这是我们民族语文水平下降的一个重要原因。我们的祖辈读书人,四书五经是背在肚子里的。到了我们的父辈读书人,四书五经就背不全了,但是很熟,背不下来的地方,知道去哪里查。到了我们这一辈,只能背些断编残简,还经常背错。我们的下一辈,则恐怕连四书五经的书名都要终生复习了。所以我是支持高考中要考"背记"能力的,只是还可以探索更多样化的考试形式,不一定只有填空一种。

要考背记,当然要考名篇,而且最好要考名句。比如,考李白《蜀道难》，就要考"难于上青天"，而不要考"噫吁戏"。总之，考的应该是有明确意义有明确价值的部分。考虑到背诵这东西，谁都难免有个闪失疏漏，以一句背诵之对错来区分，恐怕偶然性比较大，所以命题者设置为三题选二，这是合乎情理、具有人文关怀精神的。参考答案的评分标准说"只给两小题评分。每小题两空，补写出一空给1分，有错别字则该空不给分。"那么倘若考生三题都填了，则阅卷人选其答得好的两题给分。注意有一个错别字也不能给分，这叫作"一票否决"。背人家的东西，当然要一字不错，这有利于培养诚实良好的学风。如果说背现代白话文，多一个"的"字，少一个"了"字，还情有可原的话，那背惜字如金的古诗文，错一个字就有可能发生"谬以千里"的讹误啊。

（1）子曰："质胜文则野，文胜质则史。_____，_____。"（《论语·雍也》）

分析：（1）的答案是"文质彬彬"，"然后君子"。这是现在也常用的成语，前两句不大好背，但是从前两句的"文"和"质"的提示上，想起"文质彬彬"来，应该是不难的。何况已经注明了出处，仔细想想，答出者多矣。

（2）_____，_____，茕茕子立，形影相吊。（李密《陈情表》）

分析：（2）的答案是"外无期功强近之亲"，"内无应门五尺之僮"。这个比较难，因为后面的"茕茕子立，形影相吊"才是名句，也是成语。而前面两句基本没有现实用途。当然，如果前两句都会，后面的更不在话下。或许是上面考了名句，这里故意要考名句的陪衬句，反正是要求背的，答不上也不能怪罪命题者强人所难。不过，高考中还是以考名句为更佳。

（3）风急天高猿啸哀，_____。_____，不尽长江滚滚来。（杜甫《登高》）

分析：（3）的答案是"渚清沙白鸟飞回"，"无边落木萧萧下"。前面考了文，这里考个诗。三题选二，也许有的考生专门会背诗，而不喜欢背文，这里给他一个平等的机会。考背诗，一是不能考"姑苏城外寒山寺"那样的小学水平的句子，二是仍然要注意所考诗句应具有思想价值或美学价值。比如这里的"无边落木萧萧下"，是千古传颂的名句，而"渚清沙白鸟飞回"却是比较平常的一句，还不如头一句的"风急天高猿啸哀"。而且考的是跨联的两句，显得有些别扭。

总之，此题基本成立，今后还应集思广益，把这种题考得更生动活泼些。

五、（18分）

阅读下面的文字，完成19—22题。

分析：第五大题是现代文阅读题，是语文卷里的重头戏。说它是重头戏,主要是因为这种题一难出,二难答,三难判。现代文的好文章很多,但是适合出题的不好找,因此命题者常常要自己改动一番。从人家的文章里设计题目,经常是费力不讨好,你以为有道理的,人家作者未必是那么想的。现代文在语言层面上比文言文容易多了,但是正因为如此,语意的"播散性"很强,理解起来千差万别,莫衷一是。自己读来本来很明白的一篇文字,一看见题目就觉得怎么看怎么不明白了。每年的试题,现代文部分的争议最多,不能圆满解释的疏漏也最多。这不都是命题者的水平问题,根源在于我们的教学思想,是企图把每一篇文章都讲得"处处有奥妙"。比如经常问"我到了北京"为什么比"我到北京了"更精彩呢? 逼得学生和老师挖空心思地胡说八道,绞尽脑汁地揣摩和迎合出题思路,而根本不顾客观实际是皇帝没穿衣服。所以广大学生最反感的就是现代文阅读题,老师也每每在讲解这类题目的过程中失去了学生的好感和尊敬。结果造成全社会都不敢自己解释一个文本,都以为任何一篇文字都有一个放之四海而皆准的"标答"。用钱理群教授的话来说,奴性思维就是这样培养出来的。这样说不是说现代文阅读不能考,而是提醒我们现在要反思为什么现代文阅读题的麻烦这么多,怎样在现有基础上进行改革,争取在比较短的时间内让现代文的阅读题重新唤起学生的兴趣。

乡土情结

柯灵

每个人的心里,都有一方魂牵梦萦的土地。得意时想到它,失意时想到它。逢年逢节,触景生情,随时随地想到它。辽阔的空间,悠远的时间,都不会使这种感情退色,这就是乡土情结。

人生旅途崎岖修远,起点站是童年。人第一眼看见的世界,就是生我育我的乡土。他从母亲的怀抱,父亲的眼神,亲族的逗弄中开始体会爱。乡土的一山一水,一草一木,都溶化为童年生活的血肉,不可分割。而且可能祖祖辈辈都植根在这片土地上,有一部悲欢离合的家史,在听祖母讲故事的同时,就种在小小的心坎里。邻里乡亲,早晚在街头巷尾、桥上井边、田塍篱角相见,音容笑貌,闭眼塞耳也彼此了然,横竖呼吸着同一空气,濡染着同一的风习,千丝万缕沾着边。一个人为自己的一生定音、定调、定向、定位,要经过千磨百折的摸索,前途充满未知数,但童年的烙印,却像春蚕作茧,紧紧地包着自己,又像文身的花纹,一辈子附在身上。

"金窝银窝,不如家里的草窝。"但人类是不安分的动物,多少人仗着年少气盛,横一横心,咬一咬牙,扬一扬手,向恋恋不舍的家乡告别,万里投荒,去寻找理想,追求荣誉,开创事业,富有浪漫气息。有的只是一首朦胧诗——为了闯世界。多数却完全是沉重的现实主义格调:许多稚弱的童男童女,为了维持最低限度的生存要求,被父母含着眼泪打发出门,去串演各种悲剧。人一旦离开乡土,就成了失根的兰花,逐浪的浮萍,飞舞的秋蓬,因风四散的蒲公英,但乡土的梦,却永远追随着他们。浪荡乾坤的结果,多数是少年子弟江湖老,黄金、美人、虚名、实惠,都成了竹篮打水一场空。

安土重迁是中华民族的传统。鸟恋旧林,鱼思故渊;树高千丈,落叶归根。但百余年来,许多人依然不得不背井离乡,乃至漂洋过海,谋生异域。有清一代,出国的华工不下一千万,足迹遍于世界。美国南北战争以后,黑奴解放了,我们这些黄皮肤的同胞,恰恰以刻苦、耐劳、廉价的特质,成了奴隶劳动的后续部队,他们当然做梦也没有想到什么叫人权。为了改变祖国的命运,孙中山领导的革命运动发轫于美国檀香山,第一代中国共产党人,很多曾在法国勤工俭学。改革开放后掀起的出国潮,汹涌澎湃,方兴未艾。还有一种颇似难料而其实易解的矛盾现象:鸦片战争期间被割弃的香港,经过一百五十年的沧桑世变,终将回到祖国的怀抱,这是何等的盛事! 而一些生于斯、食于斯、惨淡经营于斯的香港人,却宁愿抛弃家业,纷纷作移民计。这一代又一代炎黄子孙浮海远游的潮流,各有其截然不同的背景、色彩和内涵,不可一概而论,却都是时代浮沉的侧影,历史浩荡前进中飞溅的浪花。民族向心力的凝聚,并不取决于地理距离的远近。我们第一代的华侨,含辛茹苦,寄籍外洋,生儿育女,却世代翘首神州,不忘桑梓之情,当祖国需要的时候,他们都做了慷慨的奉献。香港蕞尔一岛,从普通居民到各业之王、绅士、爵士、翰院名流,对大陆踊跃捐助,表示休戚相关、风雨同舟的情谊,是近在眼前的动人事例。

"美不美,故乡水,亲不亲,故乡人。"此中情味,离故土越远,就体会越深。科学进步使天涯比邻,东西文化的融会交流使心灵相通,地球会变得越来越小。但乡土之恋不会因此而消失。

分析:柯灵是1930年就成名的老作家。但这篇文字却是老先生的近作,一直谈到了香港回归,或许正是由于香港回归问题引发了这篇文字的写作灵感。文章的"中心思想"非常清楚,还颇有些"主旋律"的意思,这样的文章在很多人的笔下,会写得很空洞,很官样。而柯灵写来却充满个体的感觉,这就是功夫。谈一个并不十分高深的问题,也能谈出味道,谈出个性,不以晦涩玄妙哄人,这样的文章最适合出高考题了。从这篇文章的选择,看得出命题者的眼光是很稳健的。下面且看他设置了些什么问题。

19. 从文中看,乡土都给人们打下了哪些"童年的烙印"? (不超过28个字)(4分)

分析:这道题的参考答案是"①父母亲族的爱 ②家乡的山水草木

③悲欢离合的家史 ④邻里乡情 每个要点1分。意思答对即可。超过规定字数,每4字扣1分。"

题干中有个特别的要求:不超过28个字,聪明的考生会由此猜想出答案应该是4点,每点不超过7个字。限制字数是为了防止考生大段照抄原文,那样就不能起到考察学生的"分析概括"能力的作用了。

"童年的烙印"出现在第二自然段的最后一句,是对前边的句群的总结。所以,把前边几句分别概括一下,基本就是答案。数一数,正好四句。第一句,父母亲族的爱;第二句,乡土的山水草木,或者自然环境;第三句,悲欢离合的家史,或者祖祖辈辈的历史;第四句,邻里乡亲的感情。

这现代文的第1小题也不难,伸伸手就够到了。考得实实在在,是个良好的开端。

20. 作者在第三段中所描写的少年离别家乡的情况有哪几种?请概括说明。(4分)

分析:这道题的参考答案是:"主要有两种情况:

①不少人富有浪漫气息,为追求理想开创事业去闯世界。

②多数人是沉重的现实主义格调,为维持最低生活被打发出门。

每种情况2分。意思答对即可。语句不通顺,扣1分。"这道题的题干问"少年离别家乡的情况",这里"情况"一词很模糊,是状态,是原因,还是结果?不清楚。从参考答案看,命题者问的是原因或缘由。因为"情况"一词的模糊,加上本题是4分,可能会有考生以为答案有4点,于是就把原因结果和状态都答上。更有甚者,可能只理解成状态,于是找来找去,把中间的四个比喻作为答案,并且在心里对每个比喻都做了各不相同的理解。其实这道题也不难,很类似上一题。但就因为一个词的模糊,就增加了题目的难度,真是歪打正着。原文其实也没有在语言上区分得格外鲜明。也许会有考生把"朦胧诗……闯世界"作为单独的一种,这大概是要扣掉1分的。

21. 本文第四段写了一代又一代炎黄子孙浮海远游的潮流,并赞颂他们不忘桑梓之情,慷慨奉献,与祖国休戚相关。请你结合乡土情结,分析这样写的作用和好处。(6分)

分析:这是一道现代文"赏析"题。可是题干问得有些混乱。"本文第四段写了……休戚相关",这说的是文章的内容,可是下面要求的是"分析这样写的作用和好处",这问的是文章的形式。应该问"写这些内容的作用"。至于"好处"一词,先在地认为这样写是"好的",安知这样写不是"不好"呢,或许老先生写到这里去接个电话,然后再写时换了角度和材料,结果写得更妙呢?还有"结合乡土情结",是什么意思?不要这个提示行不行？

这道题的参考答案是："①把乡土情结提高到民族凝聚力的高度来认识，丰富并深化了乡土情结的内涵。

②具体说明乡土情结不因时间的悠远（历史）和空间的阻隔（地理）而褪色。

③既照应了前文，又使本文的主题得到深化。每个要点 2 分。意思答对即可。语句不通顺，扣 1 分。如果不结合乡土情结，只笼统回答深化主题、丰富内涵之类，最多给 2 分。"

这类题经常强调"意思答对即可"，说明命题者对自己设定的答案把握不大。但是即使这个"意思"也颇不容易答对。一般是阅卷部门放宽评分标准，才能保证本题的区分度。参考答案所提出的几点都比较空洞，说明这个答案是命题者"苦想"出来的，并非是原文客观存在的写作道理。比如第一点，凭什么说提高到民族凝聚力的高度来认识，就丰富和深化了内涵呢？我可以理解为恰恰因此而使得这篇文章"俗"了，不是丰富并深化，而是浅化和简单化了乡土情结的内涵。为什么一沾政治的边，文章就成了好文章呢？这说明命题者的思想或者是命题环境，还受着政治思维的很大局限。其实柯灵先生这样写，首先是他老人家阅历广，联想丰富，其作用不是为了证明我们的民族凝聚力，而是用民族凝聚力来证明乡土情结的广泛性。像参考答案那样认识也是一家之言，但要作为评分标准，是有待斟酌的。参考答案的第一点和第三点还有意思重合之处，深化本文主题与深化乡土情结的距离太近了。柯灵先生这一大段联想，其实是说各种中国人都有乡土情结，这乡土情结是超越阶级、超越时代的。所以才把共产党人和香港的绅士并列，并且暗示香港回归也是符合中华民族叶落归根的乡土情结的。所以，这道题不应呆板地划分几个采分点，而应该提供几个答题角度，在任何一个角度上回答得深入透彻，就给高分，否则，东拉西扯，都是空话，那就给低分。这样做，才是合乎"赏析"题要求的。好比学者写赏析文章，最忌讳面面俱到，而最好是抓住一个角度，赏析得深入精彩。条条大路通罗马，只要走好一条就到了。这是这道题给我们的启示。

22.下列对这篇散文的赏析，正确的两项是(4 分)

    A. 本文以不会退色的乡土情结开篇，开门见山；以乡土情结的形成和表现为主线，脉络清晰；以不会消逝的乡土之恋结篇，首尾呼应。

    B. 第二段写母亲的怀抱、父亲的眼神、故乡的山水草木、乡邻的音容笑貌……这一切决定了自己一生的方向，形象生动，很有说服力和感染力。

C．"失根的兰花，逐浪的浮萍，飞舞的秋蓬，因风四散的蒲公英"的比喻，生动形象地写出了远离乡土的游子们孤苦无助的境遇。

D．"鸟恋旧林，鱼思故渊；树高千丈，落叶归根"的比喻，旧典活用，极富新意，为中华民族安土重迁这一传统找到了形象化的根据。

E．最后一段，写乡土之恋不会因科学的进步、东西文化的交融、地球的变小而消逝，笔法生动具体、细致入微，读来发人深思，回味悠长。

答：【   】【   】

分析：这是一道多项选择题，也是试卷第二部分里阅卷者最省力的题，只要确定好答案项，就可以看着字母给分了。这个类型的题对于命题者来说也是比较费神的，因为不仅要设置正确的赏析项，还要设置确凿无疑的不正确的赏析项。还有所提供的文字不能互相矛盾、互相提示，或者给其他题目带来干扰等。本年度北京的语文试卷就存在着这种情况。让我们逐项看去。

A 项是语文教学中分析文章的老生常谈，如同贪官污吏做报告，永远正确。

B 项说那些"童年的烙印"决定了自己一生的方向，这是可疑的。核对一下原文，明明写着"一个人为自己的一生定音、定调、定向、定位，要经过千磨百折的摸索，前途充满未知数"，而不是童年就能够完全决定的。这是不正确的。

C 项看上去也没有什么毛病。

D 项中的"旧典活用"一句，很容易忽略过去。毛病正在这一句上。前面那组成语，根本不是什么"旧典"，也没有活用，也没有"极富新意"，因为它们本来就是这个意思。这是在套话中暗藏着错误判断的不正确的一项。

E 项概括最后一段的内容是正确的，但说笔法"生动具体，细致入微"，这是胡说。最后一段是简洁明了地收尾，生动有之，具体则无，更何谈"细致入微"。那些平时对假大空言论没有辨析能力的考生，恐怕要在这样的题目面前吃亏。

所以本题的答案是 A、C。这道小题出得比较成功。我们可以发现，现代文阅读题出得好的，首先是命题者自己搞清楚了，然后扎实自信，朴实无华。否则，以其昏昏，使人昭昭，自己也心虚气浮拿不准的问题，往往要捉襟见肘。建议命题部门今后设立单独的与命题人员平行的核查机构，力争把疑问解决在命题阶段。

六、(12 分)

分析：第六大题是表达能力考查题，实际上也可以看成是小型写作训练题。这是作为作文题的补充,不大好设置。该题占 12 分,略微显多。8分或 10 分其实也足够了。小型语言表达训练的最好方式是造句,但造句在阅卷方面比较困难,所以高考中一般采用限制性比较强的题型,而这样,则需对条件和答案都审慎处之了。

23. 把下列句子组合成语境连贯的一段话。(只填序号)(2 分)

　　①在南坡,带状分布的原始云杉林海连绵不断,棵棵巨杉像一把把利剑,直插云天。

　　②在北坡五花甸草原上,你可以看见新疆细毛羊群和奔驰的伊犁马群。

　　③在遮天蔽日的杉林下,马鹿、狍鹿、棕熊、雪豹等野生动物出没其间。

　　④吃完早饭后,继续南下,就进入喀什河和巩乃斯河的草原带和森林带。

　　⑤各种森林鸟类,鸣声不断。

　　答:＿＿＿＿＿＿＿＿＿＿＿＿

　　分析:打乱一组句子,然后让考生自己重新组合,这是考察组织句群能力的一种很不错的方法。但这种题目需要格外注意的是:命题者往往不假思索地认定原来的句子排列顺序是唯一合理的顺序,而没有自己以科学实验的态度去穷尽每一种组合可能,于是就不免发生答案可以有多个,甚至参考答案不是最佳答案的情况。

　　本题的 5 个句子,在具体的上下文中,可能只有一种最佳排列顺序。但是如果脱离了上下文,像题干所要求的,只要"组合成语境连贯的一段话",那恐怕就有不止一种组合法。

　　句①说的是南坡的杉林景观。

　　句②说的是北坡的草原景观。

　　句③说的是"杉林"中的野兽景观,而"杉林"在南坡,所以这句应该接在句①后。

　　句④说"继续南下",说明叙述者的描写顺序是由北向南,那么,北坡景观应该在南坡景观之前。

　　句⑤说的是森林中的鸟类,那应该接在句③的后边。

　　这样,就可以确定②①③⑤的顺序,那么句④应该在前还是在后呢?这句的后边说"就进入喀什河和巩乃斯河的草原带和森林带。"那么正好北坡是草原带,南坡是森林带,句④放在北坡之前是意思"连贯"的。所以④②①③⑤的顺序应该是没错的。然而问题在于,如果不能确定"喀什河和巩乃斯河的草原带和森林带"分别就是北坡和南坡,那么句④的位置就有多种选择了。可以放在最后，表示从北坡到南坡之后，再继续南下，进入一片新地区。还可以放在北坡之后，表示北坡和南坡属于不同的自然区域。甚至句③和句⑤也不一定非放在南坡后，把它们放在句④后面也有道理，因为可能在山上同时看到草原带和森林带，自然可以看到新地区的这些景观。一定有不少想像力丰富的考生在这道题上吃了亏。命题者是看了并仔细分析了原文，知道了北坡南坡的具体所指，就先入为主地认定了一个合理顺序。但是没有看到原文的考生是不必为原文负责的，如果需要，他们可以根据自己排列的顺序，扩展出一个原文来。这可能是命题者思虑欠周的。我们身处的，本来就是一个"顺序动摇"的世界，我们又经常鼓励学生打破僵化思维，"要把山河重安排"，谁规定《清明上河图》非得从北往南看呢？今后出排序题时，务必先打破沙锅问到底啊！

24. 提取下列材料的要点，整合成一个单句，为"遗传"下定义。(4分)

  ①遗传是一种生物自身繁殖过程

  ②这种繁殖将按照亲代所经历的同一发育途径和方式进行

  ③在这一过程中，生物将摄取环境中的物质建造自身

  ④这种繁殖过程所产生的结果是与亲代相似的复本

  答：＿＿＿＿＿＿＿＿＿＿＿＿＿

分析：把意义相关的几句话捏合成一句，这是很有实践意义的一种训练。现在的中国人说话经常啰嗦和笨拙到了是可忍孰不可忍的程度，而且还以丑为美，以肉麻为高雅。我在网上看到，香港的电视主持人居然教训北京去的演员说："快请你们诸位千千万万不要再讲你们那边的那种非常土气的野蛮的语调啦先，一定要把舌头打平这边先，一定要像我们这个样子的讲话才可以算是比较的高雅的讲话的方式，不然让人家蛮有文化的先生女士听起来总是觉得有一点怪怪的味道在那边，很像是一只小虫虫在那里很不乖乖地绕着一个蛮大蛮大的怪怪的圆圈圈在走路耶！"文字的精炼之美从来是汉语的一大特色。汉语的奥妙之一在于不是把所有的逻辑关系通通摆在句子的表面上，而是能省则省，"删繁就简三秋树，领异标新二月花"。我有一次在北京街头向一位修理自行车的大哥问路，他头也没抬地说："红绿灯，奔南！"这话经过补充，用完整的普通话句子应该表达成这样："继续向前，看到第一个红绿灯时，一直向南走。"若用东北话说，则是："简直走，瞅见红绿灯就往南拐！"都很精炼。而这句话要是用港台式的"国语"说出来，或者遇到一位善于模仿的港台电视迷的话，完全可能夸张成这样："这位先生，你要去的那个地方应该是这个样子走。你现在请沿着你本来向前走的方向继续不要转身地向前走先，然后你一定会走到这样的一个地方——在那里你会刚好发现一个十字形状的交叉路口，也就是人们经常

说的那种十字路口,在那个十字路口上有一种红绿灯的设置,也就是为了交通安全和发生车祸所发明的那种,而当你走到了这个地方的那一时刻,你一定要注意看到那个红绿灯的标志,千万不可错过而失之交臂先。于是当你看到了这一个红绿灯时,你是不是还要继续向前运行呢?答案是否定性的。这个时候,你就要改变你的前进方向,那么说要改变到哪一个具体的前进方向呢?请广告过后继续回来收看……好,我们又回到了马路天使的直播现场。刚才我们说到当你发觉那个十字路口的红绿灯的格外醒目的标志时,你这个时候应该是当机立断改变你的转折点转变你的前行方向的时候了。那么这个红绿灯要求你转向哪个具体方向呢?请看大屏幕上,现在用四种彩色的颜色打出了四种南辕北辙的答案:东、西、南、北!快速抢答,赢取超值大奖!……"实在受不了,不再继续模仿下去了,我们可以感觉到,现在的人们一方面仿佛得了"话痨",可以把空空如也的话题说上"三月不知肉味",另一方面则废话、滥话、谎话连篇。影响所至,一切文本都喋喋不休,又越说越说不清楚。学院里的博士论文越写越长,电视上的胡聊节目越来越多,产品说明书越来越厚,而我们得到的实效信息却越来越少。美国的媒体暴力日夜轰炸着全世界人民的几十亿双耳朵,而我们连伊拉克到底有没有生化武器也搞不清楚。是需要返璞归真、把话尽量说明白的时候了。

这道题的四项素材:①说"遗传是一种生物自身繁殖过程",这已经可以作为"遗传"定义的基本表述框架了。

②说"这种繁殖将按照亲代所经历的同一发育途径和方式进行",这是补充解释①中的"繁殖"。

③说"在这一过程中,生物将摄取环境中的物质建造自身",这是补充解释①中的"过程"。

④说"这种繁殖过程所产生的结果是与亲代相似的复本",这是补充解释①中的"繁殖过程"的结果。

所以,用一个单句来为"遗传"下定义时,主语应该是"遗传",句①应该作为主干句,后面三句则分别作为定语,去掉多余部分后,进入主干,再加上必要的关联词。

最后的定义可以表述如下:"遗传是一种按照亲代所经历的同一发育途径和方式进行的、摄取环境中的物质建造自身,从而产生与亲代相似的复本的生物自身繁殖过程。"

参考答案是"生物按照亲代所经历的同一发育途径和方式,摄取环境中的物质建造自身,产生与亲代相似的复本的一种自身繁殖过程叫做遗传。或:遗传是指生物按照亲代所经历的同一发育途径和方式,摄取环中的物质建造自身,产生与亲代相似的复本的一种自身繁殖过程。

形成定义格式,1分;内容没有遗漏,1分;内容排列合理,1分;语句通顺、连贯,1分。"

别看做出来好像很简单、很枯燥,还真有很多考生就是得不到这4分呢!最多的问题是排列不合理,其次是句子不通。要是请港台明星来做这道题,必定花样百出,那就一点不枯燥了。

25.依照示例,改写下列两条提示语,使之亲切友善、生动而不失原意。(6分)

分析:这道题出得别开生面,颇受好评。如果说前边考的是"缩写",那么,这里考的则是"仿写"。2002年高考的全国语文试卷仿写题出得不好,受到了孔庆东等人的粗暴批判。孔庆东那篇题为《有疑无疑》的文章还被一向不喜欢孔庆东的美国的亚洲当代文化学会评为2002年度的优秀华文。于是2003年的仿写题就憋着一口气打了个翻身仗。说这道仿写题好,一是具有实用价值;二是能够充分发挥考生的才智;三是要求明确,举例恰当,便于阅卷,便于区分。

现在很多公共场所的提示语都由"命令式"改为了"启发式"或"煽情式",所以考生改写这类提示语,起点并不很难。但是要改得精彩,却是很不容易的。不然为什么那些广告文案的高手,还有那些短信高手,身价都那么高呢?我的高中同学王肖麟就是这方面的一流高手,作为广东省广告公司的策划总监,他在全国的广告界被尊称为"王大师"。我自己也很喜欢炮制这类时髦标语,但是这里不能作为范例公布,以防发生侵权事件。我自己还要留着给孩子挣点早餐费呢。需要提醒的是,这类改写首先要做到"不失原意",不要弄得花里胡哨,读着很煽情,结果却不知道是干啥的。以我还不算太笨的智力,有好几个广告到现在我都看不懂那是卖啥的。于是就当是"开心10秒钟",看热闹了。我上高中时,早晨跟王肖麟一路去上学。一天发现路边有座高楼大火熊熊,一群人在奋力扑救,我们两个共青团员当即上前要见义勇为。不料被几条大汉推了出来,说:"捣啥乱?我们拍电影哪!刚架好镜头,又让你们给整得完犊子了。"过了些天,我们路过那里,又看见大火熊熊,一群人在奋力扑救,我们便跑过去观望说:"又拍啥电影哪?"一位大姐听了怒喝道:"谁告诉你拍电影啊?我们着了这么大火,你们不帮着救火就算了,咋还说这么缺德的话呢?这两个瘪犊子!"看来,一定要搞清原意,否则,一切"亲切友善"都是靠不住的。意思对了,亲切友善就是锦上添花;意思不对,亲切友善就成了"没事找抽"。参考答案说:"每小题3分。亲切友善,2分;生动,1分。失去原意则该小题不给分。"跟我理解得一样吧?所以,这道题虽然做起来使人兴趣盎然,但要想得到满分,便是老衲也没这个把握啊。

　　示例:提示语:(公园里)禁止攀折花木,不许乱扔垃圾

　　　　改写为:除了记忆什么也不带走,除了脚印什么也别留下

　　分析:这条改写后的提示语非常典型,前些年刚出现时颇领风骚。而今已经有些用滥了,全国的旅游点到处可以看到。这是完全符合题干的几条要求的,正话反说,含蓄生动,可以给考生以启发。

　　(1)提示语:(教学楼内)禁止喧哗,不许打闹

　　改写为:_____

　　分析:这一条与示例基本类似,也可以采用正话反说的方法来改写。比如说:"勇气付诸操场上,豪情尽在书声中。"

　　(2)提示语:(阅览室里)报刊不得带出,违者罚款

　　改写为:_____

　　分析:有考生这样写道:"宁做葛朗台,莫做孔乙己。"虽然不完全贴切,也算是独具匠心了。

七、(60分)

　　分析:作文是语文试卷的大会战,占试卷第二部分分数的4/7,占总分的2/5。作文差上两个等级,等于前面的一道大题全军覆没。作文的60分,能不能分成40分和20分两部分,或者是45分和15分两部分,即一大一小,或一题多做。这样的建议是值得探讨的。不过,作文一共占60分,是多年高考经验所证明比较合适的。作文是语文能力的最高体现,是考生创造性思维的最佳发挥场所。作文意义的重要性不仅在语文试卷中首屈一指,在整个高考的全部试题中也是无出其右的。所以每年高考的最热门话题都是作文,有很多人能够按顺序说出每一年的高考作文题目,而对其他试题的印象,则早都随风飘逝了。2002年全国高考的作文题《心灵的选择》,由于材料中存在着虚假的不合情理之处,受到了社会各方的质问和嘲讽,网络上的戏仿之作层出不穷。我也在《有疑无疑》一文中予以了批评。2003年的作文,所给材料于是就比较谨慎了。让我们一起来看看。

　　26.阅读下面的文字,根据要求作文。(60分)

　　宋国有个富人,一天大雨把他家的墙淋坏了。他儿子说:"不修好,一定会有人来偷窃。"邻居家的一位老人也这样说。晚上富人家里果然丢失了很多东西。富人觉得他儿子很聪明,而怀疑是邻居家老人偷的。

　　以上是《韩非子》中的一个寓言。直到今天,我们仍然可以在现实生活中听到类似的故事;但是,也常见到许多不同的甚至是相反的情况。我们在认识事物和处理问题的时候,感情上的亲疏远近和对事物认知的正误深浅有没有关系呢? 是什么样的关系呢? 请就"感情亲疏和对事物的认知"

这个话题写一篇文章。

[注意]①所写的内容必须在话题范围之内。试题引用的寓言材料,考生在文章中可用也可不用。②立意自定。③文体自选。④题目自拟。⑤不少于800字。⑥不得抄袭。

2003 年普通高等学校招生全国统一考试(新课程卷)

语文试题参考答案及评分标准

一、(18 分,每小题 3 分)

1.B   2.A   3.C   4.D   5.A   6.B

二、(12 分,每小题 3 分)

7.A   8.C   9.D   10.B

三、(15 分,每小题 3 分)

11.C   12.C   13.B   14.C   15.B

四、(15 分)

16.(5 分)

(1)裴矩竟然能够当廷辩驳,不肯当面顺从。(2 分)

译出大意给 1 分;"廷析"、"面从"两处,全都译对给 1 分。

(2)国君厌恶听到自己的过错,那么忠诚就会变为奸伪;国君喜爱听到正直的言论,那么奸伪就会变为忠诚。(3 分)

译出大意给 1 分;"恶闻其过"、"佞"两处,译对一处给 1 分。

17.(6 分)

18.(4 分)

(1)文质彬彬   然后君子

(2)外无期功强近之亲   内无应门五尺之僮

(3)渚清沙白鸟飞回   无边落木萧萧下

只给两小题评分。每小题两空,补写出一空给 1 分,有错别字则该空不给分。

五、(18 分)

19.(4 分)

①父母亲族的爱   ②家乡的山水草木

③悲欢离合的家史   ④邻里乡情

每个要点 1 分。意思答对即可。超过规定字数,每 4 字扣 1 分。

20.(4 分)

主要有两种情况:

①不少人富有浪漫气息,为追求理想、开创事业去闯世界。

②多数人是沉重的现实主义格调,为维持最低生活被打发出门。

每种情况2分。意思答对即可。语句不通顺,扣1分。

21.(6分)

①把乡土情结提高到民族凝聚力的高度来认识,丰富并深化了乡土情结的内涵。

②具体说明乡土情结不因时间的悠远(历史)和空间的阻隔(地理)而褪色。

③既照应了前文,又使本文的主题得到深化。

每个要点2分。意思答对即可。语句不通顺,扣1分。如果不结合乡土情结,只笼统回答深化主题、丰富内涵之类,最多给2分。

22.(4分) A   C

每答对一处给2分。

六、(12分)

23.(2分) ④②①③⑤

24.(4分)

生物按照亲代所经历的同一发育途径和方式,摄取环境中的物质建造自身,产生与亲代相似的复本的一种自身繁殖过程叫做遗传。

或:遗传是指生物按照亲代所经历的同一发育途径和方式,摄取环境中的物质建造自身,产生与亲代相似的复本的一种自身繁殖过程。

形成定义格式,1分;内容没有遗漏,1分;内容排列合理,1分;语句通顺、连贯,1分。

25.(6分)

每小题3分。亲切友善2分;生动1分。失去原意则该小题不给分。

七、(60分)

语文教学的改革与传统

这些年您一直在参与中学语文教学的一些工作,如教材编写、考试命题、高考阅卷等,您又做过中学语文教师,您是如何理解"语文"的呢?

语文首先不是一门学科,是覆盖在所有学科之上的,把它的精神,把一种人文精神渗透到所有学科中去,学语文的同时也能学其他的学科,而在其他学科里面也都有语文的因素。影响学生灵魂最大的也应该是语文老师,一个学生长大回忆最多的也是语文老师给他带来的影响,这就说明语文的重要性。从学生到老师,我们长期都没有认识到,不太重视,把它等同于其他学科,这是不对的。语文是我们每个人安身立命的根本,语文不是为了考试,学语文是安身立命。别的东西可以是技能,学了之后打工、干活,语文不是这样,语文是灵魂依靠的东西,或者说,它是一种以无用达到有用的一种学问。

您认为现在的语文教学存在哪些主要问题呢?应该如何去认识和解决这些问题?

现代教学是从西方来的,一百多年来,和我们传统教育是不一样的,它是把所有的教育内容分科传授,这是现代化社会的需要,就是培养干活的人,它的好处就是效率高。那么它丧失的是什么呢?它丧失的是知识本身的一些价值。我们现在把数学、物理、化学、语文等一门学科一门学科的来比较,这样是不符合实际情况的,而是根据需要来的。语文本质上不是一门学科,我们必须认识到语文不是一门学科才能学好语文,实际上,我们现在在考试、教育中也意识到这个问题了,比如,别的科总分是 100 分,而它和数学是 150 分。实际上,这是认识到了它的独特的地位和价值。语文什么都包括,天文地理都可以在里边。孔老夫子给学生讲课,一天到晚不就讲语文吗?讲完之后这些学生不就什么都能干了吗?他的学生里边有当官的、有经商的、有带兵打仗的等等。

我们现在的一个极端是把语文抽空了,抽空就导致学生最后厌恶语文课。本来应该是最受欢迎的一门课、最感兴趣的一门课,现在走到了另一个极端,成了最讨厌的一门课。这是我们从事语文教学工作者都应该反思的一个问题。我们怎么把这么好的东西讲成学生最讨厌的东西了呢?那就回过头来看我们是怎样讲语文的,我们都把它讲枯燥了、讲得干巴巴的。语文首先要强调整体的感受,不能抛弃整体感受来讲具体的技巧。不要把已经作为教材的东西都讲得很有道理,要让学生自己去感受。我们就是丧失了感受这一层,我们没有把课文当成一个审美的对象。首先要让学生感受到这篇文章是美文,是好文章,然后再讲为什么好,如果是议论文,让学生感受到它讲得有道理,被它的道理所折服。学生还没有服这篇文章,你就硬说它好,从教育学上来讲是不符合逻辑的。当然我们选入课本的教材大多数是被历史证明是好的文章,但这毕竟是别人证明的,学生还没有接受。不能说很多专家承认这是好文章,你就要接受,这行不通。比如说鲁迅先生《呐喊》里面的《故乡》最后一句话:其实地上本没有路,走的人多了也便成了路。说它好,当时有一个学生就提出来了:"老师,这段话挺好,但作为一篇小说,我认为它写到前边'听着船底潺潺的水声',就可以结束了,后边这是画蛇添足。"我说这个学生好,这就是自己的感受,不是胡说,他是从小说结构来讲的。学语文首先不能把它看成一门学科,要和整个人生挂起钩来;另外把课内和课外要打通,光上课是学不好语文的。我们不应该只研究语言符号本身的东西,包括我们很多语言学家也把这个学问做死了:生活中的语言他听不懂,然后他去研究这个地方的方言,用计算机把它录下来,然后去分析它的音高音低,这个东西是脱离生活的,只有极少数人做就够了,不要那么多人去写博士论文、硕士论文。所以说语文要跟生活结合,这是非常迫切的。

您也参加了一些教材的编写,您认为现在的语文教材还有哪些方面的不足?

在我们没有改之前的那些教材虽然老、虽然僵化,但是它自己的目的性很明确,过去的教材有它的优点,就是清楚。现在这些语文教材如果说它还有前进中的不足的话,就是改得有点乱,有时候教学目的不容易体现出来,也可能是难免的,经过几年的磨合也许能使它变得清晰起来。还有一个问题,就是时代的特点过于突出。语文不是政治课,不需要太突出时代的东西,应该还是讲究经典、全,只要文章好,把思想错误能指出来就行了。我们古代的一些文章难道思想都是正确的吗?不见得思想正确,但是文章好,就可以选。不要选进来之后就说它什么都好,以便学生知道不同的东西,既知道资产阶级的文章也知道无产阶级的文章,我觉得这才好。

您认为我们的语文教师应该如何去讲语文课呢?在语文的"工具性"和"人文性"问题上,我们一线的语文教师应该如何把握呢?

我觉得语文课应该是以导读为主,老师应该是个导游。如果把课文看成一个园林、一个旅游点,老师应是一个导游,因为老师已经事先进去看过了,已经熟悉一些情况了,然后你领着去,一路介绍,但是不要找定性的东西,不要把自己的理解强加给学生。如果真是自己的理解,还可以说出来,特别是不要背别人长篇大论的东西、不要背别人嚼碎的东西。这个方面我们还要去学习孔夫子,谈语文必须从孔子谈起,我推荐语文老师看《论语》,孔子给学生回答问题不是讲大道理,同一个问题对不同的学生有不同的回答。比如学生问"孝"和"仁",孔子每一次回答是不一样的,就是说没有标准答案,但是最后的目的就一个,都是让他们知道什么是孝。对一个概念、一个思想的理解有一个基本差不多的内涵就可以了,它表现在具体语言形式上的时候没有标准答案,或者说针对不同的人就有不同的标准答案,这个思想很重要。语文老师最高的榜样是孔子,但孔子也不认为自己讲的是绝对真理,很多话都是商量得"不亦乐乎",这就是说他把他的人生经验告诉大家了,虽然他自己研究出来的、有自信,但它不是绝对真理,所以学生喜欢孔子,喜欢和他争论,孔子和学生的关系非常融洽,完全是平等对话,这是我们做语文老师应该效仿的。通过语文教学引导学生去理解活生生的人性是最重要的,这样不但学生得到解放,老师自己也解放了,才能做到教学相长。孔子的语文教学观念是调动学生的语文积极性,孔子跟子贡说,颜回咱们是比不了的,他能举一知十,我们只能举一知二,咱们都是一般人。他讲举一反三的问题,学生不能举一反三的,他有发脾气的时候,他发脾气不是说学生答对或答错,他生气是因为学生不能发挥自己的创造性。他只对懒惰的学生发脾气,而且是懒于思考的学生。这也是语文老师应该效仿的。我们现在学习西方一些教育理论就把一切弄得太死板了,一切都放在一个一个的小格格里,而不知道世界是变化的。

语文的工具性是不能放弃的,语文是个大全,它里面必须有工具性、知识性的东西,但最根本的还是人文性,这两个又不能分成两块。所以,我们实际上对理想的语文老师要求是有综合素质的人才,他能够在讲工具性的同时不知不觉地融进去人文性而不是分成两块。我在新加坡给学生讲当代文学,里面就讲到茹志娟的《百合花》,是五十年代写的作品,写的是解放战争时期一个解放军的故事,当时我没有想到我讲这篇课文把学生都讲哭了。一开始我就没有理解,对于共产党、解放军新加坡的青年学生也没有什么感情,为什么会哭呢? 这是因为课文就是一个女兵自己的叙述:一个可爱的小伙子,很朴实的小青年,刚才还活蹦乱跳地跟老乡借被子后来就牺牲了,这么一个过程,这里面恰恰是一种人性的东西,所以说五十年代写解放军的小说能够打动九十年代新加坡的学生。这次讲课我就很有感触:讲课不需要灌输什么东西,作品本身会感人,你把作品本身讲好了,什么目的都达到了,而且它还会激发学生的阅读热情。假如我们一开始就讲一些概念性的东西,可能就不感人了,有可能学生在思想上产生一种抵触情绪,我想我们现在的语文课使学生产生抵触情绪的原因之一恐怕也是这个。

据我了解,您对儒家教育思想很感兴趣,那么语文教育应该如何从儒家语文教育特别是孔子语文教育思想里去继承和创新呢?

儒家思想是语文教学的根本思想。既然人活着要有所作为,儒家的根本是把语文和人的思想结合起来的,这是儒家最根本的一点,孔子也知道世界很混浊,社会很黑暗,社会很乱,不见得说了话有用,但是孔子精神就是坚定不移地去做,而且他的大道理都是用很朴素的语言说出来,跟生活、跟人生结合起来,这是最根本的一点,就是儒家的思想"学以致用"。我们以往对待语文的两个思想一个是没用,把语文和生活孤立起来;另外一个是小用或者是只为政治服务,不能和整个丰富的人生结合的。我们现在要回到儒家正确的道路上去,把语文和人生根本的宗旨相联系。第二个是儒家是非常有人情味的,儒家的思想是"君子温润如玉",学语文让人感到亲切、温和,让人做人也很温和,说到底就是语文让人知道真理的无限性,永远不要以为自己已经掌握了绝对真理,把自己掌握的知识都看成人生接力中的一些台阶。学了语文知道世界无边,学了之后在一个范围内有用,但是在外边还有那么多,这样对知识的真理有一种敬畏。这是东方文明的一个根本,西方文明就是我老觉得掌握了绝对真理了,这是它的不好的一面。这里面还有儒家另外一个思想叫"中和的精神",语文最后也是中和,就是调节人心灵,通过语文来调节人心灵,同样一件事情这个人说是正确的,那个人说或许是错误的,反正都有道理,能够在这个世界上定型。通过语文应该讲这个世界的丰富性,通过语文讲一个活生生的形象构成气象万千大的世界。孔夫子讲的东西很丰富,然后让你自己去发展,比如这个学生适合经商,可是孔子不是给他讲经商的道理,讲的还是整个做人的道理,但对他的经商有一定的作用。儒家"取宏用经"要放到语文教学中来,不要目光太短浅、急功近利,好像市场上需要什么我才教什么,但要想到市场是变化的,还有一些东西是受用终生的,这个是语文教学要给学生的。儒家很少讲宇宙论的问题,孔子是敬鬼神而远之,绝对论的问题,宇宙的本质是什么,孔子不解决这个问题,不是说他不懂,而是那些有别的人去讲。语文讲的是人学,跟其他学科就不一样,语文学习应该朝这个方向发展。

您认为现在的高考存在的主要问题是什么? 作为我们一线的语文教师应该如何应对高考呢?

高考主要问题是题型还比较僵化,今年考完之后就成为一个指挥棒,全国的学校在练习这种题型,而且题目本身推敲得还不够,每年都有提出异议的,说明出题单位推敲得不够,指导思想还是标准答案的思想,跟整个高考体制有关,这个改革是个系统工程。大家也知道这个弊端,只要是统一考试就必须有标准答案,这是技术要求,随着自主招生的扩大,这个标准答案才能打破。自主招生就好一些了,大学自己招就可以不搞标准答案了,这就要求老师、要求阅卷者水平提高。比如我们也强调学生素质,考一些文学欣赏题,这里面就有矛盾了,文学欣赏题就没有标准答案,见仁见智嘛! 对于一首古诗,说这首诗里面哪句话是最重要的,哪一个地方是诗眼,出题者是拿着一本什么书,这书里面认为这句话是最精彩的,就把这个作为标准答案,学生很可能把这个推翻。假如有的学生很有主见就说这不是那怎么办? 你不要把素质又考死了,这是我们现在要解决的一个问题,怎么样灵活的考素质,未来几年要把这个问题探讨好。

我当中学语文老师时讲两套东西、两条腿走路,一条腿你要教给学生高考的东西,一条腿还要教给学生"真"的东西。我是高一的时候随便,高一跟高考根本不挂钩,完全解放学生,打破所有的教条,到了高二,把学生的潜能发挥到最大。高考的东西很简单,骑着没有鞍子的马就能跑得很好,放上鞍子有什么不行,不就是多了几条规矩吗? 高三讲这个规矩,就是怎么对付高考的那一套，如果从高一就讲对付高考的那一套会事倍功半。我想一方面我们呼吁高考改革、教材改革，但是作为现在的高中生和语文老师等着它改革等不起，所以要两条腿走路。我说两条腿走，首先要让学生有自我的自学能力，自我理解能力，并且遇到千奇百怪的题都能够应付。

当代作家中您认为最有实力的有哪几位呢？能不能简单评价一下他们的创作特色。

最有实力的我推崇余华、莫言、刘震云，他们创作特色有一个共同点就是和中国人当下的生存状态结合得最紧密。当下中国人灵魂的状态他们把握得最敏感，他们都是从八十年代开始写过来的，是一直随着民族走过来的，始终关心着中国市场化过程中人们灵魂上的痛苦。我认为这是最有良心的作家了，最关心人民疾苦的，所以我比较看重他们。他们比高行健更有条件获得诺贝尔奖，这几个作家是真正的写出人民痛苦的。

我们应该怎么评价武侠小说？中学生和青少年应该怎样去读？

由于有了金庸的小说，好像所有的武侠小说都看好，但市场上的绝大部分武侠小说的确艺术水平不高，精品确实是少。所以有许多人批判武侠小说是有道理的，但我们要把焦点具体到武侠小说上来，要一分为二的看，虽然大部分是坏的、不好的，但也不能全盘否定，这里面有好的，而且是非常好的。现在除了金庸的小说，还有一大批是不错的，要具体看待它。要说它有模式，任何一个小说都是有模式的。艺术不在于有没有模式，而在于怎么利用这个模式，用这个模式干了什么。实事求是地说只要是好小说就可以读，只要它对人生有好处就可以读。所以中学生是应该读一些优秀的小说，不管它是不是武侠的、言情的，只要是好小说我们都可以读。当然教师要有适当的引导，不能采取没收书的办法，你要是没收了之后他倒有了一种逆反心理，有一种触犯禁律的快感，这样反而起反作用。

随着信息网络化发展，您对数字语言和字母语言在我们文章中、谈话中夹杂这种现象持什么态度呢？

我相信汉语的雄伟的力量，汉语能够把一切语言吃进来的。汉语在过程中有一个自我抵抗、吸收、消化的能力，现代汉语的形成是多次吸收外来语的结果，比如吸收佛教语言、西域的，吸收了很多很多次了，具体的可以调整。从长远来看是不害怕的，汉语能够把它们都吃掉，而不会被它们同化掉，这个是不用担心的。所有东西汉语都是有办法解决的，汉语有很大的消化能力，你的东西我们也可以用，用了也成为我的。汉语是了不起的。我们中华文明的希望很大一部分是奠基在中国语文的力量上，这个是西方语言比不了的，我们在这个方面长处太多了。

四、遍 地 风 流

本辑为近年的书评和读书笔记。本人书评据说自成一体，被誉为"书界绝活"云云，千万莫要当真。

万类霜天竞自由

自由，多么美好的一个词。不由天，不由地；不由他，不由你；不由爹娘和领导，不由老婆和小蜜，一切由着俺自己！如此美妙的理想，如此迷人的境地，谁不想？谁不爱？此乃人性之大同，此乃生命之畅想曲。可是偏偏有些革命同志，非要把这么美好的一个词拱手送给少数人去垄断和霸占，比如说什么"资产阶级自由化"，难道无产阶级就不爱自由么？我们千百万革命先烈，抛头颅、洒热血，为了啥？不就是为了求解放、求自由么？咱人民军队为啥叫解放军？不就是为了把劳动人民身上的枷锁砸烂，绳索解开，让他们欢欢喜喜得自由么？难道说只有资产阶级才懂自由、爱自由？还有人把好好的知识分子硬生生分成什么自由派和新左派，这在逻辑上真是欠通啊欠通。难道左派就不要自由？难道"自由派"就真的自由么？抛开他们天花乱坠的那些玄虚不谈，反正这些乱七八糟的论调混淆了广大人民的视听，仿佛只有外国人和有钱人才配享受自由，而我们中国人，特别是中国贫下中农以及贫下中学，连自由的边也沾不上了。

正是在这个背景下，刘克亚先生高举的"国际自由族"骤然凸显出不同寻常的意义。马克思说："全世界无产者，联合起来！"马克思的话是一种伟大的号召，它说明实际上全世界无产者还没有联合起来。而我们从鲁迅笔下的阿Q和祥林嫂身上看到，全世界无产者的联合何其艰难。首先吴妈就不肯与阿Q联合，而祥林嫂也不愿跟贺老六联合。然而，全世界资产者却早已联合起来,举起了 WTO 的遮天蔽日的兜裆布。在如此敌众我寡的窘迫中,刘克亚跳出单纯的阶级视角,站在普遍自由的价值绝顶高呼一声:全世界自由者,联合起来。这给每一个向往自由的普通人,带来了曙光,特别是最爱自由的中国人。梁漱溟先生早就深刻指出,中国人的天性中,自由胜过一切。鲁迅、周作人也发现,中国人骨子里都是道家。只是百多年来的东西大碰撞,使很多人失去了自由的机会而已。

如今,刘克亚说我们每个人可以自由地选择工作、选择居住、选择生活。我想,这太好了!我不是为了我个人的生活前途赞同这种倡议,我是从为了我们国家繁荣富强的角度这么想的。中国的人口压力这么大,而中国人的创造力这么强,为什么不让亿万中国人自由地去与世界各国人民联合呢?我希望中国能够向亚洲、欧洲、美洲、非洲分别自由流动出去 1 亿人口,这样,就会促进毛泽东所理想的"太平世界,环球同此凉热"。当然,我们的"自由人群"要遵守当地的法规、尊重当地的风俗,与那里的人民友好联合,取长补短,最终创造出一种多元的灿烂的人类新文化。那时,国际自由族就不是一"族",而是"万类霜天竞自由"了。

隔世兄弟

——序老那《城市蜿蜒》

这两年不大爱沾北大的边儿,因为社会上的长舌男实在太多了,你一提北大他们就假装恶心呕吐,说你们又来吹北大、卖北大、吃北大,其实北大最糟、最烂、最愚昧、最自恋、最不与时俱进,连个一品大员也混不上等等。这些长舌男的恶毒攻击也不能说完全没有道理,有些北大的坏人坏事还真被他们顺便给殃及了一下。因此,我出于避嫌,在北大问题上经常采取明哲保身的右倾机会主义立场。反正北大是不怕恶心呕吐的,哪座宏伟的建筑物四周不养活一群百花齐放的乞丐呢?

国家海关干部老那同志千里迢迢打电话来,请我给他的新作《城市蜿蜒》写篇序。这小子也没告诉我是写北大的——我想他是不愿意用"北大"二字来打动我,这正是北大人的骨气。或者说,也是北大人的自信——他相信我读上一读就自然会好歹给他写上几句。

老那这小子蒙对了。我在一个飞雪的下午读完了《城市蜿蜒》后,立刻谢绝了采访赶走了儿子掐断了手机打开了电脑,准备像某些装腔作势的首长一样,啰啰嗦嗦地讲上三条。

第一条,小说写得不好,而小说的内容实在太好。打动我的不是小说家和理论家们整日叫嚣的什么狗屁"技巧",我们老那兄弟根本也不会什么技巧,他就是小说中那些"北大窝囊废"里的一个。老那以前的作品也是没有技巧,只有"呈现"。他把他知道的人五人六,好歹组织成主语谓语宾语,连冷盘和热炒都分不清,就一围裙兜到你桌上。吃吧,刀工不讲究,玩意儿可是大补哇!毕业这么多年了,这老那依然这么土,海关工作都洗他不清。可见北大害人之深也。孟子说,小说技巧太好了,就是"以辞害意"。而老那呢,大概属于"以意害辞",或者说,"以北大害文学"了。

第二条,小说里的人和事,真的太多,假的太少。拘泥于真人真事,也就更加发挥不出什么"技巧"。小说里不但有许多真人的名字:孔庆东、蔡恒平、吴晓东、孙玉石、缪哲、范伟、邱小刚、钱理群……连那些虚构人物的事迹也是"真的"。在新加坡离开人世的"兰小宁"就是我们班的,在成都勇斗歹徒而牺牲的"贾四"是跟我住在一个楼道的。所以与其当成一部"小说"读,不如当成北大回忆录来读。我说过,我发明的《狗日的北大》是可以由弟兄们来共同完成的,这部《城市蜿蜒》也不妨可以看作是《狗日的北大》之一章。我有一篇调侃文章叫《分配狂想曲》,这《城市蜿蜒》就是专写80年代的北大学生毕业分配后初涉江湖的种种苦乐悲欢的,而且"城市蜿蜒"这名字比"分配狂想曲"更好,更暧昧、更伤感、更钻人肺腑。你想知道60年代出生于五湖四海、80年代荟萃于未名湖畔的新中国一代"多余人"的丰功伟业和侠胆柔肠吗?《城市蜿蜒》不留神间春光乍泄,透露了一组时代的密码。

第三条,小说投入太多,节制太少。从一开始,叙述者就陷入了没完没了的细节,好像一个率队实习的模范班长回来后向班主任不厌其烦地汇报每一路人马的枝枝蔓蔓。忧伤、感人,也不乏幽默的"开心一刻",但又令人频频涌起"隔世"之感。值得注意的是,小说最后交待:所有的主人公都死了,都在2001年之前死了。我读到这里,轻叹了一声:我的好兄弟,你们都死了,把我们丢在了这个冰冷罪恶的新世纪。实际上,我们也早都死了,今天的我,跟那个80年代的我,已经是"隔世"之人了。

序言写到此处,忽然远在珠海的84级兄弟王伟正打来电话,喜洋洋地告诉我,他的眼睛刚刚做了手术,已经由2500度的"近视巨无霸"变成"看山是山,看水是水"的正常男人了。他说:第一次发现世界原来是这样清清楚楚的,是只用眼睛就能够把握的。所以他要告诉阿忆、告诉我、告诉弟兄们,他的世界不再模模糊糊……我想起当年在北大32楼下棋时,他从来没有看错过车、马、炮,他巨大的身躯平俯到棋盘上每"搜狐"一次,就意味着一轮凶猛的进攻又开始了。而现在,体重100多公斤的他也要"两世为人"了。我们的大学时代,越来越模模糊糊了,大学时代的我们,也渐渐由模糊而飘逝、而飞升。只有眼前的这个世界,越来越清晰地展露出血盆大口,白

遍地风流

厉厉的牙齿,酷似蜿蜒的城市风景,吞噬着无边的白云和蓝天。

于是我更加难以收拢漂漾的思绪,眼前漫涌着无数青春的面容。不论生死,不论聚散,他们都是我的隔世兄弟。

红肿的桃李

鲁迅曾有名言说:"红肿之处,艳若桃花;溃烂之时,美如乳酪。"(《随感录三十九》)

张者的长篇《桃李》,内容煞是"好看",而书名略显高深。在我看来,《桃李》不属于以叙事技巧取胜的"先锋小说",也不属于张恨水、琼瑶式的"通俗小说",而是颇近似于我们传统概念上的"批判现实主义"小说("批判现实主义"不等于叙述者持有明确的批判口吻和立场)。尽管作者一再声明他写的不是北大,也不是南大或者西师,但多数"北大人"和关注北大的人仍会毫不犹豫地、下意识地在该书与北大之间架设起一座浮桥。事实上,《桃李》一书中的许多故事情节乃至细节都是北大真实发生过的。比如,法律系著名博导因情色事件被杀一事,就是几年前北大几乎人人皆知的真事,我在一篇批评北大的文章中也曾提及。应该指出,《桃李》所引起的较大反响,不是源自叙事艺术,而是来自小说徐娘半掩的暧昧所指,也就是说,小说的社会学意义明显要大于它的文学意义。因此,从社会学意义上来理解和批评《桃李》,显然有助于我们更准确地把握这部小说的价值。

《桃李》所着力描写的某高校法学院从导师到研究生为金钱美女而学术,为追名逐利而钻营的故事,不论是否完全以北大为蓝本,事实上,都有力地揭露出了当今高校腐败阴暗的一个侧面。我们身在高校工作学习的人,所了解和掌握的内幕比《桃李》所写要更为深广,但是我们却未必能够像《桃李》这般去写,胡续冬博士爽快地指出:一看《桃李》,就知道作者不是在北大读过本科的人。胡续冬可能是从校园氛围和"北大气质"的角度进行判断的,而我同时还感觉到作者对北大或其他类似高校,似乎缺乏一种"爱"。像我这样在北大读了十年书的人,对高校内部丑陋的一面,尤其是九十年代以来与日俱增的丑陋现象既所知甚多,也经常痛心疾首,但我们这些人显然不会选取《桃李》这样的笔法和态度去写,用曹文轩老师的话来讲,是"下不了手"。我想,这恰好是《桃李》作者的优势所在,同时也可能正是他的弱势所在。我的《47楼207》等校园系列作品,被当今的很多年轻读者看作"遥远的神话",他们会觉得我所写的大学校园太浪漫、太高雅、太天马行空。殊不知,我那种看似轻松自然的描写其实正是与当今每况愈下的高校现实的一种抗衡。对八十年代的深情礼赞,本身正蕴含了对九十年代的愤慨和控诉。《47楼207》一文中曾经戏言说这是《狗日的北大》的一部分，结果不断有读者询问《狗日的北大》何时出版，但是因为"下不了手"，我其实一直未曾动笔，至今仍愧对热心的读者。然而今天我终于可以轻松愉快地告诉大家：《狗日的北大》已经问世啦，这就是张者的《桃李》。

所以，在我等心软之辈看来，《桃李》一方面深刻触及了多种阴暗的现实，另一方面却没有充分表现出高校中仍然健康纯洁的力量和希望。这样的批评话语可能有些陈旧，我的意思并不是要求作品机械地去反映所谓"光明与黑暗的交战"或者炮制一个"光明的尾巴"。而是说《桃李》目前的描写用"现实主义"的标准来衡量，并没有写出高校精神的本质，在很大程度上，其实是"腐败类文学作品"向校园的一个延伸。尽管书中的许多细节和案例都有真实的原型，但这并不能保证小说能够传达校园生活的神韵。《桃李》在很大程度上过于合乎高校之外的人对高校生活的"想像"。那些未经深入挖掘的现成材料可能恰恰使书中"桃园"、"李园"的生活停滞在一个新闻化的层面，观察和叙述的视角表面上是由内向外的，实质上仍是由外向内的，因此，小说中的"我"（研究生之一）总是处在半遮半掩，既没有故事，也没有情感的一种尴尬状态中，这并不是由于作者故意采取了所谓冷静客观的叙事手法，而是作者无法把握自己对叙事对象的真实态度所造成的。作品的结尾是风流的博导被"捅了一百零八刀"而死，似乎是恶人有恶报，很合乎传统的道德判断，但小说的大部分篇幅其实是展览多于批判。从社会效果上看，《桃李》无疑有助于深刻认识我国的高校腐败和司法腐败。但与此同时，《桃李》所铺陈的可怕图景也可能使读者产生未必准确的判断和绝望。也许有人会问，难道说我们大学里的老师都是"邵老板"这样的堕落学者？难道说我们国家一部部庄严的法律都是这群毫无庄严精神的学匪们参与制定的？难道说成千上万的官司都是由这些专门擅长钻法律空子、专门擅长"吃了原告吃被告"的法律蛀虫们背后操纵着？那我们的法律、教育岂不是暗无天日，万劫不复了吗？从这个意义上，我们可以体会出《桃李》这个书名的反讽意味，这部小说写的其实是——桃李劫。

如果真正面对高校腐败问题的话，可能金钱美女并不是高校腐败的典型表征和真正关键，某种"桃李精神"的失落，可能才是更为核心的所在。《桃李》一书对此也有一些自觉不自觉的涉及，特别是主人公邵老板在学生时代曾经是一个昂扬纯洁的文学青年，他由中文系学生演变为一名法学界的花花太岁，此中包含的时代精神的奥秘，我以为是张者的精彩之笔。《桃李》是张者的第一部长篇，我对作者的希望不是写出什么更先锋、更前卫的现代派作品，而是更深刻地展示出那些烂桃败李下面的土壤和肥料。我相信学养丰厚的作者具有这样的潜力。

自将磨洗认前朝
——赏《点石斋画报选》

这几年经常听陈平原老师念叨《点石斋画报》，他到韩国去开个短会，也不忘了钻进图书馆去探询孤本。我陪他在汉城大学的善本室搜了一大圈，竟无所获。陈老师搞的这些劳什子，在我看来经常是吃力不讨好，然而一旦吭哧吭哧搞出来，则每每有满座捻须、一室叹服之效。这次列入贵州教育出版社"二十世纪中国人的精神生活丛书"首批的《点石斋画报选》，一问世便又是一番让人爱不释手。

这书首先是印得漂亮，摸着舒服，令人颇有把玩之快感。我小时每回用省下的冰棍钱买来革命文艺连环画后，都要摩挲一番，接着分开书页，连鼻子带嘴埋进去，深深地去闻那油墨的香味。味道越香，书必越好。我曾以为这是自己独有的变态恋书癖，后来才知道许多文豪雅士都有同好，而且蒲松龄老爷爷早就发明了凭味道辨别书籍档次的高招。这本《点石斋画报选》的装帧在视觉上给人一种贵州蜡染的层次深厚感，摸上去却又细腻而不油滑，封衬均雅致而大方，特别是作为一本以图为主的书，一百八十多幅画都印得清晰而干净，连密麾细鳞、蚊足小字亦了了可辨，殊为难得。我接连数日展玩此书，嗅其墨香，赏其图文，只觉如此高质量的图书，我不见它，仿佛足有二十多年矣！

书印制得好，主要是出版社的功劳。此书更重要的价值是选编者写在前面的洋洋数万言的导读，曰《晚清人眼中的西学东渐》。学界历来对《点石斋画报》评语甚高，而陈平原拨草寻蛇，独以这一视角看待这本中国画报的"始祖"，可谓是百年之后的再次"点石成金"。陈平原治学，素来重视"眼"的问题，什么"以新眼读旧书，以旧眼读新书"之类。在这篇导读中，他不仅让读者去看晚清时代涌入的西学，更着重于引导读者去看"晚清人为什么这么看西学"。也就是说，读者可以将一百八十多幅画看成一百八十多面镜子，从这一百八十多面镜子中，看到了晚清人圆睁在世界面前的眼睛。

如此，这本《点石斋画报选》便有了多重的欣赏价值。从中能够看到当年真实的饮食起居、社交娱乐等社会风俗，又能够看到国人对西方文化欣羡、猎奇、恐惧、隔膜、蔑视等多种态度。我们今天自以为比一百年前准确地了解西方，其实再过一百年后，看看我们今天影视作品中的西方，或许更加可笑。正如这套丛书的总序所云："其蕴涵的酸甜苦辣，都将成为后人咀嚼回味的不可或缺的'历史文化遗产'。"

正本清源、提纲挈领以外，导读者以犀利的洞察，分析了《点石斋画报》图与文之间的叙述缝隙，实际上是指出了作品的复调结构。这一解读方法，具有相当的学术示范作用。我想起五十至七十年代的连环画，图与文之间的叙述缝隙就比较小，或者说是互相加强。而八十年代以后，张力则开始加大。而如今一些画报，甚至故意追求图与文的反讽乃至背道而驰。这些因素，在《点石斋画报》时代就已经不同程度地凸显了。由单独地剖析文字和图画，到将二者合并考察，这是又一个超越雅俗苑囿的突破性尝试。

仅从美术史角度来看，《点石斋画报》也可圈可点甚多。除了导读指出的石印和时事画的重要性之外，诸如透视问题、比例问题、工笔与写意问题，其实都渗透着对待西学的意识。画面上何处用中、何处用西，亦皆饶有趣味。近半个世纪以来，《点石斋画报》的选本已经有十来种，但大多没有标明"选本"，而且编排草率，特别是没有一篇以深入研究为根底的导读。世上的事就是这样，不肯做"吭哧吭哧"苦役的人，也就拿不出"铿锵铿锵"的货色。陈平原多年经营的这个选本也是如他所说，"希望能展现我心目中的晚清人对于西方文明的接纳"，并不能全面涵盖美术史、文学史、科学史、宗教史、社会史等所有角度。从研究的深度和选图的眼力来说，这无疑是迄今为止最出色的一本。作为专业收藏也好，闲情读物也好，一册《点石斋画报选》在手，遥想一百年前国人的精神生活，确有几分"自将磨洗认前朝"的味道也。

分不开的羊

——读《把绵羊和山羊分开》

无论东方西方，对历史的叙述总是以"分开"为第一座里程碑的。盘古分开天和地，耶和华分开光与阴。盘古分完了就回姥姥家休息了，而耶和华分上了瘾，大秤分金银，小秤分鱼虾，始终在那儿孜孜不倦地"分田分地真忙"着！一部圣经，充满了上帝他老人家的"吩咐"，神与人要分开，好人与恶人要分开，人与兽要分开，兽与牲畜要分开，马牛羊、鸡犬豕都要分开。特别是"绵羊"与"山羊"，上帝在《以西结书》等伟大篇章里多次指示一定要分开，否则大概就会有路线错误、海外关系复杂、阶级立场混淆、支持恐怖主义、集体乱伦以及流氓群奸群宿之嫌，是要遭受末日审判的。这种"分析"思维 20 世纪以后不但影响了整个中国哲学，连中国文学也必须不时做出回应。冰心女士写于 1931 年的著名小说《分》就是一个绝好的案例，而大约 70 年后懿翎女士推出一部精心耕作了五年的《把绵羊和山羊分开》，则令我们对历史的分合戏法获得了一种别开生面的理解。

遍地风流

小说主要不是写羊,只在第七章涉及到羊瘟疫时提到"不分绵羊山羊",一律注射疫苗。小说的主体故事是一个人称"小侉子"的十二岁的"知青女小鬼",在几年里与她的中学数学老师江远澜之间的奇异恋情。作者后记中说自己"不敢面对江水永远不息的波澜——昨天的历史。"这句话精心嵌入了"江远澜"三个字,表明作者是要通过江远澜来回顾"昨天的历史"。这是从文革时代跋涉过来的人的一种普遍"情结",他们想分清文革时代与现今的时代,想分清今天对文革的"认知"和所谓文革的"真相"。然而正如歌德《诗与真》所昭示的,我们很难分清什么是真的历史,什么是我们对历史的诗意想像。懿翎这部小说大量采用了虚与实的错乱叠置,这不应仅仅视为写作技巧,这同时就是我们今天对那段历史的"认知"实况。小说所写的年代,属于文化大革命后期,政治激情退隐、民间情趣活跃。作者穿插了大量生动的雁北方言和风俗,但是这些无助于历史状态的"保鲜"。读者经常能够感到,经过了"现在"遮蔽的"过去"并不真实,与其说是历史,不如说是作者的情感。例如第一章中对朝鲜电影《劳动家庭》的评价,"节奏比羊拉屎还要稀松",朝鲜姑娘"瘦的懒得形容,胖的像布袋装冬瓜",这很难说是当年的感觉。20世纪70年代后期,朝鲜电影不论战争片还是和平片,在中国城乡都十分受欢迎,而朝鲜影星也被认为是美得如苹果一般,许多影迷至今都会唱朝鲜电影插曲,那是一场不折不扣的"韩流"。第八章中有一句"宣布喜城中学教师体育锻炼暨驳斥东亚病夫工程正式启动",这显然也不是70年代可能造出的幽默,而是90年代典型的"孔庆东式的空山疯语"。还有第十六章的那篇闹剧作文《春天》,也不可能出自学生之手,那是只有才华横溢的作家才能精心"构建"出来的。以主要叙述者小侉子当时的年龄和身份,许多看法和细节都明显"失真",或者说,12岁的小侉子的脑海中,隐藏着一个40岁女作家的"倩女离魂",小侉子自身形成了一个"复调"。当年的小侉子,有时表达的是当今的"我";而当今的"我",又分不清自己是不是小侉子。小说由此透露出几分"魔幻现实主义"色彩。而我们知道,当代作家韩少功、莫言等人在写作文革背景的作品时,也不谋而合地采用过魔幻手法。魔幻一方面有助于分开"绵羊和山羊",另一方面也会使二者的界限愈加模糊。

小说魅力十足的结构是小侉子跟江远澜之间的"忘年畸恋"。这一畸恋在魔幻神奇不可思议之外,颇富象征意味。"数学白痴"江远澜是纯真、高洁、知识、理想等等彼岸意义的代表,而顽劣、任性、美丽的小侉子则是生活本能的此岸意义的代表。前者对后者进行启蒙的过程,表面看似失败,实际却影响深远。有趣的是,纯真的江远澜早早死了,他在死前号称强奸过小侉子,却没有真正做过爱。而作为诱惑者的小侉子却生机勃勃地活下去，一直走进了新时代。她大学毕业，结婚生子，当了科长，坐着飞机回去寻找江远澜。小说结尾，在江远澜典型数学家式的墓碑前，小侉子对江远澜的前妻高声宣布自己与江远澜"做过一千次，一万次的爱，他棒极了"。象征在这里达到了极致，失败的启蒙竟然在人欲横流的时代再度焕发神采。后记中作者叙述回到故地，来到一位当年的老师"寒伧破旧的小屋时"，发现老师用的茶缸还是30年前用过的。这里又一次颠覆了把两个时代分开的企图，进步与停滞，莫非也是难以分开的吗？

小说的另一个奇异之处是江远澜的数学家身份引出的通篇数学色彩。对具有"纯粹"和超脱意味的数学的专注，恰好表现了对现实生活的逃避和误读。当年的小侉子从"情爱"的角度来看，并不"爱"江远澜。小侉子是从江远澜那里获得了对自我价值的认知。小侉子与江远澜的叙述对位，很像鲁迅《孔乙己》中的叙述者——酒店小伙计与孔乙己。如果没有小伙计的视角，孔乙己就完全是一个可笑的书呆子。孔乙己只有跟这个小伙计才有一点点沟通。而江远澜与小侉子也是通过数学在一个另类时空里达到了沟通。与字里行间的数学公式和符号相呼应，整篇小说的"超文本"性质非常突出。每一章前面的人类古代文明符号和每一章中间的插图构成了神秘与世俗的两极，而封面上凸起的设计也处处暗示着"分开"和"挣脱"的渴望。小说尾声中说，这是"为了忘却的纪念"，其实我们也可以把作品看成是"已经忘却的纪念"。小说越写就越让人感到，当我们试图撕裂时，自然的疼痛会告诉我们，那是分不开的。小说写到了90%，几乎要收尾的部分，作者忽然在第十八章的中间改变了人称。"我"不见了，只有一个第三人称的"小侉子"被推到了摄影机的尽头。时空隧道霍然关闭了，聚光灯下，是今天的作者和我们，"沾沾自喜成为一只城市的老鼠，俗不可耐地过着苍白苍老的生活"（《后记》）。也许历史和童年就是不可还原的，今天和昨天、绵羊和山羊，是上帝也无法分开的，它们的区别和意义，连同那上帝老儿，都来自我们的创造。

波上寒烟翠

——读《雨把烟打湿了》

看到《雨把烟打湿了》这个题目，便油然联想到范仲淹的名句"波上寒烟翠"。那是一首写乡思别愁的《苏幕遮》，所以我一开始就不由得把这篇小说往"别愁"方面理解。我想，恐怕没有人会从侦探小说或法制文学的角度来看待该作品。大概右派的评论家会从心理学角度批判主人公不懂自由的真谛，以致严重地漠视了人权；而左派的评论家则很可能一针见血地指出,这就是阶级斗争,这是一个被资产阶级征服过的贫苦农民,最终又走向反抗、走向毁灭的悲剧。我不想预先重复左派右派的高论,我只是一个未名湖畔吟风弄月的封建士大夫,所以我只想从真实的审美感受出发,随便说说我被这篇小说打湿了的心情。

小说的主人公蔡水清,令人过目难忘。这个形象使我想起许多自己的同学、学弟和学生。他们出身于贫困的农村,依靠悬梁刺股的寒窗苦读进入了大学,也就是获得了"文明世界"的入场券。在没有革命的年代,高考几乎是我们中国穷人翻身的惟一的独木桥。然而,20世纪90年代教育日益产业化以来,穷人过桥的困难大幅度增加了,工农子弟在大学里遭受的歧视也大幅度增长了。"文明"的压力,迫使他们要向城市投降,向大款和小资投降,向抽水马桶、按摩浴缸和"清新爽洁不紧绷"的卫生巾投降。"文革"后期的著名电影《决裂》中有个情节,母亲从农村来到大学里看儿子,儿子说母亲为他做的鞋"太土气了",母亲则伤心地说:"孩子,你变啦!又干又瘦,还戴上了眼镜!"而今天的大多数农村父母,已经没有经济能力到大学里看儿子,也根本不敢再为儿子做那丢人现眼的土鞋。他们卖屋卖牛卖鲜血,供养儿子在大学里过着城市子弟的生活,也不敢希求儿子毕业后每年寄回个三百两百的,他们只是跟乡邻们说一声:"我儿子在城里上大学,"就心满意足了。那些来自农村的子弟毕业后,有的吃水不忘挖井人,一直与生养自己的乡土保持着血肉联系,有的对家乡父老采取"哀其不幸,怒其不争"的启蒙姿态,有的则根本断绝了与那野蛮愚昧之地的音讯。

然而,小说写道:"他不知道为什么经常有一种惆怅的感觉劈头盖脸地打来。它甚至不是非物质性的,他能清晰地感觉到这种东西的性状,包括气味、颜色、质地,可是,他表达不出它任何一种的物质特性。"蔡水清同学,你知道吗?这就是范仲淹那首《苏幕遮》里说的"黯乡魂,追旅思,夜夜除非,好梦留人睡"。蔡水清以为自己是城里人了,他出于对自己老家的自卑,骗妻子说老家的屋子"闹鬼",实际上是他自己的灵魂在"闹鬼"。他真的喜欢这个"城里人"的自己吗?他真的爱妻子钱红吗?"钱红是个安静和顺的女人,一种脱俗的气质,使她普通的身材和容貌有一种干净的魅力。"蔡水清爱的实际是钱红所代表的一种所谓"干净的魅力",而所谓"干净",在当今世界的语境中,说穿了就是"远离土地"的同义语。当蔡水清终于选择放弃这个世界时,他"无论在庭上、还是被法警带下法庭,都没怎么看妻子,更别提他的舅子、姨子们。他什么人都不看。整个案件审理过程中,他只是时不时看着窗外,目光模糊"。蔡水清对钱家人根本就无所谓爱不爱,钱家人在他的眼中,还不如窗外的那缕寒烟。

而当"母亲去世的时候,赶回家乡的蔡水清嚎啕大哭,不断以头撞墙。

以至哥嫂们姐妹们认为他在演戏"。读到这里，我眼前叠印出鲁迅《孤独者》中魏连殳的形象。魏连殳到底孝顺不孝顺，乡里人是不理解的。蔡水清的表现虽然跟魏连殳不同，但同样不被家乡人理解。"后来看到蔡水清一下掏出5000元，兄弟姐妹才放弃评论。可是，有一个厉害的嫂嫂还是觉得他这人没意思：人活着不孝敬，死了做给谁看。是啊，蔡水清自从上了大学，就好像背叛了家乡。甚至很少寄钱，过年总不回家，寄个两百三百的就完事了，可是，他母亲一直非常为他骄傲。"蔡水清跟魏连殳一样，其实是"孤独者"。他们"像一匹受伤的狼，当深夜在旷野中嗥叫，惨伤里夹杂着愤怒和悲哀"。被城里人认作"粗鄙"、认作"丑恶"的蔡水清，如何在城里生存下去，又如何能够成为享受政府特殊津贴的人才呢？他只有像魏连殳那般，"躬行我先前所憎恶，所反对的一切，拒斥我先前所崇仰，所主张的一切了。我已经真的失败——然而我胜利了。"蔡水清大学时代，曾经"恃才自傲得很，一年级后，不知受哪些艺术家影响，他就把他那头非洲雄狮一样的头发，留长，强硬梳成兔尾巴头，有时扮酷，不扎，蓬乱如炸方便面的长发，更是粗鄙得像在工地挖沟的民工，笨重的脑袋下，你根本找不到脖子。"

然而，大雨之夜，被文明折磨得奄奄一息的城里人蔡水清，忽然在粗俗的出租车司机脸上认出了自己。两个自己，只能活着一个，于是，他拿出了最文明的凶器——德国出产的价值六百多元的刀。多美的刀啊！美得简直是"波上寒烟翠"。小说结尾，蔡水清粉碎了一切要为他开脱罪责的图谋，理性无比地选择了死刑。他委婉地留下两个破解他生命之谜的符码，"一个是骊歌，一个是丁忧。我不懂它们的意思。很久了。"骊歌是离根别愁之歌，丁忧是父母丧亡之痛。蔡水清终于明白，"乡下人蔡水清"是杀不死的。他一直对家乡满怀着乡愁，他一直对母亲满怀着敬爱。那次母亲因做饭油烟太大而引发钱红母子的不快后，蔡水清一面委婉地责备了母亲，一面却"一直搂着母亲肩膀"。谁能知道蔡水清的内心究竟是被什么打湿的呢？

蔡水清对律师说："刀子捅进去的那一秒钟起，我就感觉空荡荡了。"又说："也许……就像杀了我自己。"蔡水清亲手结束了自己趋炎附势、寡廉鲜耻的罪恶，恢复了一个艺术家对世界的感觉。他在法庭上眼望窗外，看见："青烟不大不小地冒出来，雨不大不小地打在它们上面，但烟还是轻轻地腾起。看是看不清楚，但烟肯定都湿了。"世界是这样的惆怅，是这样的无可言说，真是："明月楼高休独倚，酒入愁肠，化作相思泪。"看来我从别愁的角度理解这篇小说真是有道理啊。蔡水清一心要别离土地，却付出了别离生命的代价。难道蔡水清就没有别的选择吗？我是一个城市里长大的孩子，但我想对蔡水清说："我受苦受难的兄弟啊！"我写到此处，扭头望望台历上的风景，正是："秋色连波，波上寒烟翠。"

遍地风流

打不散的三国

——序张仁灏《散打三国》

"黯淡了刀光剑影,远去了鼓角争鸣"。英雄豪杰都退场了,圣贤君子都长眠了,于是轮到我们这些鸡鸣狗盗之辈露脸了。大家欢欣雀跃,说是终于民主了、自由了、反恐了,闯王来了不纳粮了。过去说"三个臭皮匠顶个诸葛亮",这不是公然贬低俺们劳动人民的聪明才智么? 一定要推翻这种专制社会的愚民论调,让我们理直气壮地宣布:"六个诸葛亮,才顶得上一个臭皮匠——而且还是下岗的。"我们要打倒伟人,颠覆经典,清清爽爽,白白嫩嫩——小红疙瘩不见了! 于是,《红楼梦》可以清蒸,《西游记》可以爆炒,《水浒传》可以乱揎,那《三国演义》嘛,也就可以散打了。

对经典作品的解构和戏说,是经典消费历程中不可避免的环节,甚至是一种主要方式。所谓经典,也是对以前的"准经典"的解构和戏说结晶而成的。比如《水浒传》对《大宋宣和遗事》,《三国演义》对《三国志》。任何历史、任何经典都阻挡不住一代又一代的人们根据自己的需要,把它们肢解、拆分、嫁接、组装。历史不但是人民创造的,而且是人民修改的、推翻的。阿Q同学说得好:"和尚动得,我动不得?"所以,任凭专家和权威们摆出吴老太爷的嘴脸来维护经典的"纯洁性",最终都是唇焦口燥,徒唤奈何的。在时间的长河里,"现在"和"未来"对于"过去"的态度,永远是一句话:造反有理。

不过,造反虽然有理,却未必能够顺天应人。阿Q的造反是有理的,可是必然失败。《荡寇志》对《水浒传》的造反也不乏精彩之处,但是不合民心,所以今天在读者中差不多等于湮没了。在解构经典的思路上,我们还是要向经典本身学习。诸葛亮本来没有玩过空城计,刘备的耳朵和手臂也没有那么长,但《三国演义》里就那么戏说了,人民就相信了。人民一相信,就成了经典了。所以说,经典不怕戏说,不怕改编,你越戏说、越改编,就越证明它是经典。你的本事够强够大,你的戏说就进入经典长廊,成了新的经典;你的本事不够,那就算玩耍一回,经典还是经典,你还是你。马二先生游西湖,"女人也不看他,他也不看女人"。两不耽误,如鱼相忘于江湖,也不失为一乐。

至于这位"散打"三国的张仁灏师傅,年少时在北大学了几年艺。世人皆知,那北大是个专门戏说和解构经典的贼窝子,还能教出什么"正人君子"么? 于是读者就可以看到,阿斗成了聪明智慧的"阳光少年"了,可以写本书,就叫《哈佛男孩刘阿斗》。诸葛亮则成了一个老奸巨猾的江湖油子,也可以写本书，叫《谁动了我的羽毛扇？》。这说的其实不是"三国"了，而恰是我们今天的庸俗世界。笔者俺在《风流大寻呼》里也写过一篇《诸葛亮出山》，没想到今天蔚然形成一大文体了。

然而，这位张仁灏师傅虽然左勾拳右勾拳把三国打了个不亦乐乎，但《三国演义》并不曾被他打倒。正像后羿射日，射掉的是多余的日，真正的太阳依然高悬在晴空。由此我们似乎又明白点更深的道理：真正的经典，是打不散的。我们的祖先不因为肩膀让我们踩了，就一径萎缩下去。相反，由于高举着我们这些鼠辈，他们显得更加巍峨和伟岸。让我们尽情地、撒欢地散打下去吧！我们伟大的历史，是足够我们再打上五千年不动摇的。

生死两茫茫

——读曹革成的《萧红传》

曹革成先生的《萧红传》——《跋涉生死场的女人萧红》，我读过已经几个月了。这部最新的萧红传记，我觉得有两个最突出的特点：一是披露和整理了很多关于萧红的新资料，所附《萧红年谱》也可说是目前最为全面的；二是充分表现了历史的同情，对材料和人物心理的分析堪称细腻。而这两个特点，又与作者的历史身份有着微妙的关联——萧红是作者的姻母，萧红的丈夫端木蕻良——曹京平是作者的叔叔。"传中涉及到许多颇有争议的人和事，都力求要有依据，有凭证，有出处。"作者尽了最大努力，"把自己感情的起伏压抑到最低限度"，（后记）因此可以说，这是一部考据、史识和情感相互平衡的传记力作，无论对于萧红的读者、研究者，还是文学传记的写作者、爱好者来说，都具有十分独到的学术魅力。

我在哈尔滨上高中时，经常路过萧红的母校——当年的女一中，后来的哈尔滨七中。从外面看，那是个面积很大、体育设施很完备的学校。不过我从来没进去过，对那座暗红色的砖楼始终怀有一种神秘感。萧红是哈尔滨人、黑龙江人和全体东北人的骄傲，尽管现在哈尔滨也出了张抗抗、梁晓声、阿城等著名作家，但哈尔滨的文学青年总觉得萧红才是哈尔滨文学的"形象大使"。那时我们学校门口经常有个瘸腿的小伙子卖旧书，一边卖书一边卖弄口才。无论你摸了一下他的哪本书，他都会立刻把那本书的内容和作者情况用非常具有煽动性的文学语言，合辙押韵地高声"播送"起来。我们私下管他叫"小广播"。我上了北大中文系后一回忆，那简直就是一种即兴的"广场文学评论"。我记得有一次我和同学王肖麟又去看他"表演"，肖麟拿起一本萧红的散文，那"小广播"一见，立刻朗声道："萧红萧红,是咱哈尔滨的光荣。小说散文,样样都行。她的导师,就是鲁迅先生。从呼兰河,到生死场,从白山黑水,到上海北京。既有英勇的抗争,又有动人的爱情。爱好文学,必读萧红!五毛一本,等于奉送,提高写作,滋润心灵。"这位小广播出口成章的本领,使我们很佩服。从而也更增加了对萧红这位英年早逝的女作家的仰慕。

萧红就是在这样一片充满着文学气息的土地上成长起来的。半个多世纪以来,萧红的生和死,对于读者始终都具有谜一般的魅力。这部《萧红传》十分详细地提供了萧红从少儿到青年时代的生活场景,从而把萧红外静内刚的"鸢大胆"性格揭示得格外鲜明。曹革成先生特别注意地域文化与作家人格的关联,书中对呼兰、哈尔滨、北京、上海、东京、武昌……直至萧红最后的栖居地香港的文化氛围,都或深或浅地予以了探掘和分析,这对于研究萧红这样一位多愁善感的女性作家,是相当必要也是相当合适的。

关于萧红与另外几位东北作家的感情纠葛,历来是"东北作家群"研究中的难点。作为后辈的研究者,一般对萧军也好,端木蕻良也好,骆宾基也好,都是很敬重他们的创作,而对他们的情感方式无从置喙。在这个问题上,曹革成先生坚持用材料说话,在材料所提供的空间内表达自己的立场,这种努力是我们应该称许的。比如在哈尔滨大水中营救萧红一事上,曹革成先生几乎用尽了一切所知道的材料,从而得出结论:"营救悄吟的不是一个人,而是一群人,……只是其中的一位与被救人相恋了,为营救增添了浪漫的色彩。而这一切要感谢裴馨园!……在张乃莹——悄吟——萧红的这位著名女作家的生平轨迹上,裴馨园的名字不会被历史忘记的。"这应该说是公正的史笔。作者对萧军的许多表现都不乏批评,但这批评是有节制的和有分寸的。其实,萧红萧军作为一对文坛"神仙侣"的神话早已不再被人们相信,只是广大读者想不通为什么一对患难情侣最终会各奔西东。曹革成先生通过细致的性格剖析,至少提供了破解这个茫茫谜团的一个新角度。这应该说是萧红研究和整个"东北作家群"研究的一个突破。

有一种意见认为,作家的亲族后人不适宜参与该作家的研究,担心的是感情因素会影响客观公正的判断。也的确有这样的例子存在。但我想,不是作家的亲族后人,也同样免不掉感情因素。关键不是有没有感情,而是如何处理感情。其实,孔夫子写《春秋》和司马迁写《史记》都是有感情的,而且他们还都是局内人。他们的著作万古流芳,不是因为他们没有感情,而是他们把感情处理得恰到好处。"东北作家群"是一个感情激越动荡的作家团体和文学史现象,有待深入挖掘和辨析的问题还很多,它的研究过程中是很难排除情感的。不隐藏自己的情感,但是用材料和文体来规范和约束,这或许是一种比较恰当的选择吧。我因此在北大的现代文学史课堂上讲到萧红时,向学生和进修教师们,推荐了这部最新的《萧红传》。希望曹革成先生能够再接再厉,揭开更多的文坛生死场的迷雾。

我爱这土地
——读《水乳大地》

我是一个读书速度很快的人,尤其是读中国当代小说。但是,《水乳大地》这部描绘了"文化碰撞与交融的画卷"(陈晓明语)的巨作,我却读得很慢,真像是一山一川、一沟一壑般在阅读大地那样。我读了大约七天,然后,又用两天再读了一遍。正如封底上阿来所说的:"按眼下的注水写作,这本书可以撑成三本书。"我在北大的课上向学生们推荐了此书,并预言2004年1月出版的这部小说,必将成为2004年的文学代表作之一。

然而,读过以后,我却久久写不出评论的文字——作品的厚重,使我担忧自己浅薄而随意的感觉会亵渎了作品、亵渎了作品中的神明。直到今晚,我到西藏大厦喝了酥油茶和青稞酒之后,自以为神明已经附体,自以为佛祖已经允许,我才在醉眼蒙眬中,以慢镜头蛙泳的姿势,游进那片自古惊心动魄的、同时又是千载舒缓平静的神奇的大地,并攀摘了艾青的诗名作为本文的题目。

对于西藏这片古老的大地,我们有过太多的误读、太多的误解。甚至读罢这部《水乳大地》,我仍然不能自信:我已经了解了西藏文化、东巴文化。我们这些不信鬼不信神杀死上帝气死女娲的人,我们有什么资格——或者说站在什么样的平台上,来评论宗教、评论信仰呢?

小说的开头引用了马克斯·缪勒的一句话作为题记:"谁如果只知道一种宗教,他对宗教就一无所知。"我对这句话持保留态度。的确,依循"兼听则明,偏信则暗"的原则,我们越是了解更多的宗教、思想、信仰,我们就会在比较中触类旁通,从而越加理解每一种宗教。然而,这又分明是一种高居于宗教之上的"科学"的立场,其目的是为了达到"知"。我们所谓的将信息分类整理、系统排列的"知",是真的"明白"和"晓得"吗?这种旁观者清的"知",难道不是一种自以为是的盲人摸象吗?当我们把地球的每一个角落都"考察殆尽",当我们把动植物的每一个基因都"研究清楚",这时我们是真的了解了地球和地球上的生命吗?怎么能够证明这不是一种"科学邪教"?怎么能够证明这恰恰不是我们越来越远离真理呢?是的,我们可以原原本本讲出一部佛教史、一部道教史、一部基督教史、一部伊斯兰教史。那么我们可以毫不怀疑地说我们比一位虔诚的文盲教徒更了解他的宗教吗?离开了信仰的知,不过是摄像机里储存的一格一格的图片,是看

遍地风流

见骆驼说马背肿，看见老虎说猫咪成精，"知"与所知的对象始终是两张皮。好比数学家去食堂买大饼，说是要买那个"锐角弧形底边三角形的扁平状高温炮烙麦粉制品"，他的"知"并没有错，然而，这是对于大饼的"知"吗？被剥离了水乳的大地，就已然不再是大地，只是大地的标本。"理解"了许多宗教的教徒，就不再是真正的信仰者，而是一个走火入魔的"迷魂者"，他至多是一个"吃教的"。正是从这个深刻的意义上，我们的圣人教导我们："民可使由之，不可使知之"。多少年来，我们一直把这句话当作愚民政策来批判，我们在开启民智的旗号下，在民主自由的旗号下，无边地放纵我们对"知"的贪欲。结果正像庄子早就预言的：混沌被凿开了七窍，混沌就死了。当我们知道了生命的一切秘密，生命也就不存在了。

　　幸运的是，这句作为题记的话，并没有成为小说的中心思想。作者在"知道"了诸多的宗教知识后，仍然对宗教保持了凡人的谦恭和景仰。作品活生生地写出了"知"无助于理解宗教，无助于灵魂的沟通。没有"信"，没有"爱"，没有"诚"，宗教就只是一块自欺欺人的遮羞布。小说中野心勃勃的基督教传教士，为了用他们的上帝征服西藏，为了"用圣主的光辉驱散笼罩在西藏上空几千年的黑暗"（24页），不惜千辛万苦，打入藏传佛教内部。他们刻苦学习佛教知识，成为颇受尊敬的"白人喇嘛"，然后图穷匕首见，突然发难。但是，他们越是学习得出色，就越是不懂佛教。他们依仗中国腐败的政府势力，依仗从他们祖国带来的蛮横和阴险，企图从内部毁灭佛教，结果引起了血腥的战争、连绵的灾难。最后，佛教还是佛教，基督教还是基督教。他们的刻苦、他们的处心积虑、他们的孜孜以求，都在昭示出：他们是优秀的基督教教徒，而他们的心距离佛教却比他们的祖国离西藏还要遥远。当地人民友好地允许他们在那里生活、传教、考察，允许他们在那里搬弄是非、包揽词讼、贩卖军火、收集情报、颠覆策反，这恰恰证明了佛教的伟岸、博大以及无与伦比的自信和一种蔑视世俗生活的真正的宗教情怀。沙利士神父后来成为东巴文化专家，甚至被西藏文化和东巴文化所打动，他对这片自己生活了几十年的水乳大地感情越来越深，但他始终不能走进藏民和纳西族人的内心。其根本原因就是，他是以"知"的目的来到西藏的。他带来的"知"，这里的人民不需要；他所获得的新知，不过是在他们的知识体系中增加了一个满足虚荣心的科目。千百个藏民在澜沧江峡谷上空看见的神仙，他看不见；他所说的上帝造人，藏人不置可否，无动于衷。沙利士神父在道德上是善良的，他是真诚的基督徒。他至少明白了活佛告诉他的一个道理：寄宿在主人家的客人不会去打坏人家的窗户玻璃。他用了半个世纪的时间才总结出："我们在这片峡谷里和佛教徒相处的法宝仅仅是只埋头宣讲耶稣的教义，不触犯西藏的神灵，不批评人家的宗教。"（433

页）可惜，他觉悟得太晚了，而且，他个人的觉悟无助于改变基督教的扩张本性，无助于改变这个用剑与火去逼迫人家选择信仰的世界。他们用来叩开西藏大门的首先是洋枪，这就预示了不论此后他们怎样诚恳地宣讲圣经，怎样在瘟疫时期废寝忘食地抢救病人，他们的人可以被信任，但他们的宗教只能征服少数利益驱动者。让迥活佛说得好："宗教总有自己的对手"。（26 页）让各种宗教和平共处、相互尊重，这是我们今人的美好愿望，是我们这些没有信仰的消费主义羔羊的幻觉和梦想。宗教不是茶余饭后的消遣，而是通过控制灵魂从而控制劳动力和生产资料的"移魂大法"。宗教的规模，就是占有资源的规模，就是总体经济的规模。所以，作者令人感动地写出了让宗教和平共处的理想，更令人感动地写出了宗教要和平共处是何其艰难，特别是在这个充满"圣战"精神的世界上。

作为对这一宏大主题的衬托，小说血肉丰满地描绘了西藏人民和纳西族人民的生活、仇杀、爱情，写出了让迥活佛这样的大觉悟者，泽仁达娃这样的超人英雄，木芳这样的纳西族美女，洛桑这样的情歌王子，木学文这样的具有多血统文化的共产党干部，还有从晚清、民国到新中国几代政府对西藏地区的不同政策。小说的结构也别具匠心，一百年的时间分作十章，先写世纪初和世纪末，然后逐次由两端向世纪中心合拢，最后终结于 20 世纪 50 年代。这一既有跳跃又富于韵律的结构产生了某种符咒般的魅力，它打破了我们惯用的基督教时间顺序，让故事淹没在无始无终的时空法轮中，从而使读者能够抛开僵死的历史观和刻板的现实境遇去感同身受那澜沧江大峡谷的风云变幻。

宗教是大地的水乳，精神生活是人的存在价值。宗教之间的优劣高下，用辩论是说不清的，用血与火更是讲不明的。也许有宗教就有战争，也许船坚炮利会一时推广某种宗教。但让迥活佛说："一百年、五百年、一千年后，你们来看看，这块土地历经无数次劫难以后，能永远传承下去的，究竟是哪种宗教。"

要那么久才看得出啊，谁还说我读得慢呢？

韩国女人的幽梦

如果没有在韩国生活过，大多数人会很喜欢韩国。恰如没有跟演员一起生活过的观众，朦朦胧胧地觉得演员的实际生活跟他们在舞台上所表演的节目总会差不多。是的，天长日久，连韩国人自己也这样喜欢上了自己。我们半万年悠久的历史，天下第一的文字，世界上最美味的泡菜，最豪爽最聪明的人民，还有摧枯拉朽的足球，韩国哪里有一点点缺陷？世界各国人民啊！你们为什么不和我们一齐高喊"大韩民国万岁"呢？就连爱情也是韩国的最好啊！你看"再也没有比这更凄美的爱情了，它如同一阵春雨，滋润着贫瘠干渴的灵魂……"这是韩国新近流行的催泪小说《菊花香》封面的广告词。该书据说已经销售了 200 万册，这意味着，韩国几乎每个年轻人都被它催泪过了。作者金河仁"希望通过这部小说使人们相信，在被乱伦和婚外情充斥着的这个世界上，还是存在至高至纯的爱情的"。

　　作者的希望当然是高尚的。但是这个根本脱离韩国现实生活的虚构故事却恰好证明：至高至纯的爱情只存在于作者的梦幻之中。一个白马王子般的男大学生金承宇，偶然嗅到了女大学生李美姝头发里的"菊花香"（根据小说暗示，完全可能是不经常洗头所致，见 13 页），于是就不顾家庭阻挠，之死靡他地爱上了这个比自己大三岁的女人。二人经历风雨波折终于结合后，李美姝在怀孕期间发现自己身患癌症（又一个俗不可耐的没有想像力的水货），她用生命最后的力量生下了女儿，为爱人留下了永远的菊花香。作者编织这样的故事无可厚非，问题是这样的故事在 21 世纪还能够打动那么多韩国读者的心。如果不了解韩国妇女在实际生活中的地位，恐怕是难以明白的。

　　小说虽然使用了很多真实的地名和机构名，但人物基本上是处在童话王国里的。线条简单，情节完全由作者掌控。金承宇"在富有而和睦的家庭中长大"（28 页），是中产阶级的理想丈夫，韩国女人最渴望嫁给这样的男人。然而韩国过于森严的男尊女卑制度，使得大多数女人不能在丈夫那里获得现代的情爱。女人基本上依赖于男人的格局，又导致男人没有理由要与女人平等。于是，恰恰在女人地位甚低的韩国，出现了少数自强不息的"女强人"。李美姝"生活在一个非常平凡的环境当中"，但她的信念是"不囿于女性的性别，堂堂正正地活着，为自己热爱的事业奋斗，哪怕要燃烧自己的生命"（35 页）。我在韩国任教时，曾经指导一班女研究生讨论"女强人"的问题。可爱的学生们很羡慕"女强人"，但是在生活中谁也不愿意真的去做。李美姝就是千万个韩国"灰姑娘"的梦想。她用奋斗获得了成功，成了导演。她"弟弟在美国计算机界占据了一席之地，叔叔在美国的事业也取得了很大的成功"，"父母也跟着移民去了美国"（58 页）。生活是多么简单啊！只要一个抽象的"奋斗"，就什么都有了，还有一个比自己小三岁的白马王子死活要娶自己。人有多少梦想，其实就有多少痛苦。李美姝在酒醉后也曾对金承宇大喊："你们这些雄性动物，把经济大权夺到手，就趾高气扬地大呼小叫。"（72 页）李美姝的酒后之言，正好代韩国广大妇女表达了心声。这个表面上没有社会内容的唯美故事，仍然掩盖不住韩国社会尖锐的性别矛盾。结婚后的金承宇不但要分担家务，还要给李美姝洗脚,还要在李美姝大发脾气时"想尽办法逗美姝开心"(118页),更重要的是为李美姝在事业上逢山开路,遇水架桥,终于使李美姝在电影界确立了地位。这是何等美妙的一个"好丈夫"的梦想啊!从千百万读者对这个好丈夫梦想的痴迷中,是否可以看出韩国女性的"水深火热"呢?

然而,要得到这样的好丈夫,代价实在太昂贵了。李美姝为此献上了生命。虽然表面看来这是通俗小说的俗套,但实质上,这恰在无意中证明了小说的虚妄性。我们虽然看透了这是一部手法陈旧的通俗言情肥皂剧,但我们仍然会对女主人公的死寄予同情,这同情是寄予所有的韩国姐妹的,让我们再次听听她们心底的呼唤吧:

> 这个男人温柔、善良、谦虚、活泼,是一个真正了解女人和爱情的男人,他在女人面前弯下腰,屈膝跪下,越发显得高大。能跟这样的男人共同生活过,并且现在还在一起,实在已经够幸福的了!(167页)

李美姝弥留之际,在心里说要到天上去为她的好丈夫煮大酱汤(284页)。面对"好丈夫",李美姝有着如此的愧疚。她不但为好丈夫留下了女儿,还为好丈夫选定了续弦。如此的贤淑,不但会感动女人,连韩国那些趾高气扬的大男人,连中国的、日本的、美国的、埃及的男人,都会有一丝感动吧!假若有一天男人都变得像金承宇那般完美,那么书中穿插的一首小诗,就正是韩国女人的《男人颂》:"我曾为你哭泣/现在为你而活/我将为你死去/把生命全部献给你。"我曾在韩国最著名的梨花女子大学任教两年,我衷心祝愿韩国姐妹的幽梦,能够成真。

魔 在 何 处

——读韩国魔幻小说《退魔录》

李愚赫厚厚的三大卷巨著我并没有仔细读全——据说原文是19卷,所以只能略谈几点感想:

第一,这部巨著作为畅销书,在韩国已经取得发行一千万册的成功,在中国,预计它的市场前景也会不错,这是从运营角度不必多讲的问题。我要指出一点,它在韩国取得这么大的成功,却并没有经过多么大的商业运作的努力,这是跟韩国社会的特殊性有关的。韩国是"集体主义"思维最发达的一个国家,在它那里一个东西,只要有十个人认同了,其他九十个人很快也会认同,滚雪球的速度越来越快。如有本小说叫《菊花香》,也发行了四五百万册。如此高的发行比例,在世界上其他国家是很难想像的。畅销书的运作机制欧美最发达,但是美国也不可能是三亿人口,一本书发行七千万。这种情况只有在大韩民国才会有。去年世界杯足球赛期间,我们都

遍地风流

看到了,不允许有任何人说这个国家的坏话,举国上下,整个就是一个"红海洋"。所以该书的这种发行程度,到中国绝对要大打一个折扣。一些韩国人也许买了之后根本就不看或者不喜欢,但是只要我的同学买了,我必须要买,我的邻居买了,我必须要买。在韩国,个人很难承受离群的、特立独行的评论,包括在韩国的外国人。比如说在世界杯期间,韩国倾国上街庆祝,在韩的中国教师受到极大的压力,如果你不跟他们一块儿狂欢,表现不到位的话,那你是不爱我们韩国吗?或者说你还是不是东方人?我也遭受过这种压力,包括我去年出版了一本《独立韩秋》,因为里面有一部分批评韩国的文字,引起了韩国各方的抗议。其实我这书里面很多内容是表扬韩国的,我还特意到电视台讲过两次好话,韩国优秀的方面还是很多的。从畅销书的角度来讲,我们对《退魔录》的预期跟韩国应该是不一样的。

第二,从这本书在韩国影响如此之大这个角度来看,这本书恰好是可以用来观察韩国的这种"集体主义"意识,或者说是它的大众精神的一个很好的窗口。从这本书的形式上看,我首先感觉到它是一种多类文体的混杂。而且作者也没有确定把自己放在哪个创作谱系当中。现在中国人写武侠小说,他就要想了,他是把自己作为"历史中间物"的一点,要与金庸、古龙进行对话。而《退魔录》的作者李愚赫是不经意间成名了,他无意当中接受了多种文体,有武侠,新派的和旧派的武侠,有一些巫术的东西,还有内功,还有剑仙,还有神魔,还有悬幻,把幻想和武侠结合起来,是这几种问题的混杂,再加上西方的巫师系统,《哈利·波特》类的东西也有一些,这种混杂恰好说明了韩国的文化模式的一个特点。韩国的文化模式恰恰是这样的一种混杂式。

从价值观上来讲,本书也是多种价值观念的混杂。这里面有佛,有道,有基督教,有现代科学,人性,人权这些东西都有,把一切的东西力图综合在一处。我自己在韩国切身经历和感受到了这一点。韩国人有这样一种,你说他是顽强也好,或者说不怕困苦也好的不屈的精神,而且他们想做到最好,尽管可能做得不是最好,因为毕竟任何一个民族的能力都是有限的。但是它有这种努力,并且总试图证明自己是世界第一。你走到韩国的各个地方,经常会碰见世界第一这样的字样、这样的宣传。总是告诉你世界第一,比如说我去参观一个很大的庙,导游介绍说,这个佛寺是世界上最大的,在场的西方人都点头,而在场的中国人都笑了。后来我说,这个庙到中国的五台山可以排进前十名。他们有这样的一种努力,力争世界第一的努力。努力的过程当中,不断加大宣传力度,力图整合起一种精神。在《退魔录》当中可以看到,里面几乎涉及到了世界各国的文物。韩国受东方传统的影响比较大,而此书里面不仅是东方的东西,我们甚至可以看出一种"脱中国化"的努力,他们努力要淡化甚至是抹去中国文化曾经给予他们的重大影响。书中很强调印度和巴比伦等其他的文化来源。韩国还对它的民族来源有自己的解释,他们宣传韩国人是从中亚来的。尽管我们从人种、风俗、语言各个方面都不能拿出强有力的证据,说韩国人是从中亚来的,但是他们把很多的神话、很多的传说当成历史,甚至说他们跟巴比伦的民族是有血缘关系的。

我觉得这和韩国长期以来所身处的国际环境应该有决定性的关系。韩国历来处在几个大国的夹缝当中,它的生存是非常艰难的。韩国人的顽强的、不怕劳苦的精神,是从这种痛苦状态中磨炼出来的。中国、日本、美国、俄国这几个大国,都对它施以决定性的影响。朝鲜半岛问题的确是世界性的,你在韩国待着,就能感觉到,这个地方确实是世界的焦点,世界上大国的任何的动静,在他那里都会有反响,都会关系到他的稳定、繁荣、股票、经济,所以他们一些学者同时会几个国家的语言,了解几个国家的历史。在韩国社会上也是教派林立,因为它处于东西文化的交会点。韩国在古代受到中国文化的漫长的影响,但是现在在韩国最有影响的教派是基督教,它宣传的力度是非常大的。在韩国的中国人,感觉很麻烦的一件事是经常遇到传教,不仅仅是街头的,还有韩国同事,经常想方设法给你讲天父之恩。中国人总是不好意思,给人家面子,时间长了就不坚持了,加上猎奇新鲜的心理,慢慢就入教了。我对韩国朋友说,你们不要劝中国人入教,中国人不是认真的。你们是认真的、纯洁的,他回到中国之后,这个事情跟没有发生一样。你们不太了解中国人,中国人是为了面子什么都可以做的,但是你们如此投入,这么热情,太可惜了。韩国的基督教呢? 本身又是教派林立,据说有100—200个教派,因为每个牧师有自己的势力范围,这也关系到他的经济收入和社会地位。韩国的一些基督教也都掺杂了传统的东方宗教的特点,在我看来,很多的教都已经萨满化了,很多的庙它里边什么都有,佛教的、道教的,还有很像东北的地方宗教的东西都有。我专门去过韩国最大的一个教堂,据说是世界上最大的教堂——纯福音教堂。那个教堂非常雄伟、华丽,那里面的设施像一个小型的人民大会堂,里面是多国语言同声传译,进去以后自报是哪国人,中国人戴上耳机,马上有中国人给你翻译,我很佩服他们这种气派,但是那位牧师讲到最后的时候,使我大吃一惊,全体起立,牧师发功治病。这真是一种奇观。后来我就想,韩国恰好是处在这样的一个文化交会点,力图把各种东西都融会到它这里面。我还去过一个叫大真的大学去讲座,这也是一所教会学校,但是这个教在我看来,完全是把所有的教都弄到一起,它崇拜各种各样的神灵,里面包括中国历史上的名人,比如说唐朝的房玄龄、长孙无忌等。还有一些教,按照世界

遍地风流

上很多政府的观念,是属于邪教的,你进了这个教,要把全部的家产贡献给教主,还有你家人的生命自由,都是要交给他的。所以我们理解了这个背景,就不难明白,《退魔录》这种小说,在网上一发布,它肯定能够唤起这种民族的一种无意识,它会得到一种空前的拥戴。作者是自己独创一个体系,不依靠任何的东西。在其他的国家这是不可能的。在西方,你如果写一个神话,实际上是和已有的神话小说在对话。中国也是这样的,你现在写一个武侠小说,实际上是和金庸、古龙对话,你是接着说,反着说,还是照着说。在韩国呢,反而获得了一定程度上的独立。在韩国,中国的新派武侠小说的翻译量也是非常巨大的,金庸小说的翻译量据说也是千万册,到韩国的图书馆、书店里面去,一排一排都是金庸的小说。封面写的都是汉字,写的是"金庸大河历史小说"。我也研究武侠小说,研究金庸,所以我和韩国的几位金庸小说的翻译者有过接触,特别提到了一些金庸小说当中文化内涵的翻译,在他们是没有办法翻译的,他们主要翻译的是金庸小说的情节。我就说,"降龙十八掌"怎么翻译?这是没有办法翻译的。我说这个东西如果不能翻译,你就失掉了金庸小说的精华,就变成了打架的小说了,中国人看到降龙十八掌,想到的不是打架的问题,而是从易经来的,进入了一个文化系统。我说希望今后再翻译的时候,注意把这些给注释出来。我看《退魔录》也是用了大量的注释,填补了它的文化问题。这恰恰说明了一个问题,说明它在文本中,在正文中难以解决才加了注释。比如说金庸不必对降龙十八掌进行注解,中国人即使不懂易经也可以通过字面"望文生义"。恰恰这是韩国文化一个困惑的地方。

这部小说在当今消费主义时代的畅销,我觉得恰好吻合了当今的韩民族,在全球化的时代,力图寻找一个新的价值观的努力。现在的世界局势是,一方面美国要建立一个强有力的秩序,其他的国家不太服气,要反抗,特别是对于韩国这样的民族来说,在那里生存觉得真是万魔纷至沓来,韩国的青年也觉得困惑,人类到底向哪里去?韩国是资本主义社会,他们对资本主义的弊端看得很清楚,他们的知识分子在二十世纪六七十年代到八十年代的时候,非常向往中国式的社会主义。但是后来看到中国自己抛弃了原来的意识形态模式,人类这条路到底是往哪里去?韩国学者的困惑和痛苦比我们中国要重很多倍。我们觉得生活还不错,觉得中国的物质生活也不错,文化选择也比较多样。而韩国的学者经常召开小圈子的座谈会,探讨很宏伟的、很大的问题,经常是人类的问题。我对此肃然起敬,这些人真是非常好,他们生活得很简单,却在严肃地讨论全球化的问题。在这种面对世界万魔纷至沓来的情况下,人类怎么选择?《退魔录》虽然价值观念混杂,但是它有一个基本的东西,还是有一个主体性,以东方文化为主体,它有一些小说是独立成篇的。有一些小说是互相呼应的，人物是贯通的，用中国武侠小说的术语叫作"连环格"。这个小说的人物和情节在那个小说当中得到呼应，比如说玄岩是一个主要的人物，还有他所佩戴的月香剑，这是代表了传统。但是它自身的传统也是混杂和迷惑的。自身的传统对于我们中国人来说，也是很模糊的，我们对于自己的传统仍然没有清理好。我们的两个传统：一个是"五四"之前的传统，一个是"五四"之后的传统，我们认为清理干净了，现在还是需要重新清理，我们中国的传统到底应该是什么样的？这个也是我们中国应该退的魔，或者是应该首先清理好的"魔域"。"非典"时期，我讲课的时候跟学生说，全社会万众一心抗击"非典"之前，大家对领导很不满，对社会很不满，现在呢？万众一心抗"非典"了，一种叙述则会悄悄掩盖了另一种叙述。大家都觉得万众一心，医务人员一夜之间都变成了白衣天使，一种故事会掩盖另外一种故事。抗击"非典"的同时，我觉得我们不要把"非典"看成单纯的外在的魔，按照东方文化传统理解，抗魔首先是抗"心灵之魔"。从这个意义上来讲，这部小说对中国人是颇有启迪的。我也同时认为，在"非典"时期出版这部书，是非常有眼光的，我很欣赏书中特制的抗击"非典"的小卡片。还有《退魔录》所提出的问题，不是说中国没有问题，中国同样存在着一个考虑全球性的价值观的问题。这个问题也许要我们思考很多年。

庆东版"围炉夜话"

清/王永彬《围炉夜话》一书，流传广泛，但思想深度和语言艺术水准参差不齐，原文许多语句不够精炼流畅，思想原创性不强，或不适用于今日，且某些版本解说有误。本人对其语句进行整理，以期存其精华，适于今人。今修改润色如下：

一、教子弟要正大光明，检身心须谨小慎微。

二、留心朋友长处，实践圣贤言语。

三、贫则求俭，拙则求勤。

四、平常话是稳当话，本分人是快活人。

五、处事为人着想，读书自己用功。

六、以信立身，以恕接物。

七、苏秦因会说话而杀身，石崇因多积财而丧命。

八、教小儿须严，严可平躁；待小人须敬，敬以化邪。

九、善谋生者修恒业，善处事者立章程。

十、天分之高在忠信，非关机巧；学业之美在德行，不仅文章。

十一、古朴君子力挽江河，名节之士光争日月。

十二、眉眼鼻口成苦字，天定终身无安时。

十三、始皇灭东周之岁而刘季生，梁武灭南齐之年而侯景降。

十四、有才须久藏，为学当日进。

十五、积善有余庆，贪财害无穷。

十六、人品不高，总为利字看不破；学业不进，总为懒字丢不开。

十七、勤学终有贯通日，忠厚方为可靠人。

十八、乡愿貌似忠廉，鄙夫心挂得失。

十九、精明败家业，朴实振家风。

二十、明辨是非能处事，不忘廉耻可立身。

二十一、忠孝不是伶俐人做得来，仁义不无奸恶人藏其内。

二十二、权势如过眼烟云，奸邪起平地风波。

二十三、富贵如浮云，忠孝如山岳。

二十四、物命可惜，人心可回。

二十五、大丈夫论是非不论祸福，真学者贵平正尤贵精详。

二十六、科名毁琴书之乐，性理须经济之才。

二十七、以静镇泼妇，以淡消谗言。

二十八、肯救人便是活菩萨，能舍身方是大英雄。

二十九、乖张者早夭，尖刻者薄福。

三十、志不可不高，心不可太大。

三十一、讲大经纶，只是实实在在；有真学问，决不怪怪奇奇。

三十二、人伦即物理，得名要求实。

三十三、教弟子要身正，待小人须气和。

三十四、不贻羞父母，勿贻害子孙。

三十五、做人勿势利，习业莫粗浮。

三十六、勿忘自家是何等身份，常思别人是怎样下场。

三十七、自励可再起，因循难复兴。

三十八、生命有穷期，去一日便少一日；学问无定数，求一分才得一分。

三十九、处事要问心无愧，立业需量力而行。

四十、气不平则无足取，语多矫则尽可疑。

四十一、要小聪明不如守拙，交滥朋友不如读书。

四十二、读书要放开眼界，做人要立定脚跟。

四十三、持身贵严不贵矜，处世要谦不要谄。

四十四、善用其财，无愧其禄。

四十五、交朋友要有益身心，教弟子要能立品行。

四十六、敬君子如神，避小人若鬼。

四十七、求个良心管自己，留些余地给他人。

四十八、守口如瓶，持身若璧。

四十九、英雄不计较横逆，君子不忧患贫穷。

五十、山河皆文章，天地皆师友。

五十一、行善自乐，作奸自损。

五十二、以人鉴吉凶，以细防挫折。

五十三、守规矩必无大错，足衣食便是小康。

五十四、耐不得烦是病，吃不得亏是愚。

五十五、读书可求乐，为善要逃名。

五十六、知往日之非，取他人之长。

五十七、敬他人即是敬自己，靠自己胜于靠他人。

五十八、待人应如君子，待己不必小人。

五十九、愚昧精明都能坏事，奢侈悭吝皆可败家。

六十、种田人经商必败，读书人干讼下流。

六十一、命运要知足，德业应自惭。

六十二、舍不得钱不算义士，舍不得命难为忠臣。

六十三、谦厚无大患，俭省得延年。

六十四、善为天堂，恶即地狱。

六十五、高不在矫俗，智毋须设机。

六十六、君子莫学嵇阮，圣人不取沮溺。

六十七、偷安必败，争财必伤。

六十八、沉实为醇，忠厚得久。

六十九、莲朝开而暮合，草春荣而冬枯。

七十、伐从戈，矜从矛，自伐自矜是大忌；仁从人，义从我，讲仁讲义莫远求。

七十一、寒门要留读书种子，富人莫忘稼穑艰辛。

七十二、茅舍竹篱饶清趣，鸟啼花落蕴生机。

七十三、存心方便为长者，虑事精详是能人。

七十四、常怀振作心，才有生气；多说切直话，方见古风。

七十五、周公不骄不吝，颜子若无若虚。

七十六、忠孝是天地正气，圣贤乃古今命根。

七十七、享一生饱暖必无出息，经几度饥寒方能有为。

七十八、愁烦时也要襟怀潇洒，暗昧处更须心地光明。

七十九、势利人八方作假，浮躁者一事无成。

八十、不忮不求，勿忘勿助。

八十一、数不悖理，变不离常。

八十二、和骄主祥衰，善恶定吉凶。

八十三、人生莫求安闲，日用必须俭省。

八十四、事业凭肝胆，气节立口碑。

八十五、对己要多责，对人要多信。

八十六、执滞不是通达客，做作便非本色人。

八十七、五官靠心做主，一生靠事留名。

八十八、天资好也应勤奋，品德佳莫忘细行。

八十九、忠厚人颠扑不破，清淡处趣味弥长。

九十、交直道友，近老成人。

九十一、为乡邻解纷争，代世俗化因果。

九十二、发达在勤奋，福寿靠积德。

九十三、万恶淫为首，百善孝当先。

九十四、自奉略减几分，处世须退一步。

九十五、好事多烦恼，自负取灭亡。

九十六、要有个吃饭本领，不必定成才日期。

九十七、川学海而至海，莠似苗而非苗。

九十八、谨守身，淡养心。

九十九、人之足传，在德不在有位；世所相信，在能行不在能言。

百、有誉不如无怨，谋财不如读书。

百一、以圣贤为主宰，以他人为规箴。

百二、陶侃运甓可学，谢安围棋难及。

百三、但患我不肯济人，休患我不能济人；须使人不忍欺我，使人不敢欺我。

百四、能读书即是享福，能教子便是齐家。

百五、子弟善则劳之，不善则养之。

百六、无才尚可立功，无识容易坏事。

百七、顺利时不忘艰难，侥幸时尤须警惕。

百八、水止乃能照物，云飞而不碍空。

百九、清贫是顺境，节俭即丰年。

百十、迂拙仍不失正直，浮华绝不是高雅。

百十一、异端未必佛老，邪说岂止杨墨。

百十二、亡羊可补牢，羡鱼则结网。

百十三、求道若不足，求境须知足。

百十四、读书要苦，待人要甘。

百十五、知错便改为君子，仗恶欺善是小人。

百十六、淡泊交情久，平静福寿长。

百十七、事急也要深思，衅起先图礼让。

百十八、聪明勿使外散，耕读可以兼营。

百十九、身不饥寒，天未负我；学无长进，我何对天。

百二十、不争名利，但求才学。

百二十一、守法度也须有主见，知权变才算懂章程。

百二十二、文章如山水，富贵乃烟云。

百二十三、郭林宗细微处建人伦，王彦方德义中正乡风。

百二十四、世间皆菩萨，岂可妄行欺诈；天下皆苦人，何能独享安闲。

百二十五、甘受人欺非懦弱，自谓聪明是糊涂。

百二十六、富贵不如文章，声名系于人品。

百二十七、闭目可养神，闭口可防祸。

百二十八、骄奢难教子，贫寒要读书。

百二十九、苟难振，俗难医。

百三十、志远功大，心险祸多。

百三十一、平常闲事多退步，紧急关头莫放松。

百三十二、贫不在财乃在学，贱不在位乃在耻，夭不在年乃在术，孤不在子乃在德。

百三十三、功恶太严非君子，为善不止是圣徒。

百三十四、诗书为性命，孝悌立根基。

百三十五、无德有喜非真喜，吃苦得甜是真甜。

百三十六、自高无长进，自卑难振兴。

百三十七、有为不轻为，晓事不多事。

百三十八、知错不改真有病，为善受累也应为。

百三十九、交披肝沥胆之士，远焦头烂额之人。

百四十、种田尽力，读书专心。

百四十一、要栽培子弟，勿浪费光阴。

百四十二、和气待人，藏器待时。

百四十三、坐冷板凳，品好光阴。

百四十四、人兽之别在良心，圣贤教导是正路。

百四十五、品读书乐，怀天下忧。

百四十六、天不救求死之人，人可邀悔祸之天。

百四十七、劣师无佳徒，恶霸有天敌。

遍地风流

百四十八、习静与敬，去惰与骄。

百四十九、读书要有用，对友须无惭。

百五十、直道交友切勿逢迎，诚心待人莫怕误会。

百五十一、纷华不染，粗粝能甘。

百五十二、执拗人不谋事，机趣者可谈文。

百五十三、不必事事能，要与心心通。

百五十四、暮收朝所失，夜思日所行。

百五十五、祖先创业不易，子孙耕读要勤。

百五十六、做世上有用人，留身后可传事。

百五十七、读书在明理，齐家先修身。

百五十八、积善有余庆，食桃肉种桃核；多藏必厚亡，吃栗实弃栗壳。

百五十九、待人接物莫求备，读书修身莫知足。

百六十、有守等于有为，立言也是立德。

百六十一、向老成人殷殷求教，听实在话津津有味。

百六十二、真性情出真涵养，大识见出大文章。

百六十三、为善从让开始，立身以敬发端。

百六十四、知己乃能知人，论古也须论今。

百六十五、仁厚是儒术之本，虚浮乃当今病根。

百六十六、祸起于不忍，福得自无争。

百六十七、常体下情，多益他人。

百六十八、富贵不读书，可惜；子弟不敬师，可鄙。

百六十九、虞舜立五伦为教，紫阳集四子成书。

百七十、有趣者利禄不能动，有志者富贵不能淫。

百七十一、慎做富家婿，莫做豪门友。

百七十二、钱能福人能祸人，药可救生可杀生。

百七十三、谋事要集思广益，做事要身体力行。

百七十四、耕读要持之以恒，仕宦要两袖清风。

百七十五、多文为富，疾名不称。

百七十六、博学笃志，气定神闲。

百七十七、规我者为益友，徇私者为小人。

百七十八、待人宜宽除却子孙，行礼宜厚除却嫁娶。

百七十九、由已然知未然，行当然听自然。

百八十、观规模知事业，察德行知久暂。

百八十一、义中有利，非君子初衷；利中有害，岂小人夙愿。

百八十二、善后无咎，亢龙有悔。

百八十三、耕以养生，读以明道。

百八十四、求宦者应思当官做甚，谋财者要想有钱买啥。

"非典"期间读书笔记

公元 2003 年 4 月下旬，北京爆发"非典"。孔庆东自我隔离在西二旗新居，闭门而忧国，读书以求道。乃作此读书笔记，以消永日。

1.《中国宦官秘史》

施克宽著，宝文堂书店，1988 年 9 月北京第 1 版。

这本书以前也断断续续读过。这次用了大约一个月的时间通读，一般是放在卧室床边的小桌上，每天起床之前卧读。

封底的内容提要说作者是台湾学者。但我读时经常感觉好像是译著，语言不像中国话，而像是从外语翻译过来的。也许是作者参考了大量外国人的著作。书中引用的古籍都不是原文，也不像是古文今译，而像是直接从外文翻译过来的。对历史的判断也不像中国人的眼光，政治立场也不是批判的，而是猎奇的。总之带有很深的"汉学家"特点。

本书的优点是能够把宦官与整个政治体制联系起来考察。比如与外戚、与女祸、与官僚系统等。基本划出了一个历史脉络，但是隔膜之处很多。读后能够增加一些知识和思考，但是不能解决根本的问题。我写作《青楼文化》时曾经思考过太监问题。此书对于我的思考有些帮助。此书理论性不强，有趣的材料不少。属于普及型读物。

2.《越南人民的伟大胜利》

人民出版社 1975 年 5 月第 1 版。

这是个 45 页的小册子。内容是 1975 年 4 月 30 日越南解放西贡和南方后，毛主席的贺电和中越领导人的讲话以及中国主要报纸的社论与述评。前面有邓小平去大使馆祝贺和首都庆祝大会的照片。邓小平当时是中央副主席和国务院副总理。

这样的小册子我收藏有不少。这一本是十多年前在中央民族学院图书馆处理旧书时成批买的。现在重读，能够深切感受到当年社会主义的宏伟气势，感受到帝国主义的纸老虎的本质。越战的完全胜利，是 20 世纪社会主义事业的辉煌顶峰，是亚洲人民用毛泽东思想打败帝国主义及其走狗的光辉范例。但是此后社会主义阵营发生了许多严重的矛盾和危机，现在很有必要冷静地回溯社会主义的历史，在全球化的新世纪里探索一条人类的新路。

书中的文字具有一往无前的英雄气概，堂堂正正，如黄钟大吕。但是各个媒体的文章大同小异,思想过于统一。这是那个时代的通病。或许力量就来自于统一吧!

3. 蔡志忠漫画《世说新语——六朝的清谈》

三联书店 1991 年 4 月第 1 版。

《世说新语》是我非常喜欢的古书,加上蔡志忠的漫画,是一本很好的消遣书。书前有王孝廉和郑林钟的序,前边从《世说新语》中选了一百多则做成漫画,后边是原文附录。体例不错。蔡志忠的漫画我有不到 10 种。

这是本通俗的漫画,所以蔡志忠偶尔有对原文理解和发挥错误的地方,比如曹操"使人题门作活字",蔡志忠却说"他在门框上题了一个活字"。书中还有若干处错别字,大概责任在三联书店。

《世说新语》的这些精彩段子不知读过多少遍了,但总是回味无穷。那是一个人才辈出的时代,《世说新语》不过管中窥豹而已。但是那些风雅的背后,分明是生存的痛苦。那些风雅的名士,很多其实也是性格变态的人。如何把儒家气象跟道家风采结合好,不是在理论上能够解决的,需要在自身的时代风云中去修养和领悟。

蔡志忠的漫画,80 年代初看时,清新可喜。现在则觉得模式化很严重,造型和线条不够丰富,越到后来,特别是 1985 年当选为台湾十大杰出青年后,则似乎有偷懒之嫌。

我每次如厕只读十来页,漫画和原文结合着读,常常微笑。蔡志忠没有选王蓝田吃鸡蛋,我觉得是个失误。他选了"王蓝田为人晚成"一则,说他在丞相王导面前不拍马屁,虽也能表现王蓝田的愚痴或耿介,但是终不如吃鸡蛋一事生动而深刻。这说明蔡志忠对"名士精神"理解得还有欠缺。啊!王蓝田吃鸡蛋,多可爱呀!

大概用了半个月左右,读完了。

高远东兄去年在日本期间创作了《新世说新语》,在电脑上给我发来。他写的大都是当今的学者的趣事。我很喜欢。高远东是当今的名士,具有真正的雅操和学识,我很佩服这位师兄。其实当今可写的世说新语多矣,我有空也不妨写写。不要总是述而不作,假充名士。雪村唱得好:"我是一俗人",咱娶不起潘金莲那种雅人,能够跟王蓝田吃一辈子鸡蛋,就是最大的幸福了。

4.《凝视之爱》

于奇志著,中央编译出版社 2002 年 5 月第 1 版。

此书的副标题是:福柯医学历史哲学论稿。我对福柯的论著比较感兴趣,近年来福柯的理论在中国也很盛行。但是我读的不多。我对哲学的东西总是理解得太快,大概是有点天赋吧!看了前边就知道推论,所以一般读得不够认真,只是摸清了作者的思路就立即融会到自己的哲学大锅里,然后迅速转化成指导生活和科研的"现实武功"。这有点像看千里马,只顾其千里而不顾其雄雌黑黄。特别是对支离破碎的西方哲学,更是如此。

作者是 1963 年出生的四川达县人,在法国拿的博士,现在华南师范大学和西南师范大学任教。

这本书是专门探讨福柯的早期著作《临床医学的诞生》的。前边有叶秀山的序,写得简明得体。我当中文系科研秘书时,曾经请叶秀山到"子民学术论坛"讲座过。全书除前言结语后记外,共分四章。题目分别为:疾病的地理学与分类学,政治医学与社会领域,临床医学诞生的考古主义描述,看与知——医学作为凝视科学。后边百余页是附录:与法国哲学家的"第一次亲密接触"。那是作者在法国拜访 16 位哲学家的简单对话记录和照片。

这本书很透辟地阐释了福柯的医学理论与政治的关系。"医学不仅面向人的身体,而且面向人的理论和人的社会,进而被政治化、政府化和国家化;医疗活动不仅是医学任务,而且是政治任务和国家任务。"(29 页)

其实在我看来,福柯的东西也早被中国先哲涉及过了。福柯所谓的"凝视"在医学中的重要性,中国医学的"望闻问切"早已包括。只是福柯加以深刻的阐发,赋予了这种"凝视"以现代性。"启蒙就是帮助我们摆脱黑暗的独裁。医生目光的凝视过程就是奋争与启蒙的过程。"(38 页)因此医生"必须保持着高尚的道德感,对病人特别是贫穷病人产生同情感"。(47 页)这对今天的中国是颇具启示意义的。

福柯强调"医学知识发生于病人床边",这也就是中国的"三折肱为良医"的道理。作者肯定了"把空间、语言、死亡与凝视引入医学知识中并作哲学沉思,是福柯的努力"。其中对于"看"的探讨,是比较深入的,"可见,看、探索和沉思都具有认识论价值"。(79 页)这对于我们文学研究也具有同样的意义。"可见者与可述者之间的秘密就是知识的秘密"(82 页),这对于小说研究和诗歌研究都是有启发的。"没有看的知与没有知的看都是造成各种错觉、神秘、隐匿、遗忘的根源。"这其实就是孔子说的"学而不思则罔,思而不学则殆"。

作者捕捉到了福柯思想的精髓:"其实,整个社会就是一所大医院"。按照我的理解,也可以说是一座大监狱。我们现在的疾病,实际上离不开"叙述",正如犯罪其实也是被叙述出来的一样。中国的哲学讲,"畸于人而侔于天"。人觉得有病残的,在上天那里是健全的,人觉得是犯罪的,在上天那里是无辜的。

遍地风流

5.《法国的改良社会主义》

亚·米勒兰著。三联书店 1978 年 9 月第 1 版。

这是内部发行的,扉页注明是供批判用的。译者"史集",大概是化名。

亚历山大·米勒兰(1859—1943)是法国社会党右派领袖之一,也是第二国际机会主义的主要代表之一。1896 年推出"圣芒德纲领",1899 年入阁任工商部长,史称"米勒兰事件"。1904 年被法国社会党开除。后来他另组"独立社会党",先后任公共工程部长和陆军部长,策划和组织对苏维埃的武装干涉,1920 年 1 月任总理兼外交部长,1920 年 9 月至 1924 年 6 月,任法国总统。

本书汇集了米勒兰 1896 年至 1902 年间的演说 12 篇,是米勒兰自己编选的。根据巴黎 1903 年法文版翻译的。前边有一个自序性质的《法国的改良社会主义》,后边 12 篇演说分为 4 部分:纲领和方法,竞选演说,对外政策,经济问题。

米勒兰明确地宣布自己的思想主张是"改良社会主义"。他虽然主张改良,但态度却是战斗性的。他说:"如果我们认为暴力既是无益的,也是应受谴责的,如果我们认为合法的改良既是直接的目的,又是使我们接近遥远目标的唯一实际的办法,那么就让我们拿出勇气(而且这并不难)来用我们的名字称呼自己,也就是把我们叫作改良社会主义者,何况我们毕竟是改良主义者。"(7 页)

米勒兰认为"社会主义思想归根到底不就是坚决要保证每一个人的个性能在社会内部得到全面发展吗?"他认为这个发展的基础是财产和自由,"而自由如果没有财产作为基础和保障,就只是一个空洞的、响亮的字眼。"(12 页)他的这种自由观是肤浅的,比起另一个法国人萨特的自由观来,天壤之别。

米勒兰对资本主义的批判还是很到位的:"在这种制度下任何人都没有生活保障。"(12 页)但是他认为社会主义自然会取代资本主义,也就是资本主义会自己和平演变成社会主义。如果这样,那就不但不需要革命,我看也不需要任何社会主义思想,只要跟着资本家一起吃喝玩乐,静等着社会主义来临就是了。米勒兰也不必当什么社会主义者,既然改良是大势所趋,也就没有必要拼命宣传了。

问题是米勒兰正是以社会主义者的身份成为法国总统的。他所努力的社会主义纲领主要是三点:国家干预、普选、劳动者的国际协调。(18 页)

这其实不是社会主义纲领,而是资本主义的通例。米勒兰最大的热情在我看来不是投放在社会主义上,而是投放在爱国主义上。他说:"法国的社会主义者是爱国主义者,彻底的爱国主义者,从感情到理智都是爱国主义者。"（44 页）如何处理社会主义思想与民族矛盾的关系，在我看来是当今的一个大问题。

在中日甲午战争后法国同德国、俄国一起进行的干涉中，米勒兰完全是从维护法国的国家利益的角度来看待这一问题的，他根本不提战争的性质等价值判断问题，他的口气，我看是一个"开明的帝国主义者"。

米勒兰认为法国是"易于激动、容易冲动的民族"（64 页），他的演说也都富于煽动性，讲究技巧。但我看他的真实性格是理性的，是比较冷血的。他说："统治就是预见"。他对罢工的态度是："罢工是一场战斗。我们要求双方用深思代替激愤，用理智代替暴力，并且要求在他们认为他们自己无法通过友好协议来解决一次冲突时，必须由得到公正无私的一切保证的仲裁来结束冲突"（72 页）。我觉得说米勒兰是"出卖无产阶级事业的可耻叛徒"（出版者说明），这只是一句空话。米勒兰的思想是一贯的，他没有背叛什么。他自己的主张很明确又很坚定。社会主义思想本来就是形形色色的，要根据不同国家的不同情况来决定。米勒兰能够成为法国总统，说明他的思想在很大程度上适应了法国的国情。简单的批判是没有用的，要从每一种思想里吸取哪怕是一点一滴的营养，来形成新的思考。

6.《放下武器》

许春樵著，人民文学出版社 2003 年 4 月第 1 版。

这是一部反腐败题材的长篇小说，现实主义风格，凝重、厚实。它不是展示罪恶，表现正义，而是深挖主人公"我舅舅"郑天良是如何从一个善良的兽医、清官演变成一个被枪毙的贪官。小说的叙述者是一个贫穷的自由撰稿人，主体部分基本用第三人称。结构是倒叙的。上部是郑天良堕落之前，下部是堕落之后。文笔稳健，感情深蓄。有许多感人之处，也不乏许多神来之笔。观察社会很透辟，写出了典型环境中的典型人物。把县级官场写得栩栩如生，也可以看作是中国改革以来 20 多年的缩影。人物都写得丰满而复杂，有悬念有深度。适当的讽刺和象征深化了小说的意义。

主人公郑天良之所以堕落，是因为这个社会变了。他的升迁、贬谪、获奖和枪毙都是由官场游戏和这个国家的大趋势决定的。大河没水小河干，国家解体了，个人失去了坚持信仰的理由，所以有能力的人很难不腐败。小说非常真实地写出了生活的各个层面，经济是如何搞垮的，政府与民众的对立是如何产生的，还提到了 1989 年的政治事件。"正义和天良"的沦丧，是对这 20 多年的最强烈控诉。

小说的结尾呼唤"回归土地"，这是对回归中华本土文明的一种真切渴望。这已经成为当前的中华民族的普遍期待。

小说后来交待郑天良的情人沈汇丽实际上是他的政敌黄以恒的情人，

这一点前面铺垫不够,显得有些牵强。相比之下,郑天良救助妓女王月玲考上大学的事,很感人,也是可能的。

我喜欢这类作品。我既是当成小说来看,也是当成生活来看。既投入学术理智,也投入社会感情。这是今年继王家达《所谓作家》之后的又一部好作品。我知道中国会产生这样的作品的。

我一边听世界名曲一边写这笔记,心情分外忧郁。

7.《告锡兰共产党内所有马克思列宁主义者宣言》

世界知识出版社1964年8月第1版。

锡兰就是斯里兰卡。可是电脑的汉字输入法中居然没有锡兰这个词。制造这些输入法的人大都是文科方面的庸才。不过也难怪他们,我估计现在的文科博士中恐怕也很少有人知道锡兰是什么东西了。像我这样不但知道锡兰是斯里兰卡,其首都是科伦坡,而且知道其国旗上画着一个狮子举着刀,还知道班达拉奈克夫人的,恐怕只有外交部的人了。

这本小册子是一本共运史资料,是我从民院图书馆买的。没有人借阅过。收入的是《锡兰共产党十名中央委员的声明》、《告锡兰共产党内所有马克思列宁主义者宣言》和两名锡兰共产党政治局委员的七篇文章,其中后四篇是总书记桑穆加塔桑的。全部写于1963年。

中苏共产党的分裂,造成了全世界共产党的分裂。锡兰共产党两条路线的斗争在1963年达到了不可调和的地步。于是十名中央委员发出了这个声明,副标题是《对锡兰共产党中央委员会多数委员的答复》,这说明当时站在苏联一边的中央委员是多数。那些修正主义者控制了权力,对桑穆加塔桑等中国派进行了纪律制裁。于是分裂已经不可避免。声明和宣言所依据的都是马克思列宁主义的基本原理,批判了苏联的修正主义道路,拥护中国的坚定立场。

后面的第一篇文章,是库马拉西里的《谁是侵略者? 是社会主义的中国还是资本主义的印度?》,写得义正词严。开头是这样的:

> 历史上有没有过一个国家,在它的军队以风驰电掣之势击败敌人而胜利前进的时候,自愿主动地单方面停火并后撤呢?

> 历史上有没有过一个国家,自愿把它在战争中缴获的武器和军事物资整修一新,然后交还敌人呢?

> 有。有一个国家做了历史上空前未有的事。这个国家就是社会主义的中华人民共和国。

> 能给这样一个国家扣上"侵略者"的帽子吗? 绝对不能。

这篇文章除了用材料和事实证明印度是侵略者外,站在马克思主义的高度,肯定了中国外交部长陈毅讲的"中印边界的纠纷不过是中印友好的历史上一个短暂的插曲而已"。指出这是帝国主义分裂亚洲的阴谋，"在英帝国主义者来到东方之前，中印之间从来没有发生过边界争执……中印边界纠纷是英帝国主义分子以高压手段非法划定分界线而留给这两个国家的遗产。"（30 页）并批评了苏联作为社会主义国家却支持资本主义的印度。我油然想起前不久在一位社科院的朋友那里看电视播出的探索节目，讲的就是当年英国如何把锡金从中国分割出去的。

第二篇文章《革命者与叛徒之间的斗争》反驳了对中国共产党关于不怕战争问题的指责。指出美国"每分钟从拉丁美洲国家掠夺四千美元，每抢走一千美元就留下一具死尸"（43 页）。

桑穆加塔桑的《列宁主义和现代修正主义》在批判赫鲁晓夫时也认为赫鲁晓夫访美"使美国的普通老百姓第一次有机会看到和听到世界共产主义领袖直接和坦率地申述共产主义的论点。这是一个成就。"（57 页）文章认为"社会主义的经济不需要有国外出路作为市场，因此它不需要战争……继续保持和平是有利于世界社会主义的。"（61 页）这话今天看来是有些幼稚的。

桑穆加塔桑的《工人阶级如何取得政权?》指出："议会并不像资产阶级理论家口口声声讲的那样，是权力的最高中心。权力实际上属于国家机器"。进而指出"议会一直是使许多正直而可靠的工人阶级领袖变为无害的改良主义者的手段，他们保卫议会传统以及同这些传统有联系的资本主义制度的热情，并不亚于资产阶级。"（64 页）议会不能使资本主义"和平过渡"到社会主义。一旦工人阶级在议会中获得多数，资产阶级就会撕下面具，诉诸野蛮暴力。1931 年的德国，1935 年的西班牙，1952 年的危地马拉，都是如此。文章认为班达拉奈克先生"实际上是资本主义制度的代表人之一"。

桑穆加塔桑的《工人阶级能指望和平过渡到社会主义吗?》分析道："在锡兰，对议会的幻想是相当根深蒂固的。这一部分是因为锡兰人从 1931 年起就享有了成人选举权。"他指出工人阶级可以利用议会和竞选，但这不是唯一的途径。

最后一篇文章《为什么必须实行无产阶级专政》指出："资本主义拥护者所散布的最大谎言之一就是关于国家机器不偏不党的理论。"（72 页）"事实上，大多数革命，包括十月革命在内，都是以和平的革命开始的。只是由于被推翻阶级的反抗，它们才变成了流血的革命。"

翻看《各国概况》中的"锡兰"部分。得知锡兰共产党 1964 年 1 月召开七大，开除了克尼曼等修正主义分子，选出桑穆加塔桑为总书记的新中央。而克尼曼等另组了修正主义的共产党，并参加了班达拉奈克夫人的联合阵线，在内阁 20 人中占 1 人。锡兰一直是与中国比较友好的国家。

从一个小国的共产党内部的斗争中,也可以看到世界风云。锡兰共产党分裂后不久的1964年9月,我出生了。

8.《超新星纪元》

刘慈欣著,作家出版社2003年1月第1版。

作者刘慈欣是当今最有实力的新生代科幻小说家之一。《科幻世界》总编阿来在序中说这套"锋线科幻系列"是以王晋康和刘慈欣打头的。

小说幻想因超新星爆发而使地球上13岁以上的人在十个月后死去。而13岁以下者因为能够自我修复基因而生存下去。于是各国迅速培养孩子们掌管国家大事。"超新星纪元"到来后,各国孩子们爆发了以游戏为名的争夺南极的大战,美国使用了核武器,中国大人也为孩子们留下了一颗反击用的原子弹。于是世界恢复均衡。

小说场面宏大,现实思考的力度很强。知识面广博,能够把科技与历史、现实特别是人类生存状况紧密结合。缺点是文学性还不够强,结构比较硬,人物性格不突出。小说最感人之处是对孩子的真情。作品一开头就题着"献给我的女儿刘静,她将生活在一个好玩儿的世界中"。在尾声里虚拟作者突然以第一人称出现,并把刘静设计为一个"超元史"研究的架空学派的代表性学者,是虚拟作者的妻子弗伦娜的"研究生导师",并顺便揶揄了刘静的父亲刘慈欣。这可以看作是刘慈欣跟女儿开的一个玩笑。结尾虚拟作者的孩子晶晶问父亲天上那颗蓝色的星球"是地球吗?"父亲哽咽着说:"是的孩子,那是地球。"

小说1989年12月初稿,2002年1月四稿,写了十多年。

后记中赞同"科幻文学是惟一现实的文学",说"从本质上说,科幻小说的主人公是全人类"。还认为:"透视现实和剖析人性不是科幻小说的任务,更不是它的优势。科幻小说的目标与上帝一样:创造各种各样的新世界。"最后以童年追逐彩虹的经历,指出"我们每个人的生活其实都是一个追梦的旅程"。所以这部小说其实也是写的大人的世界。

作者的这种观点有些偏颇,影响了小说的思想深度。小说中的世界还是过于简单了,比较概念化。实际上这个宏大的幻想结构是可以写得更加惊心动魄和令人深思的。不过此书已经是中国科幻小说的杰作了。

9.《小马倌和"大皮靴"叔叔》

颜一烟著,花山文艺出版社1991年6月第1版。

写于1990年7月24日的出版前言中说这是跟《小英雄雨来》一起出版的五部中篇小说,汇辑为"抗日小英雄丛书"。我在扉页上写道:"这是我儿时读过的小人书的原著。"

这书的小人书我印象很深。可惜上大学后把大部分小人书都卖掉了,这是很可惜的一件事,当时是为了练习卖东西,其实卖不了几个钱。这书给我印象最深的一是东北抗日联军的艰苦,二是书中吃老虎肉的情节,三是小孩可以有适合自己的一枝小马枪。

重读感觉这书的思想比较单纯,情节也有模式化之嫌。结构上属于"革命成长小说"。但是东北的生活气息很浓,指导员"大皮靴"叔叔剪掉了受伤的一只脚,还有小马倌"江副官"把鬼子诱骗到狮子峰上冻饿而死等处,都使人看到了战争的残酷。

此书在20世纪90年代初还能印刷几万册,说明革命文学还是有感召力的。但是封面上又印着"儿童文库北京市教育局选编",这说明还是有一定的组织引导的结果。

书中的插图很有版画的风格,显示出时代感。就是这些简单的书,支起了我知识结构大厦的第一层脚手架。

10.《我曾是斯大林的秘书》

鲍里斯·巴扎诺夫著,张斌译,湖南人民出版社1982年4月第1版。

这是"现代外国政治学术著作选译"中的一种,我在中央民族学院图书馆购得。封底已经掉了,书的品相不好,但是内容重要,因此购之。作者1900年生于乌克兰,1919年加入俄共,1922年任中央机关秘书,1923年8月至1926年底任斯大林助手和政治局秘书,1928年开始潜逃,经伊朗和印度到达法国。1977年发表这部回忆录。这个译本是根据1977年西德的乌尔斯坦因出版社的德文版翻译的。原书的后三章是叙述巴扎诺夫本人的思想变化和逃亡流亡生活的,"鉴于这些情况与前苏联20世纪20年代的历史事件无关,故作了删节"。我想删节的原因恐怕还有作者一定是表达了许多对社会主义的仇恨,散布了许多"反动思想",不适合80年代初的中国。因为那时的政治目的是要借批判斯大林来批判中国的个人崇拜,而不是要攻击整个社会主义。

这书的态度很诚恳,作者是个道德上的好人,叙述也尽量做到了客观,所以书中的很多材料是可信的。从此书可以反省社会主义的很多问题,特别是权力分配问题。在我看来,苏联的社会主义一开始就存在许多致命的祸根,党和人民的关系不像中国这样融洽。巴扎诺夫指出的具体问题我觉得都是实际存在的,但是巴扎诺夫也承认社会主义的巨大成就。没有革命,没有社会主义,苏联和中国就仍然是任帝国主义宰割的三流国家。可是革命的代价是不是一定要这样大,革命为什么造成了一群新的官僚,社会主义的民主究竟应该怎样实行。这都是我们今天要冷静思索的。

斯大林的个人缺点是不重要的,问题是为什么斯大林会成为苏联的绝对领导。巴扎诺夫这样的才子为什么会逃亡。一个朝气蓬勃的廉洁的党为什么会逐渐增加政治阴谋，最后使好人和才子没有出路，庸才和腐败分子飞黄腾达。结果最终党失去生命力，一个超级大国就此瓦解。

苏联共产党与人民的关系不如中国，哲学根基也不如中国，道德修养也不如中国。残酷的镇压过多，思想整风过少。沙皇作风，享乐习气，从一开始就没有认真考虑。

斯大林搞的那些政治阴谋是不得人心的。尽管他领导苏联取得了伟大的成就，特别是打败了法西斯德国。但他那些政治手段，不是一个马克思主义者应该做的。而列宁在政治上似乎办法也不多。苏联缺乏一个毛泽东那样的伟人。毛泽东也有错误，但正如一位下岗工人所说："毛主席犯错误也是为穷人犯的。"所以毛泽东能够长久地被人民爱戴，人们可以说他是"三七开"，而斯大林，恐怕只能是"五五开"了。

这本书对于了解前苏联早期政治领袖的生活和性格是很好的材料。对于增加政治观察判断能力也是很好的参考。作者其实不是坚定的共产主义者，出一次国就羡慕资本主义的生活，对于这样的人，党没有教育和引导，而是委以重用，可见党的领导忙于争权夺利该有多么大的危害。

社会主义是一个艰巨无比的事业，因为没有一个天生的社会主义者。人的本性是自私的，人天生是资本主义者。在革命的过程中，不但要跟敌人斗，还要跟同志斗，跟自己斗。社会主义是一个永恒的事业。看到这一点，才能不悲观、不盲目，反抗绝望，坚定地战斗到底。

11.《改革与新思维》

米·谢·戈尔巴乔夫著，苏群译，新华出版社 1987 年 12 月第 1 版。

这是 1995 年 6 月 24 日买的旧书。此书刚出版不久，我就以学生党员的身份读过，当时中共中央总书记是赵紫阳，中共中央要求大家学习和了解苏联的改革，特别是戈尔巴乔夫的新思维。但我当时印象不深，觉得此书文笔平平，也没有什么新思想。其哲学底蕴还远不如邓小平。

近来思考社会主义问题，便又将此书置于床头重读。用了几周时间断断续续读完。觉得此书所表达的思想是苏联崩溃的重要原因之一。

戈尔巴乔夫承认和指出了苏联社会主义的一系列问题，并勇于进取，要求改革。这是一个共产党员应该做的。但是他所主张的改革方向是有问题的，基本上是赫鲁晓夫路线的继续发展。他对帝国主义的本质认识还不够，用一再哀求的口吻去请帝国主义理解社会主义，用辩诬的口气去让帝国主义"解除误会"。主动解除了自己的思想武装。他是在帝国主义没有改变杀人姿态的时候，自己首先调转了枪口。

社会主义当然是应该不断改革的，正如资本主义也在不断改革一样。但是社会主义的改革不应该是改到资本主义去，不应该把革命的果实拱手奉献给帝国主义。面对敌人的封锁和污蔑，首要的是斗争，而不是辩解。戈尔巴乔夫当政时，苏联其实还非常强大。但由于解除了思想武装，一夜之间就土崩瓦解了。

戈尔巴乔夫此书还有个问题是企图展示个人魅力，开头的《致读者》说"本书的宗旨是：不通过中间人，直接向全世界的公民谈谈我对毫无例外地涉及所有人的一些问题的看法。"而此书是他应美国出版商的要求，用俄文英文同时出版的。其实戈尔巴乔夫本人在自我矛盾。他想用个人专制来达到民主，结果事与愿违。

用理想主义看待社会主义，就会急于求成，就会盲目改革。资本主义从来不急于改革自己，只要跟社会主义耗下去就行。社会主义也应该这样。

说戈尔巴乔夫是社会主义的叛徒，这是过分了。他还是很真诚的。只是社会主义为什么会让这样的人掌权并最终断送了社会主义，这是个天大的问题。

戈尔巴乔夫此书的社会主义思想很薄弱，更多的是民族国家还有什么人类的思考。一副开明进取的样子。其实正是中了帝国主义的圈套。后来到了20世纪90年代末，戈尔巴乔夫很后悔。今天，什么新思维已经没有人喝彩了，戈尔巴乔夫已经是没有利用价值的垃圾了，前苏联人民水深火热。这是必须汲取的重要教训。

12.《中国古代绘画故事》

温廷宽编，文化艺术出版社1984年北京第1版。

此书不够系统，又不引用原文。但是列出了参考资料，写作时花了很大的工夫，是五六十年代作者的典型的老老实实的作风。其中的一些故事对我很有启发，我认为单纯地说中国绘画是"写意"，西方绘画是"写实"，这是片面的。其实，中国绘画也首先强调"形似"。我读过许多美术绘画著作，这对我的艺术修养和理论修养都起到了极大的作用。

13.《四个第一》

上海人民出版社1965年7月第1版。

这是在民院买的书。是"解放军政治工作丛书"之一。本书是宣传林彪1960年提出的"四个第一"思想的，有林彪和萧华的文章，解放军报的几篇社论以及一些部队的贯彻经验。四个第一的思想，我小时候就知道，即人的因素第一，政治工作第一，思想工作第一，活的思想第一。这话虽然是林彪说的，其实也是毛泽东军事思想的重要组成部分，是解放军战斗力的核心因素。林彪不仅是军事艺术大师，也是军事政治工作大师。从井冈山到黑土地，林彪的部队首先是解决了政治思想问题，然后才成为常胜之师的。但是林彪不善于写文章，只善于实干。此书的文字也缺乏文采和理论

遍地风流

深度,没有吸引力。假如林彪的枪杆子真的跟四人帮的笔杆子联合起来,那倒确实是可怕的。

14.《三条石》

任朴著,百花文艺出版社1964年1月第1版。

我小时候有一本连环画《三条石血泪史》。讲述的是天津三条石工人在旧社会所遭受的残酷剥削和压迫,给我留下了深刻的印象。前些年,在民院买了这部中篇小说,但是没有读。最近读了,发觉跟连环画的叙述角度不同。这是用第一人称写的,文笔朴实而有个性。连环画突出的是非人的压榨,而此书则注重心理描述,写了"精神吃人"的一面,也写出了天津旧社会的风俗人情。我最近试问一位社科院的文学博士后,知道不知道三条石。回答说不知道。我把书给他读,结果很是感动。现在的年轻人读的好书太少了。

15.《亲爱的死鬼——名著人物的另一种可能》

王小山著,东方出版社2003年6月第1版。

这是去开《退魔录》研讨会时,出版社赠给大家的。王小山是现在的著名专栏作家,文字幽默俏皮。最近《北京青年报》上他的文章跟我的和黄集伟的同在一个版。我以前没大注意王小山的文字,看了这本书,不禁很欣赏他的才气。我是一气读完这本书的,觉得他的路子不大正,学问也一般,但是才情和热情俱佳,这样写下去,会越来越好的。本书的设计和装帧也别具匠心。现在像王小山这样博学和博思的人也颇不少,但是能够写出来的很有限。"王小山"三个字打简码出来的是"文学史",这说明王小山是具有走正路的潜在素质的。

16.《毛泽东与林彪反革命集团的斗争》

汪东兴著,当代中国出版社1997年11月第1版。

这书在报纸上连载时我就看过。汪东兴的理论修养和历史眼光都不是专家水平的,但是他的回忆很真实,他的人格很淳朴,这样的书比专家的书更有价值。从这书中可以真实地看到"汪东兴眼中的历史"。此书的叙述尽量保留了历史的原貌,显得不够简练,因此就更真实。可以看出毛泽东的超人智慧和人格,也可以看出他的伟大背后的孤独悲凉。革命家内部斗成那个样子,这是革命的必然结局吗?这是需要长期思考下去的。

17.《金庸传》

傅国涌著,北京十月文艺出版社2003年7月第1版。

这是"中国现代作家传记丛书"之一,跟以前的钱理群《周作人传》、田本相《曹禺传》等相比,质量很粗糙。此书优点是查阅了很多资料,特别是早期资料,写作态度也很认真。不足之处是立意要"客观",结果反而客观不了。大段乃至整篇地引用原文,显出功力不够,注释也不规范。著者似乎不是文学研究出身,越写越像记者笔法。还有明显的右派立场,对金庸的右派行为肯定,而对金庸的民众思想忽视。对于金庸研究的状况也了解不够,先武断地把别人说成是神化金庸,再做出左右开弓的姿态,其实是没有思想深度。对于1989年金庸退出中国香港基本法草委也语焉不详。不过这可能是出版者的意思。

此书对金庸该充分肯定之处和该受批评之处都挖掘很浅,这是传记写作的一大误区。不赞不批,这不能叫做客观,只能叫"做客观状"。真正的客观是,一分为二,不避讳感情,既说了李逵的勇猛,也指出李逵的莽撞。正所谓"隔靴搔痒赞何益,入木三分骂也精"。

18.《苏军情报部内幕》

维克托·苏沃罗夫著,周继、容亚、安峰译(内部发行),军事译文出版社1985年11月第1版。

此书购于中央民族学院图书馆。当时粗粗翻翻,这两个月来放在卫生间仔细地读了一遍。

本书作者原是苏军总参谋部情报部的少校,1968年捷克事件后叛逃西方,化名写有《解放者》、《苏军内幕》和本书等。本书1984年在伦敦出版,引起重视。

本书详细介绍了世界上仅次于克格勃的第二大情报组织——苏军情报部的全面情况,对了解情报工作和苏联问题具有很大的价值。作者是叛逃者,所以对社会主义怀有仇视,并为了讨好西方而故意夸大歪曲。所以翻译时做了删节。

本书对我们思考中国的情报工作很有启发。

19.《包公案》

群众出版社2003年2月第1版。

封面封底为电视剧《包青天》中包公剧照,封面注明"珍藏版"。

书前3~6页为"出版说明",主要从历史小说、世情小说、侠义小说、神魔小说、谴责小说、公案小说几方面对古典小说略作介绍,并说明该书是一套丛书中的一本,署名"编者"。

"出版说明"之后7~8页为"前言",开头说"再版的《包公案》由《百家公案》、《龙图公案》和《五鼠闹东京》三部我国历史悠久、流传极广、影响深远的公案小说合集而成。"但本书仅有《包公案》和《龙图公案》,无《五鼠闹东京》,或许另为一册。

又云"清同治、光绪年间,民间单弦艺人石玉昆连缀其中的故事,说唱《龙图公案》,后来敷演成章回小说《龙图耳录》;之后,世人又据《龙图耳

遍地风流

录》，改编成著名的长篇侠义小说《三侠五义》，影响巨大。"

9～16页为目录，17～270页为《百家公案》，包括1个引子《包待制出身源流》和100回小故事，回目皆为7字，不求韵律。每回1千字左右，皆以"断云"加一首七绝起首。案情多与奸杀、妖异、冤报有关。以今日视之，颇多不合情理法理之处，如第十八回《神判八旬通奸事》。

其第二十六回《秦氏还魂配世美》，为《秦香莲》蓝本，陈世美"状元及第，除授翰林修撰"，不是驸马。秦香莲寻夫住在张元老家中，元老说陈世美"衙门清赛五湖水，断事明如秋夜月，威风凛凛，鬼神皆畏。"元老教秦香莲去陈府唱曲，被陈棒打，后又派人刺死秦香莲于白虎山下，"追我瑛哥、东妹转府"，但那兄妹不从，到龙头岭投师学得武艺，"去揭国榜，收除海贼"，封为中军都督和先锋夫人。秦香莲被三官菩萨护持，"敕赐还魂"。母子三人"具告包拯台下"。包拯上表，圣旨下，陈世美"免死发配充军"。不曾"铡美"。

第五十二回《重义气代友申冤》中嫂子调戏叔叔一段，类似《水浒》或《金瓶梅》。第五十八回《决戮五鼠闹东京》，约4千字，结尾云"此段公案名《五鼠闹东京》，又名《断出假仁宗》，世有二说不同。此得之京本所刊，未知孰是，随人所传。"第七十五回《仁宗皇帝认亲母》，为《遇皇后》、《打龙袍》蓝本。第九十四回《花羞还魂累李辛》，判得无理。

271页至末尾为《龙图公案》，共90则，每则千字许，名目2字至7字不等。大多以"话说"开头，仅第二十五则《忠节隐匿》开头为"常言道"，第二十七则《试假反试真》开头为"却说"。第四十五则《牙簪插地》开头亦为"却说"，文字与《百家公案》中第十八回《神判八旬通奸事》大同小异。

内容与《百家公案》类似。可见当时社会风气淫靡，经济亦比较富裕。

第一则《阿弥陀佛讲和》许秀才义举得好报，表现了封建观念。

20.《鲁迅评传》

波兹德涅耶娃著，吴兴勇、颜雄译，湖南教育出版社2000年6月第1版。

前面有陈漱渝序《昔日的辉煌》，林非序《艰巨的劳作》。

末尾附颜雄《"中俄文字之交"又一页——关于本书的由来及评介》。

全书分上编1881～1917页，中编1918～1927页，下编1928～1936页。每编三章。

原著出版于1959年5月，莫斯科大学出版社，是"穷25年之工（1933～1958年）成就的"。原名《鲁迅·生平与创作（1881～1936）》，丁易先前的讲义里称为《鲁迅的创作道路》，572页。

译著完成于1996年。

此书采用马克思主义的社会学批评方法，但是比较教条。而且理解中国问题和鲁迅作品均比较隔膜。如认为《一件小事》是写"无产阶级"，强调《狂人日记》主人公是地主。还有强调俄国作家对中国及鲁迅的影响等。尤其强调谢德林和高尔基。

　　作者用了大量的材料，写作态度非常严肃。

　　第一译者吴兴勇情况不详。原作者应称为"苏联学者"。

五、答 非 所 问

本辑文字为谈话和书信类。一般记者访谈,本人尽量谢绝,因为中国当前记者素质太差。好记者的采访偶尔接受,不过也往往话不投机,所以答非所问也。

"北大醉侠"访谈录

孔庆东,1987 年本科毕业于北京大学中文系,随即师从钱理群教授攻读硕士学位,1990 年研究生毕业后先后在北京二中和首都师大附中当语文老师三年整,1993 师从严家炎教授攻读博士学位,1996 年留校任教,现为北京大学中文系副教授,主要从事中国现当代文学的教学和研究工作。屈指一算,人称"北大醉侠"的孔老师游走于北大已有 20 年矣。

1998 年,也就是北大百年校庆那年,孔庆东受好友的唆使,将几年来"东涂西抹"的大小文章集合起来,出版了《47 楼 207》,风行一时,连盗版的《47 楼 207》都随处可见。此后的一段时间,传说中的 47 楼成为北京大学一个不大起眼的新景点,电视台的人马曾全副武装地去进行过粗暴的拍摄。住在 207 单元的研究生也偶尔受到三五个不速之客友好骚扰:"孔庆东那个 47 楼,那个 207,是不是就是这儿呀?"

············

四年过去了,这本书的正版和盗版终于都不大容易买到了,而进出校园的新旧面孔对这一"宿舍读本"的需求仍然健旺,于是有出版社建议乘着十六大的东风,把它再版一下。孔老师几年来也正好为书中的几个错别字时常惆怅,就欣然同意了。

今年上半年,改了封皮的《47楼207》悄悄上市。可能是为了适合20世纪80年代出生的新新人类的口味吧,封面换成了黑色,插图漫画是一只醉酒的硕鼠,封二是40多只吹胡子瞪眼的丑猫,封三内容同封二,另外,每页书的一角还有一幅F4风格的漫画!!这副新打扮,令我等老《47楼207》迷平空生出一肚子怨气来——过分呐!才四年,就代沟了?!而更令人匪夷所思的是,虽然"代沟了",但新版《47楼207》仍然热销不已,我到三联书店寻书时,店里人竟告诉我:"我们这儿已经卖完了,你再去西单图书大厦找找吧。"

电话打到孔老师家,孔老师刚从另一家书店搞完签售活动回来呢。"好,就明天吧",于是,第二天上午去家里拜访。

孔老师的家在北大新建的教师楼,崭新的防盗门上贴膜未除,门把手上挂着一个塑料袋,内有一个纸盒装的三元早餐奶,和我同来的摄影师伸手摘下奶打算给孔老师拿进去,被出来开门的孔老师狡黠地一把按住:"别,这是个幌子,让小偷以为我们家老有人。"于是,三个人特务接头似的闪身进了孔老师的新居。

新居的装修工作已告一段落,角角落落还留着装修队高速撤退的痕迹。书架的规模很大,但还空着,新沙发前的新茶几上摆着一盘没有下完的棋,另有棋谱和各种杂志若干。

可能因为孔老师和我都在学校待得久了的缘故,眼睛一看就有默契,两三句寒暄之后就开了题,孔老师侃侃而谈声若洪钟,我摊开纸笔随手把紧要的记下来。回家整理录音时,但见条分缕晰,怎么看都像一篇课堂笔记。下面就是笔记的详细内容。

(一)关于北大

我1983年来北京上学,是和阿忆等文学青年一起,怀着在未名湖畔吟诗作赋的浪漫憧憬来北大的,不过这种憧憬很快就破灭了——未名湖的规模只相当于我们东北的"水泡子",中南海、北海才能算做"湖"啊!很快我又发现,未名湖的大小问题只是一个象征,北大所真正欣赏的,不是文采灵犀、诗情画意,而是——做学问。许多老先生终其毕生精力研究一两个别人永远弄不懂的艰深问题,采取一种姜太公直钩钓鱼的方式传道授业——听得懂的精英跟我走,不感兴趣或跟不上的我也懒得理你们!这是一个象牙塔里自我证明的圈子,和普罗大众的生活不通气息的圈子。

但北大有意思的地方也在这儿,这里不鼓励你蠢蠢欲动,但也宽容你的奇思怪想。传统势力越是牢固就越是让青年人心潮澎湃,矛盾和交锋更容易让思想迸射火花。这里一直是个风起云涌的所在,当然,20世纪80年代更是如此。

我自己身处学术圈,却常常以《智取威虎山》里的杨子荣为榜样。杨子荣是个孤胆英雄,靠着对人民的无限感情和杰出的个人才能打入匪窟。我从小是在哈尔滨的大杂院里长大的孩子,捡过煤核儿和冰棍杆取暖,知道人民是怎么生活的,知道他们关心什么。我认为一个文学家要是成天著书立说,却不能解答火车上一个老大爷对热门电视剧的疑问,那就叫失职,那就叫浪费国家科研经费!所以就像杨子荣的那句唱词:"虽然是只身把龙潭虎穴闯,千百万阶级弟兄犹如在身旁"——我闯进学术圈,致力于研究的是通俗小说、通俗戏剧等课题,我最为得意的是和志同道合者们一起把原来为精英们所不齿的武侠小说搬进了学术的殿堂,杨子荣不是也得把自己打扮得和土匪一样,得说黑话吗?我用一副驾驭学术语言的好身手,打入"学匪"内部,这就叫用敌人的方式战胜敌人!呵呵呵呵!

（二）关于大学之道

我是研究现代文学的,其实我本人的知识结构里最好的部分是古代文学,这也是最优的,最好的东西了,它积淀了几千年。要让我挑的话,我很愿意做一个封建社会里的士大夫,因为封建社会是真正重视人的。资本主义以后,社会发展开始以效率为中心,这就坏了,人的空间小了,人不舒服了。

效率和人本往往是矛盾的,在这一点上,我喜欢北京,因为北京浪费,对什么都无所谓,我不喜欢上海,因为上海寸土寸金太精明,它就不可爱。大学也是,现在有把大学当工厂办的倾向,各个专业分得那么细致,培养的是一个又一个的专业技术能手,反而失去了"大学之道"。大学之道是什么?古人讲得多好——"大学之道,在明明德,在亲民,在止于至善。"它强调人的全面发展,强调每个人达到个人所能达到的至善之境。孔子过去办学,不分那么细,他一人教六门课,有的课清玄,有的课实用,他还教"驭术"呢,就是赶马车,即当年的驾校啊!

（三）关于中国文化——乐感文化,一玩到底的文化

要问我愿意生活在封建社会的什么朝代,那当然是唐朝,那是一个多么自由开放、刚健清新的时代,真正的物华天宝、人杰地灵。那时,每个人都有一个发展的空间,你可以写诗,也可以驻守边疆当将领,还可以搞科技发明。宋朝的生产力比唐朝发达,国家有钱,但精神格局已经小了,元朝一晃就过了,明朝有回光返照式的起色,但很快就颓废了,清朝又失去了改革的机会,终至一败涂地。

这发展轨迹和中国文化有关系,李泽厚说,西方文化是罪感文化,人人都认为自己有原罪的文化。中国文化呢?是乐感文化,一玩到底的文化。中国的明朝,玩得最厉害了,各种吸毒、性解放,人类所能想到的,全玩遍

了,变态了。清朝是满族的天下,汉人说,虽然咱们亡了国,但没关系,一块儿玩吧!结果300年下来,满族给玩儿完了。现在提起爱新觉罗,哪儿是那个骑马打仗,以几千人打败明朝十几万大军的勇士啦?他们成了书法家、画家、文物古董鉴赏家,唱得一口好京戏,很文弱,玩儿坏啦!

玩是人生很高的境界,但也十分危险,中华民族的缺点在这儿,太不刚烈;但它几千年绵延不绝的韧性,也在这儿……

（四）关于语言的平淡与精彩

武侠电视剧?我基本不看,因为不可看。越是好的作品对形式本身的依赖性越强,小说是语言的艺术,它的魅力体现在文字和文字激发出的想像中,改成电视剧就不是一回事了。金庸的语言,语到极致是平常,是绚烂之极归于平淡的一流境界。

尼采说:"伟大的动物都是动作缓慢的",中国人说"虎行似病"。你看那大老虎,下得山来,垂头丧气好像挺不高兴,怀着万古愁似的,但它的不着急是有道理的,因为它一击必中,不用像小动物们似的动作漂亮花哨,走哪儿都叽叽喳喳……

我自己的写作,是希望在轻松的文字里装一些有分量的东西,但就像金庸的作品一样,别人看不出来就算了,看不出沉重也能得到轻松的乐趣,看出了沉重算是另有收获。仿佛是入宝藏之山,你有多大的体力就能背走多少东西。写作要多层次,《红楼梦》和金庸的作品都是这方面的典范,什么人都能在其中有所收获,读者功力不同,收获不同。我也追求这一点。有的人看了《47楼207》说,真高兴,我想起了我的中学时代、大学时代,这也挺好。还有人说,哎呀,里头其实有很多忧伤的东西,余杰读了这本书就这么说,这就和我有更深的共鸣了。如果再更进一步,我其实是通过对20世纪80年代的怀念来批判90年代的,那个精神上丰盛美好的80年代已经一去不复返了,被物质社会的发展摧毁啦……

采访手记:

我相信语言能非常全面地表现一个人的魂魄。好的语言是——只言片语让人过耳不忘,长篇大论让人听而不倦。孔庆东,是我见过的最锦心绣口,出口成章的人之一:俚俗的比喻里装着修身齐家治国平天下的理想,小品一样诙谐的口气中有着沉重无奈的东西。有时是铿锵的三句半,有时是欧式长段配合缜密优美的遣词造句,所有这些话又都因为带着热乎乎的东北味儿,更显得别有风趣。

但同时,一个刚健清新的魂魄可以装在一具毫不起眼的皮囊中,孔庆东坐而论道时,发型微乱,身穿有小洞洞的破T恤。他留着规模不整齐的胡子,给人感觉既可亲可近又灰扑扑的。他给我们喝茶,茶杯是印花玻璃杯,从暖壶里斟出来的水温温吞吞的也不适合泡茶。总之,随便走在街上或骑车上班准备去北大的讲堂上博古通今引经据典时,他的身影不会比任何一个贩夫走卒体面多少。而且我从一些个蛛丝马迹中发现,一旦离开学问的世界,问到一些家常事,比如:"孔老师,你自己做不做饭啊?"他即刻显出些许茫然和无措……

是的,正如他所言,人的可爱之处就在于有趣又有疵,做人须先有德有才,大节无亏,小节上则不妨任其自然,宁俗而勿伪,要经得起别人的"不敬",才能配得上别人的"敬"。若孔夫子在天有灵,能看见他的庆字辈第七十三代嫡系传人在北大的校园里以这种情状怡然自得、随心随意地高谈阔论,也会拈须而笑吧!

"非典"访谈录

SARS 并不可怕

记者:艾略特在《荒原》里有这样的诗句:"四月是残忍的季节,柔弱的丁香破土而出。"确实在刚刚过去的四月,很多人都强烈的感受到了某种残酷的东西,感到死亡的威胁是那么的近,那对你来说,在这个四月你是怎样的心情?

孔庆东:我的心态还是很平和的,我是那种泰山崩于前而不变色的人。通过阅读历史,不论是纵向观察,还是横向比较,人类历史的进程发生过许多次大规模的因疾病或瘟疫造成的灾祸。这次的 SARS 和历史上的这些比较起来,不算什么。不算什么的原因在于,现在人类的医学水平和科技手段已经能够保证人们的健康。

记者:那你认为现在肆虐的 SARS 并不可怕?

孔庆东:对,我认为 SARS 不可怕,我本人更注意的是交通方面的安全。SARS 和战争、艾滋病、交通事故以及其他的疾病相比较而言,它的死亡率并不算最高。有健全的医疗体系、先进的医学手段,再加上透明详细的资讯渠道,我认为就有了更大的安全保障,没有必要去恐慌。

记者:你是否把你的这种观点带给你的学生和周围的人?

孔庆东:是的! 我努力传达这种讯息。通过现代文学史,我们知道了在中国解放前,鼠疫、瘟疫、疟疾都会使很多人死掉,但是那是在旧社会,医疗体系不是那么的完善。毛主席曾说,在战略上要藐视敌人,现在我们也要在战略上藐视 SARS,但在战术上要重视它,不是大大咧咧的不管不顾了,防还是要重点的防,治还是要好好的治。我们现在仍然可以依靠一个比较强大的国家,应对这场疾病,从根本上讲,应该是没有问题。

多了一个谈话资源

记者：作为年轻群体最近距离的观察者，你觉得现在的年轻人在这样的时候是怎样的心态？

孔庆东：大学生在校园内的生活还是很正常的，学生们的心态也比较平和。校园内有通畅的宣传渠道，学生们知道该如何防范。由于大学生本身素质比较高，他们面对这场 SARS 侵袭的时候，具有理性的判断能力。

记者：在这种时候你认为这些学生们最需要的是什么？你对这些年轻人有什么建议？

孔庆东：我的建议是，现在是一个观察社会的好时机，可以观察到现代的医疗/行政体系是如何运作的，同时，这也是观察群体的心态的好机会。另外学生们也可以趁着这段时间闭户读书。对于年轻人来说，读书和观察一定要结合起来。

记者：就你观察到的这些群体，他们是什么心态？

孔庆东：我认为大众的反应是越来越理性。刚开始的时候，民众的心态是有一些恐慌，但随着信息的畅通，民众的自我保护意识增强，知道是怎么回事了，恐惧感就减弱了。

我在超市或坐地铁的时候，经常会听到人们热烈地谈论有关这场疾病的话题，对大众来说，这成了继伊拉克战争之后的又一个谈话资源，这说明人们的内心有一种自我娱乐的态度。在朋友和熟人之间，因为这场疾病也获得了更强的情感纽带。我今天在我所住的小区内发现，有一户人家，把桌子搬到了外面，在院子里吃午饭，享受阳光，享受亲情，其乐融融。这是我从前没有见到过的情景，也许在另外的时刻，他们不会有时间有心情在阳光下与家人团聚。这其实也算是沟通家人与朋友间感情的时刻。

我也在超市里见到一些售货员，他们之间在开着友善的玩笑，在相互调侃，这是一件很有意思的事情，因为疾病，他们之间的关系好像更近了。

记者：对家人朋友如此，那对陌生人来说，是否会产生不信任感？

孔庆东：没有。我在坐地铁的时候，发现人与人之间是有一定的距离，很多人都戴着口罩，但是他们的眼神折射出的目光则是友善的和平静的，因为这个病的传播渠道每个人都了解。

人与人之间是有一定的空间距离，但是我认为，其实每一个人在内心深处都是贴近的。因为是所有的人的力量联合起来在对抗这场疾病。每一个人都了解别人在这时心里在想什么，更加意识到我们是一个整体。

平时国家的概念在每个人心里也很抽象的，但现在已经把其具体化了、加强了，民族凝聚力在这个时候也显现出来了。从这个意义上说，也算有些帮助吧！

答非所问

因为严肃所以幽默

记者：你的作品向来都有一些幽默，你以后的文章会延续这种幽默风格吗？

孔庆东：读过我的书的人普遍认为我的文章是幽默，但我不认为我的作品是以幽默为主，而且我认为没有必要去分辨我的写作风格。了解我的朋友就不会这么认为，例如余杰就不认为我的文章是简单的幽默，他们知道我幽默背后的真实含义是什么。我也有很多不幽默的东西，在幽默与不幽默的作品背后都有一个共同的东西，是以这种共同的东西为主，这个共同的东西就是严肃，是一种非常庄严真诚的对待世界的态度。因为庄严了所以就不在乎表现形式，幽默只是其中的一种。

我从来也没有想过要树立哪一种风格。钱钟书说幽默是不能制造的。这就是你为什么感到一些相声小品很难看，因为他们想制造幽默，这就违反了创作规律，你必须要对世界有一个真诚严肃的态度。比如鲁迅是一个多么严肃的人，但他的作品也不乏有轻松幽默的一面。

记者：那你是否觉得现在在我们的生活中幽默开始变得少了，人们感到生活沉重的压迫？

孔庆东：我有这种感觉。好的幽默太少了。幽默的背后其实是一种庄严的、真诚的东西。而现在，幽默已经变成了平庸的载体，为什么这么说呢？因为真正的幽默已经被那些廉价的搞笑掩埋了。中国人其实很有幽默的品性，但近年来，大众接触到的是以搞笑出现的流行文化，幽默感退化了。

真正的好的幽默作品其实是在面对灾难的时候，在面对无知的恐慌的时候，有一种高度的自信和从容的姿态。但那些搞笑是一种不严肃的态度，它缺乏对社会对世界的一个严肃态度，它的目的仅仅是把你逗笑而已，是一种小丑的取乐方式。侯宝林大师的那种幽默我们也会发笑，我们会尊重他，在笑过之后也会去思考。而搞笑只停留在表面，这是两个层次。现在的这种搞笑太多太泛滥，是对生命的不尊重。

记者：幽默减少了，同时人们也面对来自方方面面的压力，甚至在面对SARS 突然来袭时感到的恐慌，是不是说明我们的承受能力降低了？

孔庆东：引起公众恐慌不是幽默不幽默的问题，而是国家大事，你所说的心态问题虽然不是第一要素，但却是很重要的一部分。我们应该对待世界对待灾难有一个战略上的藐视的态度，面对任何痛苦的时候有一种高度的自信，要有一种泰山崩于前而面不变色的态度，那还有什么困难你放在眼里呢？这样你做起事情来才能更加有条不紊。

挖掘小人物的光彩

——就 DV 答凤凰卫视采访

主持:孔老师,您是怎么看待 DV 的呢?

孔:我不敢说我有什么深入、全面的看法,有的只是一点感受。在我看来这是一种新的艺术生产方式。人类社会有了文明之后,就有了艺术生产,每过一段时间,艺术生产方式就要变化。这个变化不是人的主观能去把握的,其实是劳动工具的变化引起了行为方式的变化。古代没有发明纸张和墨的时候,写字是很昂贵的,这就必然决定了写字这件事被垄断在极少数人的手里。后来写字这事儿普及了,照相、摄影这事儿又被一帮少数人给垄断了,这就叫权力。现在由于摄像机的普及,人人都可以拍了,起码有了这个可能,这是 DV 产生的物质基础。它必然和已有的影视话语,或者说视觉话语产生对话,现在这个对话可以说是刚刚开始。

主持:您对这些片子有什么印象?

孔:我觉得它们都比较专注于——现在有一个词叫"弱势群体"。这实际上涉及一个怎么想像民族国家的问题。我觉得在主流话语无暇顾及的时候,它们关注到弱势群体的地位,这对主流影像的传播,是一个非常好的补充。当然这种补充可能和主流话语有矛盾,有需要融合、适应的一面。比如《黑业》这个片子涉及算命,那么在政府看来,这是封建迷信活动,而且引人围观,影响交通。从政府行为来说,驱散它是合理的。如果我是乡长,我也不让你在乡政府门口搞这个,这是肯定的。但是每一种行为,都只是从一个角度出发,这就是现代社会的特点。如果你不是一个政府人员,你就会关心这个具体的算命的人的命运。

我有很多三教九流的朋友,他们怎么生活我都知道。但是我周围的学者教授们,多数是不了解下层社会生活的。他们已经多年没有坐过公共汽车,没有骑过自行车了,更不要说去看一个老头怎么上厕所。所以当那个镜头一直跟着这个老头走向厕所的时候,我觉得这是一种关爱的目光。在我们日常的新闻播送中,这是很少见的;更多的新闻带有一种猎奇性,把一个好玩的事,奇怪的事一下子推出来,而对画面中心的主体缺乏关爱。

主持:这里面还有一个片子是《老田》,您怎么看这个作品?

孔:我看老田,想的是这样一个问题,就是每一个人内心丰富的程度,可能都是差不多的。我们一般认为读书多、有文化的人,内心世界很丰富;文化程度低的人,内心世界就比较简单。根据我个人的生活经验,和我对文学、美学、心理学的研究,我觉得并不是这样。人内心世界丰富与否,和读书多少没有必然的关系。它和一个人对生活投入的感情,对生活有没有思考,或者对生活热爱不热爱,是有关的。很多所谓学富五车的学者,内心世界其实很简单。当然简单也不一定是坏事。那老田这个人看上去普普通通,其实内心情感很丰富,他对很多事情有思考,而且有自己的一套。你看他跳舞,就好像杂七杂八的学了一些武功之后,糅合成一套自己的武功。那不是简单的自我刺激,它里面有忧伤。我们能够体察到一点:老田这么一个孤苦伶仃的老头,他怎么来看待自己的生活?别人会觉得这个老头脏兮兮的,其实他是为我们打扫卫生的人。他清扫完世界,自己却给人一个不干净的印象。那么这些人怎么来排遣自己这样一种不平衡、这样一种自卑?怎样在生活中找到自己的幸福?说老田这个人丰富,是觉得他既消沉,又挺坚强乐观。我记得片子里有一段,他拿着一把刀给他女朋友比画。我觉得这是老田作秀呢,就是咱们说的蒙女孩儿。他不是真的要自杀,他要在她面前展示一个男子汉的风采。用这种"表演"来激起对方的好感。他这种思维方式和表达方式,跟大学生谈恋爱没什么区别。

我看这个片子,觉得老田和制作者合作得比较好。他有一点表现欲,这说明他是热爱生活的人。他觉得他要被人看,这个时候就要表现出一种状态来。在他的生活圈子里面,他其实是有自豪之处的。这种小人物身上的光彩,在俄罗斯文学、法国文学,或者我们的五四文学里面,都有过反映,但是近年来,却被忽略了。DV能用这样的方式,把这种光彩挖出来,我自己心里是有所感动的。他们是我们在生活中老遇到的人,看《老田》的时候,我想起北大里面的类似的几个老头。我甚至想如果有空,我应该把他们拍一拍,因为说不定哪一天就见不着了。而即使他们消失了,也不会有更多的人去关心他们。比如说那位总在北大三角地为人们讲解万事万物的邵师傅,光我就看他讲了二十年了,从黑发讲到白发,牙都掉了很多,身体越来越弱,但他还在讲,他是北大永远的风景,比我孔庆东要永恒得多的风景。

我们再说老田。在他自己的生活世界里,他并不认为自己是弱者。他认为自己是个"学者"。你看他问别人:"毛主席,接着是谁?"人家说邓小平,他说不对。他知道斯大林,还知道斯大林络腮胡子——他有一个自己的知识世界。如果不能把这种人的内心比较完满地展现出来,我觉得是当代艺术工作者的失职。当今的影像作品里更多的是豪华住宅里面的所谓上流社会的生活。但到底哪些作品的内容对于当今的中国更重要?我觉得小小的DV其实提出的是一个大问题。

主持:这些片子里面都出现了和这些人对立的角色,比如老田有那些保安在欺负他;老李有同行竞争,还有地铁管理人员在驱逐他;《黑业》里有政府部门、公安部门的禁止。您对这些人有什么看法？

孔：这涉及小人物和权力的关系。他们的对立面实际上是社会的权力系统和权力秩序。它们有一套完整的运行逻辑。这些人事实上生活在权力的缝隙中，一旦权力的发条收紧，他们就要被收拾一回。可能不太严重，或者是停他们两天生意，但每一次对他们的心灵都是一种挫伤。那么这种DV的片子就好在它不是简单地作为一个新闻事件，向我们呼吁不公平，它是从文化的角度来看待这个事情。这样的事情，虽然发生在中国，但这种状况全世界都存在。只有我们普遍认识到小人物身上的光彩毫不逊色于其他公民的时候，真正的民主和自由才有可能到来。

谈话剧《霸王别姬》

近几年的中国文学界，其他几种文学样式，如小说，诗歌，散文，它们能够撞击中国现实的力量好像越来越微弱。而这个撞击却在一个人们意想不到的领域爆发了——近几年，话剧突然热了起来，突然对现实产生了相当强烈的撞击，居然成为世纪之交中国文坛的热点。这是一个很值得思索的现象。在这个过程中，一些本来不是话剧领域的，比如本来写小说的，加入到这个领域中来，这个倾向值得重视。回到《霸王别姬》这个戏上，它对女性心理、生活态度、幸福观念的探索很有意思。还有，它十分醒目地在形式上进行一种民族化的探索。一进剧场，就能感到这种努力。它的不足就在于当这种探索的努力和话剧艺术规律相结合的时候发生了一些不吻合。这个戏我觉得一是冲突不够，有些地方让人感到有"辩论赛"的痕迹。剧情的发展前进不是靠内在的力量，而是靠外在的东西拖着走。再有就是人物概念化强一些。三个主要人物里，项羽比较弱。项羽是英雄儿女兼而有之的人物，但在这个戏里，儿女过于突出，英雄的一面没有得到展示。相对来说两个女主人公演得比较好。演员非常卖力，但过多地用语言把空间塞满了，好像曹操的十万枝利箭都射到了诸葛亮的草船上，语言缺乏动作性。从戏剧形式的民族化探索来说，我是非常肯定这样一个倾向的，在这个倾向上我觉得《霸王别姬》的探索值得肯定，这条路应该在不断总结中走下去。

这部戏留给观众印象最深的是肖雄扮演的吕雉。为什么这部戏大家有许多意见，而这个人物却让人觉得成功呢？我认为这来自于创作者把自己的生命投入了进去。如果说我们在这部戏里可以找到莫言先生的痕迹，那就在这个人物身上。她虽然是个女人，可我觉得她就像莫言，特别是当她感叹岁月流逝、人到中年的时候。这一定是编剧、导演把自己的心态投入到这里来了。为什么虞姬的形象显得单薄呢？我认为在莫言先生的作品里有一种一贯的精神，即民间战胜精英，那种来自土地的坚实的力量，来自小村镇上的女人焕发出的生命力，一定能战胜把天下大事当做儿戏的"小资"。其实项羽和虞姬就是"小资"，他们的美注定了必然是一种悲剧美。

经典五部

《中华读书报》征询20世纪五部经典文学作品，要求各写一句理由，答复如下：

1.《呐喊》(中) 鲁迅

以最少的文字对一个伟大的国家的文化进程产生最大的影响，20世纪仅此一部。

2.《天龙八部》(中) 金庸

写尽了人类生存的尊严与荒谬、伟大与卑微，堪称人性的圣经。

3.《变形记》(奥) 卡夫卡

故事一般，但它唤醒了整个20世纪正在走向非人的亿万生灵。

4.《荒原》(英) T·S·艾略特

我们今天生活在一个什么样的世界，没有比它描绘得更真实的了。

5.《钢铁是怎样炼成的》(苏) 奥斯特洛夫斯基

它最大面积地唤起了我们人性中纯洁高尚的一面，使我们能够坚强而乐观地面对这个肮脏丑恶的世界。

致北社同学

北社编辑部各同学：

大家好！

先后馈赠的三期《北社》我都收到了。卢永璘老师也曾向我推介贵刊。我很高兴看到这样一份真正的风雅刊物。李白说："大雅久不作，吾衰竟谁陈？"我们北京大学中文系不但应该是中文学术研究和中文高等教育的核心，同时也应该是"风雅性情，道德文章"的核心。北大中文系的教师和学生，应该具有第一等的驾驭汉语言文字的功夫。在这个问题上，我们应该表现出一点"兴灭继绝"的气象，自觉担负起传承中华文明之宝贵血脉的重任。

我在学生时代，也曾与三五同好寻章摘句，涂鸦为乐。也不止一次自发组织过传统诗文社团。但一是那时不如今天开放,此种行径多被视为"新鸳鸯蝴蝶派",屡遭冷嘲热讽甚至辣手摧花;二是我们自己也不够认真,意气用事,名士派头,结果都是有始无终。不过那种"文字游戏"的训练,对于提高我的语言表达能力和整个学术研究能力,都产生了不可忽视的积极意义。我们看看学术史和文学史,可以发现,单纯的"文字游戏"当然是不足取的,但是连"文字游戏"都玩不好的人,是不可能成为大师的。

我看了你们的凡例和作品,感觉你们做得沉稳、理性、认真,又得到了有关领导和老师的热情支持,我希望这是一个良好的开端,希望《北社》能够像我系另一份著名刊物《启明星》一样长期繁荣下去。三期里边除了卢永璘、钱志熙、龙协涛、钟振振等老师的力作外,刘青海、陈岚、馨如、辛晓娟等同学的作品都颇具功力,而且已经隐然自成风格。开卷读来,清新隽永之气袭面,博雅之风采盎然而兴也。

我有几个小小建议,敬请各位参考。一是在目录上标明页码,便于翻检。二是可在适当时机,组织关于当今旧体诗文创作的研讨。三是还可向更多的老师约稿,如袁行霈、葛晓音、程郁缀、漆永祥等。外院系的一些老师也可以联系,比如厉以宁先生旧诗也是写得不错的。四是风格还要多样化,不要被"风雅"二字自缚。"自从建安来,绮丽不足珍",过于雕琢、隐晦,不是旧体诗文的活路。我们经过了五四文学革命的今人所写的旧体诗文,应该是一方面继承传统的精华,另一方面则具有现实生活气息和现代美学精神的。这个问题很大,希望我们共勉吧!

我写旧体诗文本来就是带着"打油"精神,水平很差。近年周围没有"朋党",写得就更少了。"非典"时期,孤身闭锁于新居,电脑中只找到几首歪诗,发去恭请斧正。

顺致编祺,祝北社耀如北斗,永居北辰!

孔庆东

附:几首歪诗

(一)游凤凰

水光明暗里,雨意有无中。一叶飘摇处,几人魂梦同。

注:2002年10月,赴湘西游沈从文故乡凤凰。夜乘扁舟漫溯,吊脚楼风光依旧,一船无语,惟清风含露,惹人幽思耳。

(二)闭关

昏昏思美眷,日日坐枯禅。厌笔犹提笔,涂岚复画岚。心随万物动,志守一龙盘。不见拈花者,如来髭也斑。

注:不是写"非典",也不是写恋爱,更不是写法轮功。

（三）送北王寒假归省

弃家万里对寒窗，忍教娥眉思断肠。此夜东风迅十倍，满天花影乱西墙。

注：许多学者和博士生两地分居，令人大起"安得广厦千万间"之叹。

（四）胡儿行

胡儿十岁能弯弓，博得关西万里名。是大英雄本好色，我非草木岂无情。最怜明月照双影，爱上层楼叹零丁。之死香魂绕侠骨，人生如火锁寒冰。

注：与某博士打趣，拟作《胡儿行》一首，诡称新发现之古诗，请博士鉴定其创作时代。博士严谨考证后，断言此乃盛唐之诗。余大笑，窃思日后必寻机将拙作混入古人集中也。又疑传世之古诗中，必已有促狭儿先吾着鞭矣。

新闻是出版的火车头

——在《北京日报》的谈话

现在，出版似乎越来越和新闻捆绑在一起。有关"非典"的书至少有几十种，各种类型的全有。海湾战争以及张国荣自杀，都在很短时间内推出了一大堆畅销书。这是一个很重要的出版现象。有人说，19世纪是文学家的世纪，20世纪是新闻记者的世纪。21世纪延续了这样一种趋势。新闻显得越来越重要，但对出版业来说，它究竟是天使还是魔鬼呢？古代掌握文字的人是有话语权的，生产由他自己决定。报刊业兴起之后，意味着掌握文字的人多了，认字的人没那么大神秘感，也没那么大权利，文字生产的顺序可能就要调整，各个国家所谓现代文字的产生，都跟媒体有很大关系。现在小说也好，什么也好，都是媒体组织的。没有报刊组织，鲁迅也不写《狂人日记》，真正的英雄是孙伏园他们。整个20世纪的文字史就是个组织化的过程，这个过程越来越凸显，到现在就造成了这种现象，更多的书生产顺序调过来了，不是你想写什么，而是先要想人家需要什么，市场决定生产。市场化在中国铺天盖地地铺开，我觉得，根据新闻事件出书，这是水到渠成的事。可能在中国还没做到位，这种现象刚刚引起咱们的注意。在文字更发达的国家，这是司空见惯的事。现在要做的是怎么提高质量，怎么通过新闻书籍的导向，更好地组织现代国家。

新闻出书很需要具备民营出版家的眼光。"非典"期间出了很多本书，哪一本书能留下来，由畅销书变成常销书，和出版商大有关系。若干年后，人家研究"非典"时期出了哪些书，有人要做博士论文，他看哪些书，不看哪些书,也和当时编辑的眼光有关系。20世纪40年代上海有一种方形刊物,就是为了迎合市场,引人注目,结果成了一种形式,现在专门有人写文章,研究40年代上海出版的方形刊物,由一个创意变成了一种历史价值。

亚洲足球在崛起

(就2002年世界杯一系列热点话题接受新浪文化的独家专访)

这届世界杯的后几场比较好看,后几场我指的是半决赛以后。怎么说呢?感觉上回到了纯粹的足球、纯粹的体育,少了很多的干扰因素,少了政治、宗教的因素,足球的艺术性和技术性得到了提升,比较文雅吧!像今天的巴西对德国,那么激烈,也没有看到有什么不雅的不文明的行为发生,这就很好,干干净净的。真正是体现了世界杯精神,足球精神,体育精神的光彩一面。

中国队这次的表现很正常。全队上下努力了,没有超水平发挥,也没有败笔,还需要再努力吧!中国球迷表现得也很不错,非常可爱。甚至叫号子也不统一,打旗子也不统一。什么大连的、武汉的,很有意思。他们最大的希望就是中国队能进一个球。非常善良。

亚洲足球在崛起。其实土耳其严格来说也算是亚洲国家。这次土耳其和韩国的进步,将在很大程度上影响亚洲。土耳其对韩国的那一场很有意思。抛开了一些影响因素,韩国和前几场表现不太一样了,它的前几场值得回味啊!

每一次世界杯,都会有强队落马。因为这是世界杯啊!总会有强强相遇的时候,总会有人落下来。所以,意大利、法国、阿根廷这些队的落马,是十分正常的,并不是说他们的水平就滑坡了。

世界杯完了,中国的米卢也走了。

中国队的问题不是教练的问题,在我看来是体制和意识的问题。足球有效人口太少,意识不强、环境太差,这样那样的问题都要解决。只有解决了体制问题,水平才上得去。

总的来说,这届世界杯虽然前面多云,后面还是艳阳高照。从现在起,我对下一届又充满希望了。

做客新浪

主持人:各位网友,大家好,今天我们有幸请到孔庆东先生,他是北京大学中文系的著名教授,同时也是韩国梨花女子大学的教授。孔庆东先生是《47楼207》以及《空山疯语》、《金庸侠语》一系列非常畅销图书的作者，最近他推出了一部新书《独立韩秋》。

孔庆东：各位网友大家好，我很少来新浪网做聊天节目，请各位兄弟姐妹关照。

主持人：同时我们请到了另一位嘉宾，北京日报《文艺周刊》的陈戎女士。

孔庆东：陈戎女士读大学的时候负责我们班的各项生活事宜，掌握着我们班的生杀予夺的大权，我们都不会忘记她的。

陈戎：对，他们要是肚子饿了，都会想起我，因为我是发粮票的。

孔庆东：当时男生不够吃，女生有富余，存在着调剂的可能，就更可以想像陈戎女士在我们班中的地位了。

主持人：二位真是非常的幽默，孔老师的新书《独立韩秋》，有很多您在韩国的游记、随笔，这里面包括了很多的韩国文化的东西。我想您作为一个访问学者，到韩国，对韩国的文化也有一些深入的研究和见解，比如说韩国文化其实是从中国文化中分离出去的一部分，比如说儒家思想，但是现在中国年轻人心目当中，儒家的思想已经慢慢淡化下去了。您能跟我们谈谈儒家或者是儒教在韩国处于什么样的情况吗？

孔庆东：其实不好说韩国文化是中国翻出去的，好像说文化都是从中国起源的了，其实很多思想都是我们东亚人民共同创造的财富。儒家思想当然是从中国发源的，但是随着向东亚地区不断地传播，特别是到了中国明朝的时候，那时候韩国是朝鲜时期，有一个巨大的历史事件，就是人臣战争。日本的丰臣秀吉想要占领整个世界，首先打下了朝鲜半岛，当时明朝派大军帮助朝鲜军民一起经过七年的战争，打败了丰臣秀吉，光复了朝鲜的国土，两国之间的交流成了一个高峰，儒家思想在韩国成了不可动摇的思想，从此之后，中国对儒学的弘扬和坚持反而不是这样了。所以，从此之后，韩国以小中华自居，清朝在韩国看来是不正统的朝代，他说你看中国人都梳了辫子了，有了这样的历史背景，他们就更加坚持儒学的传统。

第二是全球化、现代化的危机当中，每个国家都要考虑找自己的精神支柱，韩国在经济发展过程当中，儒家文化起了巨大的作用，在韩国很多人都直接使用儒教这个词，其实中国倒不大使用，因为这个东西成了教，和简单的一个思想还是不一样的。比如说我们五四新文化运动，是反对封建礼教的，五四运动倒不是反儒家思想，是反礼教的。其实很多人对韩国不太了解，因为他总是宣传儒教，觉得比中国做得好。应该说在文字层面做得非常好，但是渗透到人的日常生活当中，其实很复杂。比如说儒教的一个方面，讲秩序，讲君君臣臣，父父子子，韩国做得比中国明显多了，两个同学,比如说我和陈戎,我们是一个年级的,一个班的,但是只要她生日比我大一天,那么我就得归她支配,她可以随便支配我。给我买包口香糖,我就得给她去买,我如果不买,别人就会认为我是没有规矩的人。而在中国人看来,这是属于封建礼教,中国的儒家思想是在自然的人与人之间的关爱上,而不是等级。

但是中国人也有一些弊端,就是人和人之间太随便了,不尊重了,中国做得有过于粗放的一面,所以两国在很多地方是可以互相借鉴、互补的。

主持人:说到儒教,还有一个情况向各位网友透露一下,我们孔老师是孔子的传人,第73代传人,关于孔氏家族,能不能跟我们说一下?

孔庆东:其实我不是孔子的嫡系传人,孔子的每一代长子继承,这个长子叫衍圣公,每一代都是嫡传,每一代都是长子。我经常遇到白发苍苍的同族的老人,实际上比我小好几辈,在农村还很讲究的,他见了我还跟我叫爷爷,很尴尬的。最近我们全世界的孔家开始重新修孔家的家谱,全世界的孔家都是一家,两千年来家谱丝毫不乱,从这个家谱当中可以看到民族的文化兴衰。我们的这个家谱是六十年一大修,三十年一小修,上次的大修是民国时期,现在又重新修家谱,这是一个非常大的工程,因为现在全世界有四百多万,韩国就有十万,全世界都有,这也是一个文化的项目。前不久,山东临沂有一个孔庙的揭幕仪式,我们衍圣公的一个弟弟,特意从中国香港赶回来参加,在那个揭幕仪式上让我代表全世界的孔子后人做了一个讲话。

我讲话的意思是这样的,孔子是伟大的思想家、文化家、教育家,这不用说了,而且儒家思想非常重要,我们应该继承和学习。但是我又讲到,不是所有的儒家思想都应该继承的,应该经过现代化的转型,封建的礼教,君君臣臣,父父子子,需要经过扬弃的批判,不能因为我是孔子的后人就说得特别完美。

主持人:陈戎女士,你觉得您的这位同学在性格方面,是不是在你们班上跟别的同学不一样?特别开朗或者是特别调皮的一个同学?

陈戎:他还真不是,用现在的话说是中规中矩的一个人吧!我们班有很多怪才,他在我们班同学里面不是非常引人注目的。在我们班同学里面,他一直在当学生干部,也管大家很多事。

孔庆东:老奉献。

陈戎:不像我,管的都是特实在的事,他管的都是特别宏观的事。他当过书记。

孔庆东:我们系的学生会主席。

陈戎:现在回过头再讲,那时候可能恰恰不引人注意,所以背地里下了很多的工夫，做了很多的学问。

孔庆东：现在很多人把我叫做北大怪才，其实我一点都不怪。那时候我和陈戎这样的人特普通，放到今天好像还有点思想，是因为时代变化了。

主持人：孔老师写了很多跟北大有关的作品，比如说《北大往事》、《47楼207》，二位都是北大毕业的，北大在中国这么一个特殊的地位，二位有没有觉得自己身为一个北大人有什么比较特殊的想法、感触？或者说北大对于二位有没有什么特殊的意义？

陈戎：我觉得大学对一个人的成长是非常重要的一个阶段，尤其是中国的教育体制是这样的一个体制，等于我们赶了一个文革的尾巴，经历了非常混乱的一个重建的时期。北大对我的影响是非常非常大的，北大给我们的不仅是一种知识上的滋养，而是精神上的一种培育，教会了我们一种生活的方式。

孔庆东：我们北大的一个教授叫谢敏的说的精神的魅力。

陈戎：我不喜欢北大老把自己当老大，以我是北大人而自豪什么的，我这种思想并不是很突出。我们在中学毕业的时候，我们还没有特别强烈意识到这个问题，后来我们四年以后出来了，有很多格格不入的东西，但是我觉得这是很可贵的，北大教会了我们独立思考，或者置疑。

孔庆东：包括可以置疑自己的母校，有人说你是北大人，怎么老骂北大呢？我就说我爱它。

陈戎：北大没有教会我这是一个很辉煌的名字，实际上是一种态度。

主持人：能够上北大对普通中国人来说是非常光荣、非常荣誉的事情，很骄傲很自豪。最近湖北有一个高三学生，十八岁，名字叫胡坚，写了书，在网上也是知名度比较高，他写的书叫《分清时代》，还开了作品研讨会，这位学生的分数可能还不够上北大，但是他在文学方面是确有才华，胡坚本人很想北大特招他，这个事情最近媒体也是炒作得比较多，包括我们新浪文化也在做，近期就会推出。孔老师在中央电视台12演播室也参加了这个话题，能不能跟我们说说对这个事件的看法和态度？

孔庆东：媒体突然就把这件事情报道成为人们关注的焦点，作为北大却并不知情，不管是中文系的，还是招生的负责人，从来没有接到过胡坚要求北大特招他的申请。我觉得胡坚想上北大，这是上进心的表现。我看到有的媒体说，胡坚想靠一本书上北大是很不诚信的表现，我觉得这个帽子太大了，对一个18岁的年轻人，要上北大怎么不诚信呢？这个帽子太大了，要上北大是很正常的，大家都想上北大。但是话说回来，上北大要有一定的程序，就是要考试，假如不考试，这就不是胡坚一个人的问题了，假如我们破例招了胡坚，社会就要置疑，你有没有什么量化的标准？所以，现在我们的招生制度有很多弊端,应该改革和完善它,但是还没有做好这样的准备,不能说因为一个人突然改变这个制度。所以在这种情况下,我觉得有一些报纸把这个事情讲得很重要,我觉得一个是给胡坚带来很大的压力,而且使胡坚产生了一个幻想,好像在媒体的帮助下北大就能招他了。但是我看恰恰相反,招不招胡坚成了对北大的考验,招了说明就是识人才的,尊重智慧的,不招就说明不尊重智慧,我看北大是不会吃这一套的,北大为什么一定要招一个刚刚出了一本书的人呢?我觉得他不一定非上北大不可,淡化这件事情,你是有文学才华的,你凭自己的能力,还有现在的信息条件,将来也有很多的机会,你可以考研究生嘛,北大也许会办一个为了培养当作家的人才班,也是有可能的。

主持人:还是回到《独立韩秋》这本书上来,这本书非常有趣,孔老师对韩国菜好像是特别有意见,我知道孔老师很喜欢吃的,说韩国菜怎么都是大酱汤、泡菜,真的那么难吃吗?

孔庆东:其实我们对韩国的真正的生活状态很不了解,比如说中国大地上很多的韩国烧烤,很多的韩国菜馆,给人的感觉好像韩国天天都吃烤肉。到了那边就知道了,韩国家家都有冰箱,都是泡菜,很多的南方人根本就没有办法吃,没有可吃的,另外,韩国的菜没有油水,没有专门的厨房,没有煎炒烹炸,没有油烟。从现在的饮食观点来说,这挺好,减肥,没有那么多的胆固醇啊!但也没有看人家营养不良啊!韩国足球运动员,好像比我们还好,我们天天吃肥肉,好像身体还不如人家。但是中国人什么山珍海味都吃过的,我到了韩国几年,所有的菜都吃过了,平时吃的主要是泡菜和大酱汤,饮食的文化差异非常大。

主持人:您对很多的闲心是特别不客气的,大加批评,能不能公平的、理性的客观地说一下您眼里的韩国人?

孔庆东:古代韩国人和现在的韩国人是不同的。古代韩国人在文化上、脾气上、性格上和中国的其他民族的人差不多。比如说汉族、满族,都很相近的,即使现在观察他们,觉得很像东北人和山东人,脾气火爆一点,爱憎分明一点,但是近代以后,发生了变化,由于甲午战争的中国的失败,朝鲜沦为日本的殖民地,一下子就50年,两代人都过去了,对国民的心理伤害非常重。光复之后,很快就是南北分裂、对峙,然后又是长期的军事制裁,韩国人的反抗性特别强,韩国人的反抗、不屈服,从体育比赛当中就能看出来,有一些不好的方面,就是对外来的人和文化,他怀有一种本能的戒备。我在韩国也有一些很不错的韩国朋友,都是经过长期的交往之后他才能完全认同你,而且首先得大骂一顿中国,说中国如何如何不好,他才对你信任。一旦把你当成朋友,对你真是很好。但是一般情况下,因为有被殖民、被压迫的长期的历史,包括现在还有三万美军驻在他的国土上,对人民的心理的影响是非常大的,这是一个挥之不去的阴影,所以使他们在骄傲和自卑之间来回的跌荡。

主持人:听说你跟鼎鼎有名的李昌浩下了一盘棋,能介绍一下吗?

孔庆东:这是我非常幸运的事,我见到棋友都是非常得意,你们赢我多少盘都不如我,我跟李昌浩下过棋了。他是去参加大学的国庆,恰好被我遇上了,我抓住这个机会,和李昌浩下了一盘棋,这盘棋,我被他让了六个子还是输了,刚才谈到儒教的问题,在李昌浩身上体现了真正的儒者的精神。他不欺负你,他下棋非常随和、有礼貌,在一点一滴中把你赢了,你输得无话可说。别看他长的挺傻的,但是他礼数完备,我从来不请人签名的,那天我就让他给我签了名,我是非常佩服他了。下完棋之后我们又一起吃了一大盆大米饭,一大盆大酱汤,他没有一点国手的架子。

主持人:你们当初在一起读书的时候,见过他下围棋吗?

陈戎:男生的宿舍我一般很少去,去的时候他们也都在睡觉,北大的中文系里面,围棋是一个很风尚的一个游戏。

孔庆东:我们那时候都下象棋和打牌。

主持人:孔老师是围棋二段,他自己加了一个注是业余的,我看你《47楼207》里面写,是受了一位特有怪才的同学的影响学会的,从此以后对围棋就特别着迷,看来北大真是人杰地灵的地方。

孔庆东:北大那个地方也是我们的"教师"。

主持人:现在世界杯是轰轰烈烈的,韩国在世界杯里面的表现真是让人非常的意外,他们现在已经闯入八强了,而且是很意外地战胜了意大利,有人说是韩国的黑哨,孔老师对这个事情是什么样的看法?

孔庆东:好像是老百姓怀疑一个官员贪污腐败,但是官员说你有什么证据? 这个官员的逻辑是有问题的,他要求老百姓收集证据,这是举证倒置的,老百姓是弱势地位,你要自己来证明。韩国这次的拼劲,完全把韩国的体育精神超水平的表现,我那天看韩国的比赛,那哪里是队员啊,简直就是 11 根高丽参在奔跑嘛。我也怀疑他们的体力为什么好到这个程度,我想他们可能是有必胜的信心。不光是和意大利的比赛,看看韩国队每一场的比赛,上帝都那么照顾他们,意大利所有的犯规一个没漏,韩国队的犯规只判了三分之一,这里面是可以怀疑的,我们北大的教授愤怒地说,我们被世界杯愚弄了,这是对现代体育精神的亵渎,我是挺复杂,我特希望韩国为亚洲争光,用真本事代表我们亚洲进入八强。

主持人:对中国队的表现有什么看法? 这是历史性第一次打进世界杯。

孔庆东：中国队我是挺满意的，我觉得中国队就是这样的一个水平，比如说跟巴西只输了四个球，你看看人家巴西，特别是今天巴西和英格兰队比赛，中国队输四个球也是理所当然的。一个是这次比赛当中没有什么弄虚作假的东西，确实是尽力而为了，而且不光中国队是可以首肯的，包括中国球迷的情绪，我觉得都是很理性的，非常正常的使我觉得这是一次里程碑式的参与，以后还有更好的机会。

网友：《独立韩秋》以后，不知道孔老师还有没有什么别的写作计划？

孔庆东：今年是中韩建交十周年，又鉴于两国之间很不了解，我们很少看到报纸有深入的报道，所以我出了这本书，我在书里写了一些日记，可以帮助读者真实地触摸韩国。但是我的本职工作不是写这些东西，我的本职工作是老师，我的研究是20世纪的文学，写散文、杂文是我的副业，当然由于对中国文化的很多思考，我将来还会想写一些关于中国文化方面的书。

网友：《47楼207》这本书出书以后，受到了很多人的非常热烈的赞许，对这本书的评价都挺高的，甚至有人说您是另外一个钱钟书，您怎么看？

孔庆东：我前天正好在北大的一个几百人的课上讲过钱钟书的一篇散文《说笑》，我首先是非常佩服钱钟书的，钱钟书学富五车，我是永远赶不上他的，钱钟书学问非常高，看得非常透，他的幽默是在非常高的位置上带有俯视人生的意味。我没有他那么大的学问，也没有那么大的胆量，我讽刺幽默的角度站得没有那么高，有时候是平视的，有时候稍微高一点，我有很多的讽刺幽默同时是可以反躬自省的，我讽刺的对象也包括了我自己，比如说北大人有什么样的毛病，其实也在说自己，我自己也有这样的毛病，这是我和钱钟书等大师的不同的地方。

网友：在北大的时候，您师从两位名师，一位是钱理群先生，另外一位是严家炎先生，这两位是非常有名的教授了，能不能谈谈体会？

孔庆东：我也有文章写到他们，从钱老师那里，我得到了作为一个知识分子对社会的责任感，一种激情，你做学问是为了什么，如果做学问是为了谋生，或者就是为了获得一个很好的社会位置，那你大可以做别的，钱老师教会我们把学问和人生结合起来。严家炎老师是学界的泰斗，严老师说话基本上没有错误，人家都说严老师是严上加严了，真是名副其实，我写文章，我自己觉得已经非常扎实了，但是严老师能一下子就指出问题来，让你五体投地，我说这是我第一手查到的材料，就是鲁迅的什么什么书里的，严老师说你用的不对，鲁迅也是引用别人的。我曾经用武功来比喻，钱老师是降龙十八掌，山崩海啸的。严老师是另外一种高手，滴水不漏。所以我在一本书的后记上写，我这辈子最感激的事是遇到了很多好老师。

陈戎：而且这两位老师是特别爱学生的，对学生特别热情的。

孔庆东：但是他很少表扬学生，偶尔得到他的一句正面表扬，学生都特别高兴，一般是得不到的。

网友：《47楼207》讲的是你们那时候的学生的情况，非常有趣，现在过去这么多年了，你们肯定偶尔也会回到学校，有没有感觉到现在的北大跟你们读书时的北大，一个是校园有什么不一样，另外就是学子，你们的学弟学妹们跟那时候有什么不一样？

陈戎：北大现在可能盖了很多建筑，周围的环境好像不太和谐，有很多很杂乱的感觉，我记得那个时候学校里面没有这么多的新楼，可能会显得安静一点，更自然一点，现在好像有点乱。至于学生嘛，准确地说我跟他们已经不属于一代人了，我们跟他们关注的东西也不太一样了，因为我们那时候的生存的压力好像也没有现在的学生这么大，现在的学生要自己找工作，稍微有一点选择，会带来一连串的问题，包括你将来的发展，包括你的收入，包括你的社会地位等等，每个时代的人关注的点不一样。我觉得他们比我们活得比较清醒。

孔庆东：从我们的角度来看，好像现在的学生关注的是眼前的事，在他们的眼中看来，我们好像就属于是假清高，不切实际，这些也都有合理的地方。

陈戎：我记得有学生说特别羡慕我们那时候，比较单纯。

孔庆东：关键是生存环境，从余杰他们那一代开始，找工作，生存已经成了压倒一切的事情。

陈戎：包括我们那时候的家长不管怎样都有工作，现在很多的学生家长比如下岗等等，要自己赚学费。

孔庆东：所以说现在的学生比我们活得更不容易。我那时候有14块钱的助学金呢！但是我要强调一点，不管哪个时代的学生，既然上了大学，阅读一些人类文化的基本的典籍这是非常重要的，你不要为了挣稍微多一点的钱把时间都荒废了，你挣的钱够读书正好，挣再多的钱就得不偿失了，既然当了大学生，还是读书最重要，而且要读人类文化基本的典籍，不能每天都看英语和电脑的书，那样悔之晚矣。

主持人：北大是国内知名的高等学府，世界的排名看来不是尽如人意，国家要把北大做成世界一流的学府，或者跟世界接轨，二位都是北大人，觉得北大还有什么工作可以进一步去做的？

孔庆东：有雄心壮志是很好的，但是要先看世界一流大学要有哪些条件，从教师的素质，从教师的奉献精神，学生刻苦努力，这些可能都已经是世界一流的了。问题是一些硬件，不要和英美的大学比，就和亚洲的几小龙比一比，新加坡和韩国比一比。我到韩国一看，所有的大学里，楼道里一排排的电脑,电脑比学生还多,你要建一流的大学,不能说光谈奉献精神。韩国有一个教授和我研究的专业是一样的,他自己就有八十万的藏书,他自己有一个巨大的工作室,你想他每天要省多少时间啊,我要借一本书去图书馆,我要费多少时间啊?他现在的研究水平可能不如我,我每天这样浪费时间,可能很快他就会超过我。怎么样加强大学基础设施的投入是能不能建成一流大学的关键一环。

陈戎:我觉得可能更多的问题,北大自身有它的问题,但是最根本的问题还是在我们的教育体制上。比如现在北大一个校长想兼容并蓄一下,想招一些比如说没有大学文凭的当教授,教育部能批吗?你有没有这个能力?这有很多的问题。

孔庆东:对很多在校的老师学术研究方向和学术研究的风格能不能做到兼容并蓄,能不能做到一视同仁,这也非常重要。

陈戎:北大以前在中国的政治经济生活中产生了很大的影响,关键是它有一些很不同的东西,很多人在这里面得到发展,表达它的一种声音的存在,现在显然不够。现在北大我觉得不太满意的地方是,北大这几年的体制有问题,本身是胸怀不够宽广。

主持人:北大给人的感觉是海纳百川。

陈戎:世界一流的大学必须要有这样的胸怀。

孔庆东:作为北大人,也希望它更好。

网友:现在社会针对您的书的风格,《47楼207》、《都日的北大》诸如此类的,认为现在社会不缺乏幽默人士,而是缺少批判大师。

孔庆东:我觉得幽默和批判是可以结合起来的,有很多话可以直接说出来最好是说出来,但是有一些话不能直接表达出来,直接表达出来可能会受到伤害,怎么样把话说出来是很重要的,幽默是把意思表达出来的一个好的办法,其实如果百分之百都可以表达的话,那就没有语言艺术了。

网友:可以谈谈韩国的美女吗?韩国的女孩子可以说是非常艳丽,我们在韩剧里面看到的个个都貌若天仙,是这样吗?

孔庆东:韩国的人种和东北和山东的差不多,所谓漂亮不漂亮的比例跟我们这儿是非常接近的,或者用我个人的感觉,天生丽质的比例不是那么多,我们看到韩国大部分的明星都是经过整容的,我有一篇文章,《刀下出美人》,他们不是割个双眼皮什么的,而是大动干戈,什么都可以变的,而且现在韩国的舆论是支持的。我见过的化妆不化妆,基本上是判若两人,作为给他上课的老师都认不出来。关于这种问题,韩国也有一种争论,一种观点认为是美应该发自内心,另外一种观点认为美貌也是竞争力之一,纳入到竞争力里面,这也是很现实的,到公司里应聘什么的,这确实是有很大的因素。但是我想，跟中国的读者说，不要发生这种误解，觉得好像亚洲地区只有韩国的最漂亮。当然我觉得很多很好的化妆技术是可以学习的，韩国的化妆品非常好，韩国人均化妆品销售量据说是世界第一。

网友：您在书里屡次提到您的孩子阿蛮，可以跟我们讲讲您家里的情况吗？您的妻子，您的小孩，可爱的阿蛮。

孔庆东：我家里很平常，我夫人也是一个老师，我的孩子是上一年级的小学生，他在各个方面表现得都很平常，智力、身体都很平常，比如说学校里闹流感了，他也跟着感冒了，别的孩子好了他也好了。比如说一个班里有十来个人答一百分，他就得99，他属于比较中庸的一个孩子，这也恰恰是我所满意的。从我的人生经历上，我希望孩子小的时候越普通越好，越平常越好，接触三教九流的孩子越多越好。刚才跟陈戎说，也要学一点坏，学打架，这叫人生的底色，就跟《红灯记》里说的，有您这碗酒垫底，什么样的酒都能对付，这也是我的教育观。

网友：您在韩国游山玩水不少，可以讲讲那边的风光吗？

孔庆东：韩国是非常美丽的国家，我看到很多写韩国的书，三千里锦绣河山，我觉得这个话说得非常好。不同的自然风景可以用不同的词来概括，说韩国是锦绣河山，非常准确，感觉就像锦绣一样的，最重要的原因是它的绿化非常好，韩国历史上多次战争，特别是朝鲜战争之后，美军的炮火有多厉害，那以后韩国的土地上可以说是寸草不生了，我发现韩国的绿化这么好，怎么都没有大树呢？都是很细的树，在20世纪60年代的时候，发起绿化运动，政府组织力量，把山上的居民全部迁下来了，当然那个过程也是比较残酷了，强迫他们离开自己的家园了，但是整个国家用政府的手段都绿化了，而且严格地加以保护。几十年下来，人们就产生了环保的意识，这一点是韩国比中国要先进的，人的环保意识非常强烈，没有见到谁在街上随便乱扔烟头、易拉罐等等，由于绿化好，走到哪里都可以看到是绿的。它的汉江，以前污染得很厉害，现在已经治理得非常清洁了，我到汉城以后，我就说汉城的空气真好，人家说哪里啊，是韩国空气最不好的地方了，到了其他地方就会发现更好了。

主持人：二位是业内人士了，对国内的这些作家，比如说余杰，他最近出了《香草山》能谈谈吗？

孔庆东：余杰也有很多的读者，但是也有很多的误解的地方，比如很多人认为我是写幽默文学的，余杰很多人都认为他是属于写锐利的批判的文章的，他是有一些尖锐的批判的文字是很好，但是他还有另外一些文字，读者注意得不够，而且我自己也认为这类文字更有发展，是抒情性的文字，比如说他写的《今夜飞雪》这些可以归为美文一类的，我觉得这一类也很好。

批判性的杂文其实并不好写,批判性的杂文要有巨大的学识和学养,看鲁迅写杂文,他是把人生都看透了,如果你的学养不够,你的观点很容易片面。我觉得余杰很多杂文写得好,是因为他在北大读书期间,他不是玩乐的学生,他每天泡在图书馆里,他看了很多的书,所以这些学养使他的杂文质量非常高,他要保持这种高质量还要继续读书。最近余杰跟我联系时说,他最近在读大量的课外书,经济、法律、社会的,这对我们来说都是非常重要的。

陈戎:另外是他的社会观,强烈的关注现实,这可能是比较容易引起读者共鸣的地方。你喜不喜欢一个作家,还应该自己去选择,选择的最好的办法是自己去读他的东西。

孔庆东:千万不要说余杰是第二个王小波、中国内地的李尧什么的。

网友:您觉得中国跟韩国相比是不是落后很多了?

孔庆东:在现代化的秩序和都市管理方面,应该毫不犹豫地说中国是落后的,比如说韩国的交通也很拥挤,但是亮红灯的时候,大家都在等待,没有人闯红灯的,中国尽管每天都在宣传,但是还是很混乱,这和市民的自我约束的意识是有直接关系的,所以在现代方面,韩国人还是比中国先进的。我听韩国自己评价说中国已经发展很快了,觉得还是比中国领先五年,我觉得还不止五年,估计还有十年的差距。

主持人:中国要追上这十年的差距,还需要在哪个方面改进?

孔庆东:两个方面入手吧,一个是教育,另一个是法制建设。

主持人:您在韩国的时候是梨花女子大学的教授,能谈谈吗?跟中国妇女的地位相比怎么样?

孔庆东:梨花女子大学是非常大的一个学校,培养的都是走入上流社会的妇女,学生都很自豪,能进这个学校,就是上流女性了,当然招生的人多了,也不一定了,但是总体趋势是这样,是非常骄傲的一个学校,非常有地位的。但是有一点,韩国的妇女是不工作的,这只是她的一个价值,是她将来嫁给议员的身份。不工作,男女平等不是一个口号,男女平等首先要女性有经济权,你要丈夫来养活,男女平等就是空话,所有的生活细节都是女的照顾,吃饭的时候,一举一动地,女的为你服务,三从四德,而且比我们想像的还厉害,开会的时候男的先发言,女的后发言,上车也是男的先上,女的后上,所以我们中国的很多男的去了都不习惯的。韩国也有人觉得是好的现象,可以表现男子汉的威风,实际上造成不好的结果,从表面上看,男的下班以后不爱回家,因为跟妻子无话可说,因为妻子是个没有事业的人,每天说的都是家里的家常话,三五年下来就没有什么可说的了,没有什么共同语言。

网友：您对王朔的看法如何？特别是王朔攻击金庸的文章怎么看？

孔庆东：我到很多大学讲座的时候都回答这个问题了，这也和媒体塑造王朔有关系，王朔本人并没有过多的痞子气，他挺老实、挺温柔的，而且多少有一点自卑感，他自己没上过大学，所以对别人总是请教的口吻，他写小说很锐利，攻击一系列的名人，并不是因为对这些名人有什么看法、仇恨，他只是一种写作的策略。北京的溜冰场，看谁玩得漂亮，觉得不忿，就拿起一个板砖扔过去，其实两个人没有什么仇。他攻击金庸，两个人都成了焦点，金庸只回了他一篇文章，就再不发言了，王朔也躲一边看笑话去了，他不是学者，他把话说出去，就已经成功了，对错对王朔都没有什么意义，很多人跟他去探讨学问，王朔不知道乐到什么分上呢。

给政府打 82 分

——海淀区十三届人代会大会发言

尊敬的主席团、各位代表：

我受海淀街道、海淀乡和燕园街道 30 名代表的委托，向大会发表我们对政府工作报告和建设新海淀的议政思考，题目是：《站在时代潮头，建设首善之区》。

我十三团全体代表认为，本届大会的《政府工作报告》，真实反映了五年以来我区在各个工作领域所取得的骄人成绩，充分肯定了全区人民五年来的辛勤劳动。报告以事实说话、以数字说话、以诚信说话，表现出了我们海淀区政府良好的执政素质和民主倾向。报告对五年以来工作上的不足也认识清醒，特别是对今后五年和 2004 年的工作目标和主要任务充满了信心，能够起到催人奋进的积极效应。应该说，这是一份合格的、过硬的、可信的政府工作报告。出于做老师的职业习惯，我个人给这个报告打82 分。

本团代表经过讨论认为，这次大会的《政府工作报告》，如果以更高的标准来看，尚存在若干可以补充和商榷之处。

一、对过去五年工作上的不足之处，认识清醒，但总结不够细致。刚才保继光教授的发言已经论述得非常精辟。在篇幅比例上，不足与成绩相比，不到 1/10，比毛泽东时代还要伟大，实在难以服人。若能略作展开，当更有利于表现我们的心胸坦荡，无私无畏，更有利于破除新跨越征程上的障碍。

二、对过去五年工作上的成绩，总结全面，但重点突出得仍然不够。各项成绩，在客观上应该存在着主次、轻重、表里、先后等逻辑关系。简单地加以罗列，容易显得庞杂、烦琐，未能凸显政府决策思维的明晰性。

三、对今后五年和2004年的工作目标，计划细致、热情感人，但在给下届政府预留的执政空间这方面，应该考虑和结合得更加完善。

四、个别词句和章法上，尚有进一步斟酌调整的必要。这里不再展开，有关领导若愿虚心求教，本人可以个别辅导。我们海淀人民政府的工作报告，在文字上也应该表现出海淀人的高超水平。

以上四点意见之外，本团代表对于今后五年海淀区的建设大体有如下三项建议：

一、把握整体，突出重点。海淀区的整体格局是什么？整体特色是什么？我们认为，就是人文核心、科技后盾、城乡一体。牢牢把握这个整体特点并加以有机结合，才能使海淀区在时代大潮中稳立潮头，独执牛耳。

二、保护弱势群体，注意木桶效应。刚才已经有两位代表的发言提到了这个问题。根据社会学、经济学的"木桶原理"，木桶能够装多少水，是由最短的那块板决定的。所以我们除了大力发展高新科技产业和"做强做大"之外，一定要注意保护农民和其他弱势群体的利益，整体发展，整体富裕，同舟共济，共唱凯歌。绝不能出现"月亮弯弯照九州，几家欢乐几家愁"的不利局面。

三、建立海淀发展战略研究院和人文大厦，为海淀区的长期繁荣打下牢固的根基。海淀区的任务千头万绪，错综复杂。但是其根本核心在于文化。在海淀区这片土地上，既闪耀着延续了五千年的博大精深的中华文化，又汇聚了丰富多彩的五大洲的外国文化。忽视了文化，科技与经济都将是洋务运动时代的一盘散沙。依靠文化，才能整合起全区的资源，满盘皆活，纲举目张。在一座座数码大厦的丛林中，昂立起我们的人文大厦，让海淀区人民在本区就可以看到世界上最精彩的设计和展览，看到世界上最精彩的歌剧和芭蕾，看到世界上最精彩的比赛和晚会，这样的市区，才称得上是真正的"首善之区"。

尊敬的主席团，各位代表，以上是我们十三团对政府工作报告和建设新海淀的思考建议。我们有一百个理由相信，海淀区作为全中国文化含量最高、科技含量最高的市区，一定会在持续的发展和繁荣中成为北京市乃至全中国的标兵市区，我们愿意为此而贡献我们的热诚和智慧。祝大会圆满成功！

谢谢大家！

答非所问

2004 年 1 月 13 日 11 时 30 分

附　　录

附录为他人评价本人之文字，有吹捧有
诬蔑，都是不大了解我的人写的。不过我一
律表示感谢。此类文字网上甚多，随便找了
几篇放在这里，挂一漏万，在所难免也。

孔庆东韩国逸事

北京外国语大学　丁启阵

　　我跟孔庆东相识于韩国。我们曾同赴野菜之旅——与另外一位北大
中文系教师一起，从汉城出发，去安城又一位北大中文系朋友任教的中央
大学。在安城郡的田野上挖了好多野菜，然后大家一起制作成饺子馅和菜
肴。大快朵颐之后，打了几乎一个通宵的扑克。从此，我们就有了好几次
一同旅行、郊游、聚餐乃至出席学术会议的机会。我们曾经站在板门店韩
国方面的瞭望台合影留念，互相给对方充当摄影师；也曾经在一次由我发
起的汉城郊区的水落山之旅中，在无路可走的山林里披荆斩棘，邂逅一位
穴居独处的韩国尼姑；孔庆东的《独立韩秋》一书中记载的"启阵睡床上，
我睡地下"，说的是在清州出席朝鲜大学举办的一次学术会议时的事情。
相处虽然不久，但耳闻目睹，孔庆东的趣事却实在不少。我曾略加整理，在
朋友中讲过几个段子，听到的朋友颇有撺掇我将其形诸笔墨以娱乐更加广
大读者的。

　　孔庆东虽酒量有限，却自号"醉侠"，在北京大学中文系，以研究、教授
中国现代文学为业。但是他的有名于世，主要的不是由于他的专业成就，
而是他的幽默随笔。眼下我的书架上就有《47楼207》、《空山疯语》、《独
立韩秋》几本书，有我自己亲手从书店买来的，也有作者孔庆东签了名亲手

寄给我的。说实话,朋友赠书,有不少我是恭敬受之然后束之高阁的,而孔庆东的这几本书,无论买的还是他送的,我都从头到尾看过一遍。不为别的,只为写得有趣。据说,北京大学的学生中有一些人是念高中时受了孔庆东《47楼207》那篇文章的蛊惑,而在填报志愿时隆重写下"北京大学"四个字的。我愿意相信这种说法的真实性。

其实,孔庆东不只是文章写得有趣,他本人的言行举止就往往耐人寻味,不愧"醉侠"雅号,无酒亦醉,酗态可掬。

如果把我耳闻目睹的关于孔庆东的段子全部都写出来,文章就会很长。为了节省篇幅,我这里只选三则:

孔庆东去理发馆——异国生活,语言不通是会有很多不方便的时候的,比如上饭馆点菜、去理发馆理发都会有意想不到的困难。初到韩国,我们都曾为理发时语言不通犯过愁,孔庆东向我谈过他的经验:他所任教的梨花女子大学的学生告诉他,只要说自己是"梨大教授"就可以了。于是我合理想像如下:孔庆东到了理发馆,理发师向他问好,孔答:"梨大教授。"理发师问是理发吗?孔答:"梨大教授。"理发师问理什么发型,孔答:"梨大教授。"总之,不论理发师问什么,孔庆东一律答以生硬的韩语:"梨大教授。"发音大致近似"一呆九俗"。

孔庆东的韩国语水平——到韩国三四个月之后,孔庆东的韩国语似乎并无多大起色。有一次午后我们几个人一起在路上行走,碰到熟人,我们就跟人打招呼:"俺娘哈腮油!"(你好)孔庆东大惑不解,质问我们怎么这时辰还跟人说"起床啦!"他说每天早上八点钟,那些管打扫他房间的韩国大嫂就是说的这句。原来,那些清洁工早上给孔庆东打扫房间,边敲门边大声说"俺娘哈腮油!"孔庆东于是以为这"俺娘哈腮油"就是"起床啦"的意思。

孔庆东的古汉语水平——一次长途旅行,孔庆东坐在我旁边,不知为什么说起古汉语,孔庆东忽然说:"我在上中学的时候,古汉语水平已经非常高了,没想到,上了北大中文系,发现张双棣老师的古汉语水平比我还高!"张双棣先生是古汉语专家,早年曾做过著名语言学家王力先生的助手,以研究《春秋左氏传》语言知名。

芸芸众生,多的是语言无味、行为规矩的人,言行、举止出于其类拔乎其萃者,有如凤毛麟角。因为有了后者,我们这个平淡无奇、枯燥乏味的世界,才显得有些趣味;再者,按照物以稀为贵的价值衡量定律,后者也实在是值得我们加以重视的。著名历史学家司马迁将游侠、滑稽一流人物写入煌煌巨著《史记》,让他们与帝王将相一同耗费简帛,用意也正在于此。只是后世的历史学家不懂得司马迁的用意,将言行杰出、举止怪异的游侠、滑稽一类人物逐出史书,使得史书又变得枯燥乏味起来。

写这篇有关孔庆东的小文章,不妨看成是我对失传已久的司马迁述史传统的有意识的继承。当然,按照老例,孔庆东也许还可以进入《文苑传》或者《儒林传》。

话说孔庆东的"醉"

老孙

孔庆东是北大的副教授,眼下却成了名噪一时的"北大醉侠"。而孔庆东并非如李白一般天生就有"斗酒诗百篇"的雅量,因为孔庆东坦承自己是个沾酒就醉的人。也许金庸在华山论剑时对其"能喝而无量"的点评更能证明这一点。若从"雅量"的角度,"醉侠"孔庆东可谓是浪得虚名。

既然成了公认的"醉侠",必定有其"醉侠"的道理。就说这"醉"字。

通常意义上讲,"醉"的意思是指因喝多了酒或药物等作用以致神志不清或暂时失去知觉。有时候也被喻作"糊涂"。《楚辞·渔父》里就有"众人皆醉我独醒"的句子,意思就是说众人都糊涂了,唯有我独自醒着。这里的"醉"就是糊涂。宋之问在《送赵贞固》一诗中说:"目断南浦云,心醉东郊柳。"这里的"醉"又成了耽乐、沉酣的意思。

综上所述,既然"北大醉侠"已是非孔庆东莫属,那么,"醉"之与孔庆东就应该必有通意之处。

"因喝多了酒或药物等作用以致神志不清或暂时失去知觉"这条显然与事实不符。孔庆东沾酒就醉,自然就不可能"喝多了酒";"喝多了药物"更令人难以置信,至今还未曾听说过有哪位教授级人物因喝多了药而致神志不清或暂时失去知觉的。孔庆东属教授中的聪明者,这一条就更不可能了。

至于糊涂一说,好像也不怎么贴切了孔庆东。我倒觉得"众人皆醉我独醒"里的"醒"似乎才是孔庆东的真面目。

"我们人文学科长期存在一个问题,就是研究成果不能及时地变成被大众所接受的知识,论文写完,印成书,就放图书馆了,只有同一专业的人你看看我的,我看看你的,如何用研究成果推动社会进步却很少有人关注。应该说我们国家在尖端领域不乏人才,我们有鲁迅这样深刻的思想家,有杨利伟这样的航天英雄,我们的学生托福考试分数很高,但是我们的农村、边远山区还有很多文盲。我们的社会为什么整体进步慢,这中间缺乏的就是知识的普及。我注意到世界上那些强盛文明、那些发达国家,他们尖端领域的人才不一定比我们多多少,但是人家的大学者都做普及工作,像霍金那样的大科学家都去写现代物理的普及读本。我们的政府一直在着力解决经济上的贫富差距，但是应该看到知识上的贫富差距也在拉大。"这是孔庆东的精彩言论，谁敢说这是糊涂话？所以我说，孔庆东是清醒的，而且是非一般意义上的清醒。

最后就是"耽乐、沉酣"了。这倒好像有点意思。正如了宋之问的诗句："目断南浦云，心醉东郊柳。"眼下的孔庆东岂不正是：目断学术云，心醉人风流？

如此看来，"醉"之与孔庆东除"耽乐、沉酣"外，应该是与酒、药物和糊涂无关的了。是不是也可以这么说，孔庆东的确是"醉"了，但绝非物质意义上的醉，而是目的特明确的精神意义上的醉，是醉态百般出、之意不在酒一样的醉。

其实，这一切无不缘于身为教授的孔庆东个性极其张扬的性情文字。最著名的当数《47楼207》和《北大四博士》。

下面主要说说《47楼207》。且看孔庆东在《47楼207》开篇是如何一语露出醉相的："'北大往事'，本来是我计划中的一部长篇的名字，现在忽然有人以此为名编一本书，那我的长篇将来出版时拟改名为《狗日的北大》，以表示我对北大无法言说的无限挚爱。当然，也可以叫《挨千刀的北大》或《老不死的北大》。我先把这些漂亮的名字公布出来，算是霸占一份专利，倘若有人侵犯了我的冠名权，那我将把'北大'二字置换为他的尊名。现在，特从我的这部巨著中抠出一小节，作为北大百年校庆的一份贺礼。这一小节属于最最平淡无奇的部分之一，因为那些比较精彩的乐章，我是舍不得在这个年头拿出来暴殄天物的。这里讲述的，只是20世纪80年代最后几年一条楼道里的一群研究生的凡人轶事，我尽量每个人都说几句，因为他们中的大多数都与我久违了。我讲讲他们的一些无伤大雅的隐私，不是为了笑话他们，而是以此深深怀念我们共同奋斗、共同忍耐、共同享受、共同消磨过的那段神话般的岁月。"

尽管我现在明知这段文字是出自孔庆东的手笔，但是，却仍有一种"80后"的感觉萦绕在心头挥之不去。

同样是北大中文系教授、博导的张颐武，称"80后"作家为"尿不湿"的一代，意即喧闹中国文坛已有些时日的"80后"们是垫着尿不湿长大的，就是因了尿不湿舒适温暖、可将尿液与皮肤完全隔离开来的产品特性，使得使用尿不湿的孩子丢掉了早期的由表及里的身心刺激训练，对于随意小便会对身体带来伤害这一点也变得越来越没意识，以致落下一个有便即便、毫无自控能力的行为习惯。"80后"滔滔不绝的个性文字，之所以给人一种随心所欲、泥沙俱下的感觉，正是这一习惯带来的后果。

不过,虽说这一后果终将导致"80后"的作品沦为失败的文字,但其作为一种现象在文坛上所赚取的人气之旺以及名利之丰却都是前所未有的。这对于"80后"来说,应该是:文字虽极有可能一败涂地,但换来的却是人生的成功。我觉得这一点才是孔庆东的文字之所以会给我一种"80后"的感觉的根本原因所在。

出生于1964年的孔庆东与"80后"们相比,不论是从年龄、学历、职位还是阅历和知识结构上,都应该是两个绝对不同的概念,或者说根本就是两代人的事情。如果说"80后"的文字纯粹是因了"尿不湿"的作祟而导致其自控能力缺失下的"有便即便",那么,孔庆东的文字(性情)就应该是因了企图心的作祟而导致其在超强自控能力下的"想怎样便就怎样便"了。

这就有了境界或者说功夫上的区别。"有便即便"对于"80后"来说,就像是小儿无知随意撒尿一样,虽有悖于人之常理,却也不乏可爱之处。相比之下,孔庆东的"想怎样便就怎样便"却是一种千锤百炼终成佛的"童子功"。正是基于此,"80后"们不过被人看做了一种现象,而孔庆东却赢得了"北大醉侠"这一足可以笑傲江湖的美名。

像《狗日的北大》、《挨千刀的北大》以及《老不死的北大》这样的文字,若出自"80后"之手那是再正常不过的了,现在却是出自孔庆东这个生于20世纪60年代的北大教授之手,人们除了惊诧、窃喜之外,也只能认为这个孔庆东似乎的确是醉了。至于最后"我讲讲他们的一些无伤大雅的隐私,不是为了笑话他们,而是以此深深怀念我们共同奋斗、共同忍耐、共同享受、共同消磨过的那段神话般的岁月。"这句,正合了"酒后吐真言"这一常理。因为孔庆东说的是"隐私",尽管他强调是"无伤大雅的",但,隐私就是隐私,是应该属于难得一吐的"真言"的。

所以,仅凭了孔庆东的这一段另类(或叫幽默)的开篇之语,我就没有理由怀疑孔庆东的"醉"。同时我还得承认,像孔庆东这种能在"酒不醉人人自醉,醉翁之意不在酒"之意境里随意为文的人,的确是不能不另眼相看的。

眼下的文学似有陷入"露隐私"和"窥隐私"之泥潭的迹象。这也难怪,人类天生就有这方面的潜意识。而对于学生来说,最具诱惑力和最能刺激兴奋神经的事情,莫过于能看到或听到有关老师的"隐私"。孔庆东看似醉眼蒙眬,事实上却是紧紧盯住了这一点。若从市场经济的角度讲,这一点正是文字产品的最佳卖点。所以,孔庆东的《47楼207》一经抛出,即一夜走红,名声鹊起。孔庆东也因此在人气和名利上收得了意想不到的战绩,不惑的人生也从此罩上了成功的光环。

不妨再看看孔庆东在《47楼207》里是如何讲他的几个研究生室友的

隐私的。

讲毛嘉：毛嘉还爱汽车。没事儿就画汽车解闷，被我怒斥为"手淫"。所以后来我一看见他画汽车，他立刻塞进抽屉，羞涩地说："手淫，手淫。"然后加一句："他妈的！"

毛嘉去伊朗游学一年，我送他一首《满江红》："小小毛嘉，有几个风流夙愿。一心想，天鹅落地，蟾蜍赴宴。月下联诗惊浴女，花前赏景闻娇喘，更那堪湖畔共吟书，声声软。人之出，性本乱，学外语，吃洋饭。望长城内外，行尸百万。孽畜洗衣真费水，瘟鸡中暑鸡生蛋。待何时还我面包来，年年盼。"毛嘉在伊朗洗了一年衣服，觉得不值得叛逃，就又不羞不臊地回来了，遭到我等一致呵斥。毛嘉说："那边妇女在外面捂得严严实实，一回家就脱得一丝不挂，看黄色录像。"我们问："你咋知道咧？"他说："我亲眼看见她们的确捂得严严实实的。"众人大笑，最后判定他必是在伊朗惨遭蒙面妇女轮番蹂躏，苟延残喘，奔回祖国怀抱。

讲大河：大河是懂得幽默并创造幽默的。有一次他看我写的打油诗"撒尿东篱下，悠然见南山。南山不知北客愁，一味冒青烟。"大笑之余，他说这诗不是无聊之作，里面是有寄托的。还有一次他实习讲课，用他那掺有河南味的西北口音讲小说人物语言，讲到女主人公对男主人公说出了："惊天动地一句话"，大河伸着一根手指头，眯缝着眼睛说："我要你要我！"大家笑不可止，一连传诵了好几天。

看大姑娘洗澡：夏天的夜晚，我和马天水、毛嘉经常爬到楼顶去玩。楼顶偶尔有弹琴或恋爱的，一般都很安静。四望灯火明亮，爽风徐来，和天水不断讲着各种笑话、双关语，讲得毛嘉芳心乱跳，又想走又想留，一副半推半就的样子。毛嘉给天水起了个外号——"恶棍"，见面就说："这恶棍！"一天夜里，我迟一点上去，见他俩站在楼边，面对 48 楼，我喊了几声都不回答。我走上去一看，原来 48 楼 6 层的一间水房里，一个大姑娘正在洗澡。我们三人扯开喉咙"嗷吸"地起哄，那姑娘听见声音，竟然转过身来，面对窗户，动作故意分外夸张。这一下，我们全都晕菜了，立刻溃不成军，逃到一边也。天水说："妈妈的，成何体统。"毛嘉："肯定不是北大的。"我们本来是上来联诗的，这一下都沉浸在奇观中，于是装出一副假道学的样子，大骂一通世风不古。天水平日里最爱模仿阿 Q 的一句："女人……妈妈的。"此时他说了很多遍。

引用了这么多孔庆东的原文，自知难免会遭到一些市井之徒的唾骂，却无法做到再精简，怪只怪孔庆东的文字里有了太多的魔力，弃之未免于心不忍。因为必要有了这些文字方能让我对孔庆东的"醉"有一个完全的认知。

仍然是这些文字,若是出自一个无名小卒甚或"80后"之手,不要说一夜走红进而使作者人气名利大丰收,就是让北大学生看上两眼恐怕都是极为困难的事。因为不过是一些大学生宿舍里一直并将继续发生的情事的真实记录,哪怕再加上大段的性爱描写,也是没什么值得大惊小怪甚至追捧的。然而,到了孔庆东的手里,这本来是块"石头"的东西却成了灼目的金子。这又是从何说起?

　　我觉得这与孔庆东的教授身份是不能分开的。首先是有史以来还不曾见过有哪位北大教授能写出这等与传统意义上的教授身份相去甚远的文字;再是有史以来同样无人见过有哪位北大教授敢如此真实地坦露自己大学时代的生活隐私,而孔庆东恰恰就做了这两件事,这不能不说是给人们传承至今的传统人文意识来了一番"忽如一夜春风来"一样的刺激,那接下来孔庆东所获取的意想不到的成功就应该是"千树万树梨花开"了。至于后来"北大醉侠"一名的出笼,不过是人们在把孔庆东看做一种现象的同时却又难以把握、无从解说,致使大脑一时"断电"而兀自跑出来的一个说辞罢了。

　　所以,我认为孔庆东今天在性情文字上的成功,应该算是"教授"的成功,其性情文字不过是充当了一个"助纣为虐"的角色而已。

　　不管怎么说,以一种"醉"的姿态活跃在人文舞台上的孔庆东已是越来越受到人们的关注。我倒希望北大甚至全国高等学府里的教授们能把孔庆东当成楷模,不妨也"醉"上一回。正如李白的"古来圣贤皆寂寞,唯有饮者留其名",可谓人生难得一回"醉"。如此一来,若再能有"南大醉鬼"、"西大醉翁"、"东大醉仙"等出来和"北大醉侠"一起共舞,不定就是学术界的一大圣事。

　　最后,借用《47楼207》结尾的打油诗韵作诗一首,算作与"北大醉侠"孔庆东互勉。

> 性情文字无短长,
> 百般醉态走四方。
> 今朝有酒开怀笑,
> 酒醒天秋好个凉。

谈笑风生孔庆东

安琪

孔庆东的课永远都是爆满,且是那种水泄不通的爆满。

孔庆东实在是一个有戏的人。先是他的外表,粗粗壮壮的,一介武夫模样,有点类似武侠小说里那类功夫不大却时常摆出一副雄赳赳姿态的人。而孔庆东却是北大鼎鼎有名的青年才俊,那天在课堂上,我耳边传来同学议论的声音:孔庆东是真正的孔子后裔呢。然后在课堂上也真的听到孔庆东说到孔夫子时语气自信而亲昵。

孔庆东的课确实妙趣横生,他不摆出一副彬彬有礼、学识渊博的架势,讲课时就在讲台上走来走去,语调尖锐。孔庆东这学期上的是现代通俗小说,也许是课堂里拥挤的气氛触发了他的灵感,他先从北大校园讲起。他说,一种东西一成为时尚就有问题了,这几年,到北大听课成为时尚,当官的、做生意的、写文章的都把到北大听课当成雅事,一种事要成为雅事了那就有问题了。孔庆东这一番开场白说得大家哄堂大笑。接下来说:这几年北大渐渐成为一个景点,时常看见导游小姐举着小牌子带领旅游团到此参观,弄得一个学校像一个市场吵吵嚷嚷的,以前我在北大念书时校园真是静。接下来孔庆东讲得更妙:那天,我就看见一个年轻的老师模样的人带领一帮学生走到未名湖,然后手一指,说,同学们,你们知道老舍吗? 学生齐声回答,知道。老师说,那知道他是跳哪个湖自杀的吗,他就是从这个湖里跳进去的,这个湖叫未名湖,记住了吧。同学们齐声回答,记住了。孔庆东话未说完,全体同学早就笑得东倒西歪了。然后就听见孔庆东继续说,我当时真恨不得一脚把那老师踹下湖去,这影响多坏啊! 别以为孔庆东上课就讲这些,他可是很庄重地一而再再而三地现身说法谈到读书的重要性。他强调,要读原典原著,不要光读那些论著,任何对论著的阅读都不如真真正正地读原书来得有收获。一周读两部名著,那么毕业后无论在哪里都可以横行了。他说,对,是横行,因为扎实的文学功底可以打通一切。他举了泰森的例子说,肚里装了几百部书的人和不装书的人是不一样的,前者就是泰森一样立在那边谁都可以打到他但打不倒他,因为他有内功啊。反过来,谁要让泰森打中一拳那就够你受了。

孔庆东说:在北大,各色各样的人都有,有一次,有人向我推荐一本热门的批判北大某类人的书,问我生不生气。我说,我不生气,因为这类人只是北大的一部分,并不是北大的全部。北大的特色正是——谁也代表不了北大! 据说在北大中文系,现代文学专业是一个热门。研究生生源和师资力量都很强大。以至于系里有"现代派专政"的戏说存在。这学期每周五下午在理教113都有一门现代文学课。那天来到理教113,天啊,500 个座位的教室至少挤进了700 人,原来正好是轮到孔庆东主讲鲁迅《影的告别》,难怪! 我挤在边上略微听了一下,正好就听到孔庆东在做精彩的开场白,大意是现如今对名家戏说的成分已到了使刘胡兰爱上到她家养伤的革命战士的程度了。最有意思的是孔庆东在进入鲁迅正题时说的一段话,大意是，他们中文系的钱理群教授是有名的鲁迅研究专家，有钱教授在，他是不敢妄自开口的，现在钱教授退休了，他就可以放开胆子说鲁迅了。一席话又让大家笑个不停。这真是孔庆东啊！

与名人同窗的苦难日子

——阿忆回忆孔庆东

我上学时，成绩一贯名列前茅，后来考上北京一个名校——景山中学，苦难的日子终于来临，简直是苦不堪言！在这所学校，能进前20名就算是非常好的学生，但父母认为10名以后的位置从来不属于我。可想而知我的压力有多大。

我们班有一位著名的聪明家伙，他后来成了1982年北京理工科的金榜状元，先我一年进了北大，去美国后做李政道的研究生。这家伙数理化考试从不过20分钟交卷，而且永远是满分。他做题总是把所有运算步骤先写出来，然后逐一填上各步答案。我自视文科水平不一般，但在他面前，我显得如此低能。他的作文总是挂在墙上展览，字写得工工整整。在玩的方面，我也根本不能与他相比。排球场上，他是英明的二传手。篮球场上，不是他跟着球跑，而是球跟着他运动。比试中国象棋，我只勉强和他平过一局，其余输得一塌糊涂。他还是北大艺术团首席钢琴。他的父母长年在西藏勘探，家里根本没人管他。可见，在孩子的教育上，父母基本上没有什么作用。

后来，我们学校要搬迁到一座腐朽而庞大的王府，现在看来把王府改作学校完全是一种暴殄天物的做法，但是在当时，我们都非常兴奋地为新校址看家护院。我们整天跑来胡闹。结果，我们班的高考升学率创全校最低。当然，落榜的人里不会没有我。

我揣着奇耻大辱，改道另一所中学补习。这政策是完全正确的，一个地方跌倒了，换一个地方爬起来。

可以说，活到今天，那次是我惟一一次按部就班地努力。我是一个不能按计划行事的人，做电视节目也是如此，常常是开场白还没想好就手足无措地上场。可那年，我每天把闹钟上到5点，一分一秒地读到子夜。我把所有课本的所有内容都背下来——包括数学书和历史书里的脚注——来年高考，我如同作弊，在心里哗啦啦地翻着书，然后把其中的段落一字不差地抄在卷子上，总分据说是北京文科第10名。

那是让我受益匪浅的一年。我没有受过挫折，那次记忆，让我体会到别人受挫时的沮丧、耻辱、愤怒。我还由此明白，死记硬背是天下最有用的法宝,后来考 TOEEFL 和 GRE,考交通法规,考研究生,我都如法炮制,战无不胜。

我如愿考上北大中文系,原以为好日子终于到了,没成想挫折感仍然没变。北大的智者比景山学校更多,比如睡在我旁铺的兄弟孔庆东。

孔博士与我同屋,我的记性就算够好的了,听一遍京戏,总能唱出几段。但这家伙,听一遍几乎就会唱出全部。跟这样的人住在一起,和跟猛兽住在一起,没什么区别。别人是过目不忘,这家伙是过耳、过鼻、过什么都不忘。

三年级时,我每天拿着罗素,假装研读,每个字都认识,就是连在一起不知说的是什么。别人都在拼分数,我拼不过他们,就只能以好大喜功的方式大量"阅读","阅读"那些根本不好看的名著。眼睛在字间流动,心却想着为什么我得不到爱情。

我很欣赏孔庆东博士,他现在越来越有名。但我们在学问上曾有过很大不同。他觉得我不学无术,我觉得他咬文嚼字。一直到前些年看到他写《47楼207》,我才感到非常之高兴,他终于堕落得和我差不多了。他的学问做得很精纯,但他终于为人民写作了。同舍时,我们曾为可不可以说"您们"发生激烈争吵。我支持"您们"无所谓错,他便挺身而出,捍卫汉语尊严,使我不得开心颜。最后,他急眼了,终于使用标准的汉语语言,结束了这场讨论。我确认,他现在也不会允许哪个主持人说"您们",所以强烈推荐他加入国家语委!